Pôle fiction

Du même auteur
chez Gallimard Jeunesse :

Le Combat d'hiver
Le Chagrin du roi mort
Silhouette
La Troisième Vengeance de Robert Poutifard
Le garçon qui volait
La Ballade de Cornebique
Jefferson

Jean-Claude Mourlevat

Terrienne

GALLIMARD JEUNESSE

Ce qui les dégoûtait encore, c'est qu'il avait déjà épousé plusieurs femmes, et qu'on ne savait pas ce que ces femmes étaient devenues.
Charles Perrault, *La Barbe bleue*

1
La fille
au scarabée

Étienne Virgil n'allait pas bien quand il fit la rencontre, au début de l'automne, de cette jeune fille qui s'appelait Anne Collodi.

Elle tendait le pouce sur la route départementale 8 entre Saint-Étienne et Montbrison, dans ce secteur qu'on nomme ici la Plaine. Plus loin, vers l'ouest, il y a les monts du Forez. S'il fait beau, on les voit devant soi, à l'horizon, vert sombre et bleutés, et on se dit forcément qu'on devrait y aller, que ça a l'air très beau. Mais ce matin-là, on ne les voyait pas, le ciel était gris et bas. Il bruinait.

Elle se tenait sur le bas-côté de la route, à la sortie de Sury-le-Comtal, bien campée sur ses jambes et faisant face au trafic. Il n'avait pas l'habitude de prendre des auto-stoppeuses et, s'il le fit ce jour-là, ce fut parce que celle-ci avait apparemment le même âge que sa petite-fille Loïse. Il n'aurait pas aimé du tout voir l'aînée de ses petits-enfants faire de l'auto-stop toute seule sur cette route, ni sur aucune autre route d'ailleurs, et il n'eut aucune hésitation en arrêtant sa vieille Peugeot sur le bas-côté.

Elle trottina jusqu'à la voiture, se pencha à la vitre qu'il avait baissée et demanda :

– Vous allez sur Montbrison ?

Elle était de taille moyenne, elle avait une silhouette juvénile, un joli visage et des cheveux châtain foncé, mi-courts. Elle ne portait que du noir : jean, pull, veste, chaussures, écharpe.

– J'y vais. Montez.

– Merci, monsieur.

Il arrêta la radio pendant qu'elle prenait place.

– Vous pouvez laisser la radio, dit-elle.

– Je n'écoutais pas, répondit-il. Vous attendiez depuis longtemps sous cette pluie ?

– Non, deux minutes à peine, et il ne pleut pas très fort. Et puis j'ai l'habitude.

Elle boucla sa ceinture. Il jeta un coup d'œil dans le rétroviseur et démarra.

– Regardez ! Il est beau non ?

Elle ouvrit la main droite et lui montra un scarabée vert bronze dont le vernis étincelait, comme si on venait tout juste de l'appliquer au pinceau.

– Je l'ai trouvé là, dans le gravier. On dirait un bijou, non ? Une broche…

Elle était calme, sans aucune méfiance. Elle avait déposé son sac de voyage à ses pieds et regardait le gros insecte qui bougeait au ralenti dans sa main.

– Je pensais qu'à l'automne ils s'enterraient pour passer l'hiver. Il a l'air perdu. Vous croyez qu'il va survivre ?

– Je ne sais pas.

– Et si je le garde et qu'il se dessèche, vous croyez qu'il restera vert comme ça ?

– Je ne sais pas. Je n'y connais rien en entomologie.

– Ah, et vous vous y connaissez en quoi ?

– En rien de particulier…

Disant ces mots, il se rendit compte à quel point c'était la vérité : il ne s'y connaissait en rien de particulier. Il se fit aussi la réflexion que cette jeune fille ne ressemblait pas aux autres. Au lieu d'un téléphone portable, elle tenait un scarabée vert dans sa main, et elle parlait volontiers, à l'inverse de ces adolescents mutiques qu'il connaissait et qui perdaient l'usage de la parole en présence des adultes.

Elle gardait sa paume ouverte et le vert du scarabée irradiait au milieu de tout le sombre que faisaient ses vêtements, le tableau de bord et le sac de voyage.

– On en trouve sur le sarcophage de Toutankhamon, dit-elle.

– Ah…

– Ils sont le symbole de l'éternel retour.

– Vraiment ?

– Oui, du soleil qui revient, qui échappe aux ombres de la nuit, chaque matin, et qui remonte dans le ciel.

Il sourit. Si l'un d'eux avait dû enseigner quelque chose à l'autre, compte tenu de leur âge respectif, c'était lui.

– Vous êtes à la retraite ?

Il se sentit désarçonné l'espace d'un instant, mais elle avait posé la question avec tant de naturel et de liberté qu'il ne s'offusqua pas.

– Oui. Enfin non. Disons que j'ai un métier où on ne prend pas vraiment sa retraite.

– C'est quoi ?

– J'écris des livres. Des romans.

– Vous êtes écrivain ?

– Oui.

Il avait toujours eu du mal à prononcer lui-même ces trois mots-là : « Je suis écrivain. » Cela le mettait mal à l'aise, comme s'il s'était vanté, en les disant, d'une capacité particulière, et il craignait d'être jugé prétentieux.

Il redouta qu'elle enchaîne en lui posant l'iné-vitable et insupportable question : « Où trouvez-vous vos idées ? » à laquelle il aurait été obligé de répondre une fois de plus : « Je n'en trouve pas. » Elle lui épargna cette épreuve. Décidé-ment, elle l'étonnait.

– Comment s'appelle votre dernier roman ?

– Il s'appelle *Le Saut de l'ange*.

– Je ne l'ai pas lu.

– C'est normal, il ne paraîtra qu'au mois de décembre.

– C'est un beau titre. Je l'emprunterai à la médiathèque.

– Oh, vous n'êtes pas obligée...

– Pourquoi?

– Parce que ce n'est pas un bon roman.

– Ah, vous êtes mécontent de vous.

La voix était descendue sur la dernière syllabe. Ce n'était pas une question mais un commentaire. Un étrange commentaire, et il s'en amusa.

– C'est ça, je suis mécontent de moi.

– Allez, vous ferez mieux la prochaine fois!

– Pas sûr, j'ai l'impression d'être un peu au bout du rouleau. Je me sens vieux.

Il s'étonna lui-même de sa franchise. Il connaissait cette jeune fille depuis moins de quatre minutes et il venait de lui en dire plus qu'à l'éditeur avec lequel il travaillait depuis quarante ans, à qui il ne cachait rien, en qui il avait toute confiance, mais à qui il n'avait pas réussi à avouer ceci : «Mon dernier roman est mauvais, je n'ai plus d'idées et je me sens vieux.»

– Vous avez quel âge?

– J'ai soixante et onze ans.

– C'est drôle.

– Qu'est-ce qui est drôle?

– Moi, j'en ai dix-sept. Il suffit d'inverser les deux chiffres.

Le scarabée avait atteint le bord de sa main et elle le repoussa doucement avec l'ongle de l'index.

– Reste là, toi… Où tu vas comme ça ?

Le petit animal roula dans le creux et activa ses pattes crochues et ses pinces pour se remettre à l'endroit. Elle laissa échapper un rire, regarda Virgil de côté et revint à l'insecte.

Ils restèrent quelques minutes sans parler. Il regardait la route. Elle regardait le scarabée.

– Vous êtes marié ?

– Non. Enfin, oui. Je l'ai été.

– Vous êtes divorcé ?

– Non. J'ai perdu ma femme, il y a trente ans.

– Ah. Et de quoi est-elle morte ?

– D'un accident cérébral.

– Trente ans… souffla-t-elle, impressionnée. Et vous n'avez jamais essayé de refaire votre vie avec quelqu'un d'autre ?

– Si, j'ai essayé. Plusieurs fois.

– Et ça n'a pas marché ?

– Non, ça n'a pas marché.

– Pourquoi ?

– Je ne sais pas… Elles ne m'ont pas trouvé à leur goût, je suppose.

– Comment elle s'appelait, votre femme ?

– Elle s'appelait Madeleine.

Il se demanda pourquoi il commettait cette folie de continuer à répondre à cette inconnue. « Peut-être parce qu'elle ne me regarde pas, pensa-t-il, parce qu'elle pose ses questions sans aucune gêne, et aussi parce que tout ça semble un peu irréel, à vrai dire. »

– Madeleine, c'est joli, reprit-elle. C'est ancien, mais c'est joli.

– Vous trouvez ?

– Oui. En fait, je crois que j'aurais dit la même chose pour n'importe quel autre prénom : qu'il était joli. Il y a des moments, comme ça.

Virgil se troubla. Cette jeune fille avait une façon originale de raisonner. Il eut envie qu'elle l'interroge encore. Il eut peur qu'elle s'arrête.

– C'est bien, écrivain, reprit-elle. Moi, je ne fais rien d'intéressant. Je vends des chaises.

– Ah, fit-il, presque déçu qu'elle parle d'elle maintenant, et non plus de lui. Des chaises ?

– Oui. Et je cherche ma sœur.

– Pardon ?

– Je cherche ma sœur.

Il ne sut que répondre et, pour la première fois depuis que la jeune fille était dans sa voiture, il se demanda si en réalité elle n'avait pas un grain, comme on dit. Si ce qu'il avait pris pour une marque d'intelligence et un charme singulier n'était pas finalement une légère déficience mentale. Ce scarabée dans sa main, cette histoire de chaises, cette indiscrétion, ces coq-à-l'âne… Elle ne lui laissa pas le temps de s'interroger davantage.

– Qu'allez-vous faire à Montbrison ?

– J'ai rendez-vous chez mon dentiste. J'y vais tous les vendredis matin à la même heure, depuis deux mois. Et j'ai toujours aussi peur.

– Peur de quoi ?

– Qu'il me fasse mal.

– Mais les dentistes ne font pas mal.

– On voit que vous êtes jeune. Quand j'étais petit, ils faisaient mal, avec leur roulette. La roulette, c'est la fraise en réalité, mais on disait la roulette. Rien que le bruit, ça vous vrillait les nerfs. Et puis, c'est à cause de mon frère.

– De votre frère ?

– Oui, mon frère aîné. La première fois que je suis allé me faire soigner les dents, je devais avoir dix ans, il m'a dit que la dentiste était une ancienne SS et qu'on la surnommait la chienne de Buchenwald. Ça m'a terrorisé.

Elle sourit et secoua la tête. Il y eut un silence, puis elle reprit :

– Est-ce que, dans vos romans, il vous arrive de parler du secret des gens ?

Le changement brutal de sujet ne l'étonna qu'à moitié cette fois-ci.

– Oui, oui, balbutia-t-il, bien sûr… C'est exactement ça. En fait, je ne parle que de ça, du secret des gens. C'est mon unique sujet.

– Ah. Et des disparitions ?

– Des disparitions ?

– Oui, des personnes qui disparaissent et qu'on ne revoit plus jamais.

– Il m'est arrivé de parler de personnes qui se cherchent longtemps, oui, et qui finissent par…

– Non, le coupa-t-elle, je veux dire des personnes qui disparaissent, comme si elles étaient tombées dans un trou.

– Non, dit-il, pas ça.

– Est-ce que…

Il s'attendit à une autre question indiscrète. Il l'espéra. Peut-être voudrait-elle savoir s'il avait des enfants, combien, leurs noms, s'il les aimait, s'il y en avait un qu'il préférait parmi les autres, et il aurait accepté de le dire. Mais ce n'était pas ça.

– Est-ce que vous pourriez me laisser là, au croisement ?

– Ah, je pensais que vous alliez jusqu'à Montbrison comme moi.

– Non, je vais à Campagne.

– Campagne ?

– Oui. C'est là. On y est.

Il mit son clignotant à droite et s'arrêta à quelques mètres du modeste panneau qui indiquait en effet : « Campagne 3,5 ».

La bruine s'était transformée en pluie fine et légère, comme vaporisée. On n'y voyait pas loin. La route, étroite et rectiligne, s'en allait à angle droit dans le vert profond de la prairie, où il se perdait. On aurait dit un dessin. Le talus et le fossé étaient encombrés d'herbes hautes.

– Il pleut, je ne vais pas vous laisser là.

– Si. Ne vous en faites pas. Je vous remercie.

– Ça ne me dérange pas. Je suis largement en avance à mon rendez-vous.

– Non, je préfère que vous me laissiez ici.

– Vraiment ?

– Vraiment. J'ai une capuche.

Elle fit glisser avec délicatesse le scarabée dans la poche droite de sa veste, attrapa son sac de voyage et descendit.

– Au revoir, monsieur. Merci beaucoup.

– Au revoir, mademoiselle.

Il la vit rabattre la capuche sur sa tête et s'engager sur la route. Il remit la radio en marche et continua.

Pendant toute la consultation, qu'il passa les deux mains crispées sur les accoudoirs de son siège, Virgil ne pensa pas une seconde à la jeune fille prise en auto-stop, mais lorsqu'il refit la route en sens inverse, moins d'une heure plus tard, il se la rappela et tâcha, par simple jeu, de retrouver le croisement où il l'avait laissée. Il ne le retrouva pas.

Campagne… Ce nom-là ne lui disait rien. Arrivé à la hauteur de Saint-Romain-le-Puy, il vit le prieuré sur son cône de basalte et se souvint d'être passé là avec la jeune fille à son bord. Il faillit faire demi-tour pour rouler dans le même sens qu'à l'aller et mieux repérer le fameux croisement. Il y renonça et rentra chez lui, dans sa maison de brique en bord de Loire.

La jeune fille ne quittait pas ses pensées. Elle lui avait parlé avec une familiarité déconcertante, et cependant sans une once d'effronterie. Il avait accepté d'elle des questions indiscrètes, comme on les accepte d'un petit enfant qui vous demande si vous allez mourir bientôt ou pourquoi vous avez un gros bouton, là. On ne lui en veut pas. Au contraire, on est attendri par sa candeur.

Il passa l'après-midi à essayer de travailler sur son PC, cadeau d'anniversaire de ses enfants à l'occasion de ses soixante-dix ans. Le bel ordinateur tout neuf l'avait contraint à remiser au grenier la vieille Remington sur le clavier de laquelle il avait tapé quatorze romans. Avec quatre doigts : les deux index et les deux majeurs. *Le Saut de l'ange* était le quinzième, écrit sur le PC tout neuf, et il était mauvais.

Il n'avança en rien, s'agaça et trouva cent raisons de s'interrompre : ranger son bureau, rassembler les feuilles mortes du jardin, fendre des planchettes pour en faire du petit bois. Mais vers dix-sept heures, sans l'avoir prémédité, il déplia sur son bureau la carte IGN numéro 50, abaissa sa lampe dessus et chercha le lieu-dit Campagne.

Au nord de la D8, en direction de Montbrison et en partant de Saint-Romain-le-Puy, il repéra plusieurs localités situées à trois kilomètres au minimum et cinq au maximum de la départementale. Elles s'appelaient La Vue, Les Bichaizons, Curraize, Le Bruchet, Garambaud… Il ne vit pas de Campagne.

Le lundi matin, il se rendit au *Bricomarché* de Saint-Cyprien pour quelques achats sans importance et, après les avoir expédiés, il continua sur la D8. Il roula jusqu'au rond-point de Montbrison. Il fit demi-tour, revint jusqu'à Saint-Romain-le-Puy et rebroussa chemin afin de parcourir une fois de plus les quelques kilomètres. Il réduisit tellement sa vitesse que plusieurs voitures klaxonnèrent. Mais, une fois revenu au rond-point, il se retrouva aussi bête qu'avant : la route de Campagne avait disparu.

Alors, il rangea sa voiture sur le côté, coupa le moteur et resta ainsi, dans le silence, une dizaine de minutes, parfaitement immobile, les mains sur le volant, à contempler les petites taches de rouille qui marquaient son âge dessus.

« J'ai dû mal entendre, songeait-il. Ou bien elle aura inventé un patelin qui n'existe pas. Seulement, il y a un détail très ennuyeux : j'ai vu le panneau. Je l'ai vu de mes yeux. Et j'ai vu cette jeune fille s'éloigner sur la route. »

Il repartit en direction de Saint-Étienne et ralentit à la première maison rencontrée sur la D8, côté nord. C'était une villa isolée, dépourvue de tout charme. Il y accéda par une allée de gravier et stoppa sa voiture dans la cour. Un homme chargeait de la ferraille à l'arrière de sa camionnette.

– Bonjour, monsieur, je me suis égaré. Je vais à Campagne.

– À la campagne?

– Non, à Campagne. C'est un lieu-dit. Assez près d'ici sans doute.

L'homme secoua la tête.

– Non. Je connais pas.

– Ah, et vous habitez ici depuis longtemps?

– J'y suis né.

Le vendredi suivant, alors qu'il se rendait chez son dentiste, Virgil eut un choc à la sortie de Sury-le-Comtal. La jeune fille surgit sous ses yeux là où il l'avait vue pour la première fois, une semaine plus tôt. Le temps humide et brouillé était pour ainsi dire le même. Elle portait les mêmes vêtements. Il eut l'impression de revivre la même scène. Il la trouva un peu plus pâle. Elle sourit en le voyant s'arrêter.

– Décidément, j'ai de la chance avec vous.

– Oui, montez!

Dès qu'elle fut assise à ses côtés, il sut à quel point il avait espéré la revoir, sans se l'avouer. Il arrêta la radio.

– Vous n'écoutiez pas? demanda-t-elle.

– Non.

– À quoi ça vous sert de mettre la radio si vous ne l'écoutez pas?

– J'aime entendre parler les gens, même si je n'écoute pas ce qu'ils disent. Je pense à autre chose. Les voix me bercent. La nuit parfois, j'ai des insomnies, alors j'allume la radio, j'écoute les voix et je me rendors avec.

Leur conversation avait repris son cours comme si rien ne l'avait interrompue depuis la semaine précédente.

– Quelle radio écoutez-vous ?

– La nuit, j'écoute France Culture.

– C'est très ennuyeux, non ?

– Parfois, oui. Mais quelquefois c'est passionnant.

– Moi j'écoute NRJ. Vous connaissez ?

– Oui. Ma petite-fille l'écoute aussi.

– Vous avez une photo de Madeleine sur votre table de nuit ?

Il fut touché de voir qu'elle se rappelait le prénom après une semaine.

– Non, je n'en ai pas.

– Et dans votre portefeuille ?

– Oui.

– Vous la regardez souvent ?

– Non. Presque jamais. Mais je sais que je l'ai et ça me suffit. C'est une photo faite à une station-service. Pas très romantique. Je ne sais pas pourquoi je vous raconte ça. C'est très personnel.

– On ne devrait se dire que des choses personnelles. Le reste n'est pas très intéressant. Vous ne trouvez pas ?

– Si. Dites-m'en une à votre tour. Une chose personnelle. Enfin, si vous voulez.

– Mon scarabée vert est mort.

– Ce n'est pas très personnel.

– Bon. Je cherche ma sœur.

– Vous me l'avez déjà dit la semaine dernière, mais je n'ai pas compris ce que ça signifie.

– Ma sœur a disparu. Et je la cherche.

Il lui sembla que leur dialogue était en équilibre instable, qu'un mot de travers pouvait faire s'écrouler toute la construction. Il hasarda :

– Elle est comme « tombée dans un trou » ?

– Oui.

– Vous avez besoin d'aide ?

– Pas encore, mais, si j'en ai besoin, c'est peut-être à vous que je la demanderai.

– Pourquoi moi ?

Elle éluda la question et en posa une autre :

– Vous avez un téléphone portable ?

– Je n'en ai pas.

– Ah, et un téléphone fixe, ou une adresse électronique ?

– Oui.

Il lui donna les deux, ainsi que son nom, et elle nota le tout sur un carnet tiré de son sac. Il remarqua qu'elle utilisait un crayon à papier très court et qu'elle écrivait de la main gauche, avec soin, en retournant loin à l'envers la dernière phalange de son index.

– Merci. Je ne peux pas envoyer de message

de là-bas, mais je vous ferai peut-être un signe, comme je pourrai.

— De là-bas ?

— Oui, de Campagne. Tenez, on est arrivés.

Il se rendit compte qu'en effet ils étaient au croisement. Le trajet semblait n'avoir duré que quelques minutes. Il rangea la voiture sur le bas-côté. Il revit le panneau, la route rectiligne, les herbes hautes, la prairie, la brume.

— Au revoir, monsieur, dit-elle. Et merci encore.

— De rien, mademoiselle.

Elle fit quelques pas, puis revint et se pencha à la vitre.

— Ah, oui, je m'appelle Anne Collodi.

Il eut l'impression qu'elle avait envie d'ajouter : « Rappelez-vous mon nom, s'il vous plaît... »

La lumière de pluie, dans le cadre géométrique de la fenêtre, conférait à son visage une grande douceur, celle qu'on trouve dans certains portraits de Vermeer. Mais il décela dans les yeux clairs une ombre qui ne lui plut pas. Il y vit le signe que la jeune fille craignait quelque chose. Pire : qu'elle s'en allait pour quelque part d'où elle ne pourrait peut-être plus revenir, et qu'elle le savait.

Elle ne se retourna plus. Il la regarda s'éloigner et disparaître. Puis il resta encore un peu sur place, à observer le détail du paysage autour de lui, à noter mentalement des repères : les haies, les rangées d'arbres, une barrière au loin.

Il mit son compteur kilométrique à zéro, mais il pressentait que ce serait inutile, que le croisement cesserait d'exister dès lors qu'il le chercherait sans elle.

«Et si je tournais à droite à présent et que je m'engageais sur cette route?» se dit-il. Il repoussa aussitôt cette idée. «Tant qu'elle n'a pas besoin de moi... J'irai quand elle me le demandera...»

Ce vendredi-là, son dentiste s'étonna de trouver son patient placide et presque indifférent au traitement qu'il lui infligeait : la dévitalisation d'une racine de molaire.

— Ah, quand même, plaisanta-t-il, on se détend un peu...

— Aa arhh..., fit Virgil, bouche ouverte.

Et un peu plus tard, en prenant congé :

— Toujours dans la littérature, monsieur Virgil?

— Eh oui, toujours.

— L'inspiration est là?

— Comme ci comme ça, répondit-il. Ça va, ça vient.

2
Des danseurs infatigables

Je m'appelle Anne Collodi. J'ai dix-sept ans. Je marche sans me retourner, ma capuche sur la tête. Il fait presque froid. Dès qu'on est de ce côté-ci, la température tombe de quelques degrés et elle ne varie plus. C'est le même vieux monsieur qui m'a reprise en auto-stop, ce matin. J'ai dans la poche droite de ma veste un scarabée vert qui est mort, je pense, mais je le garde comme porte-bonheur. Non, comme éloigne-malheur, plutôt, ça suffira dans la situation où je me trouve. Je l'ai mis dans une petite boîte d'allumettes.

Je viens de «passer» pour la troisième fois. J'utilise le mot «passer», c'est celui qui me paraît le mieux convenir. «Passer» signifie mourir aussi, je le sais bien. On dit que untel est passé, qu'il est donc mort. Mon scarabée est passé, par exemple. Mais ce n'est pas dans ce sens-là que je l'entends. Je ne meurs pas. Je passe. Je passe d'un monde à l'autre par ce chemin, cet unique chemin, celui qu'a pris ma sœur.

Je n'ai jamais aimé l'homme qu'elle a épousé. Il avait du charme, pourtant : mince, souriant, l'allure juvénile pour sa trentaine. Je me rappelle notre toute première rencontre. Ça remonte au printemps de l'année dernière, il y a un an et demi. C'était dans la Grand-Rue, à Saint-Étienne. Je suis descendue du tram place du Peuple, et je suis tombée sur ma sœur et lui, qui allaient justement y monter. Du coup, ils sont restés sur le quai pour attendre le suivant et nous avons bavardé.

«Je te présente Jens», a dit Gabrielle et j'ai vu combien elle était fière de me montrer son beau fiancé et de prononcer son beau prénom à consonance étrangère. Il m'a tendu une main large, puissante et douce. J'ai pensé qu'il aurait pu me faire la bise, j'étais la sœur de Gabrielle quand même. On a échangé des banalités : quel joli temps! Où est-ce que tu as trouvé ce petit haut? etc., puis le tram est arrivé et ils sont montés dedans. De l'intérieur, elle m'a fait un sourire complice qui voulait dire : «Hein, tu as vu, petite sœur, le genre de gars que je suis capable de lever?» Je lui ai répondu d'une grimace et d'un haussement de sourcils : «En effet, grande sœur, en effet…»

Nous nous sommes revus tous les trois la

semaine suivante. Jens nous a invitées dans un restaurant, rue Saint-Jean, un des meilleurs de la ville, à ce qu'on dit. Pour moi, c'était un peu confiture aux cochons. Je dois être trop jeune, la nourriture raffinée m'est indifférente, je me régale cent fois mieux d'une pizza trois fromages avec mes amies. Mais bon, Jens avait demandé à Gabrielle d'inviter la personne de son choix, et elle m'avait choisie.

Le repas a plutôt bien commencé. Jens s'est peut-être un peu trop mis en avant, dans le genre «je suis très à l'aise dans ces endroits-là, je sais goûter les vins, je sais plaisanter avec les serveurs», mais ça restait supportable. Il s'est montré assez chaleureux à mon égard, et curieux de ce que je faisais. Je lui ai dit que je vendais des chaises et ça l'a fait rire. Je ne sais pas pourquoi les gens rient quand je leur dis que je vends des chaises. Et puis il est arrivé ceci, juste avant le dessert. Gabrielle s'est levée pour aller aux toilettes. Elle a traversé la salle et Jens l'a suivie des yeux jusqu'à ce qu'elle disparaisse ; puis, au moment où il aurait dû revenir à nous deux, il ne l'a pas fait. C'était pourtant la chose la plus naturelle du monde : se tourner vers moi, relancer la conversation et nous épargner ainsi la gêne d'un tête-à-tête silencieux. Il ne l'a pas fait. Il m'a ignorée pendant tout le temps de l'absence de Gabrielle. Il s'est comporté exactement comme une personne qui se retrouve seule dans une pièce et qui n'a plus à faire bonne figure.

Ça n'a l'air de rien, dit comme ça, mais c'était très impressionnant. Il était ailleurs, rentré en lui-même, inaccessible, comme plongé dans une réflexion intense. Ses yeux étaient plissés. Sa bouche serrée. Il semblait avoir suspendu sa respiration. Et il ne lâchait pas du regard l'endroit où Gabrielle avait disparu, à l'angle de la salle. Je me suis sentie très mal. J'étais tétanisée, incapable de lui parler. Je me souviens d'avoir pensé : « Ce type est malade. Ou fou. »

Dès que Gabrielle est réapparue, il a retrouvé son comportement d'avant, sociable et attentionné. Le repas s'est poursuivi sans autre incident, mais je n'ai pas pu me défaire de cette vision : Jens absent, transfiguré, qui regarde l'endroit où Gabrielle a disparu et où elle va réapparaître. Deux mots me sont venus : « chasseur » et « proie ».

J'ai essayé de me raisonner : si ma sœur, qui n'était ni idiote ni futile, avait choisi cet homme, ce n'était pas pour rien. Il était peut-être fatigué ce soir-là et il avait eu cet étrange moment d'absence. Je me trompais sans doute, c'était un type bien.

Mais j'étais déjà convaincue du contraire. J'avais la certitude d'être entrée par accident à l'intérieur de sa tête, dans un recoin de son cerveau inconnu de Gabrielle elle-même. Comme si j'avais accédé à sa maison, poussé la porte d'une pièce interdite, dans sa chambre peut-être, regardé dans un tiroir ouvert, vu dedans quelque chose que je n'aurais pas dû voir et quitté les lieux sans que personne ait rien su de ma visite.

J'ai revu Jens deux ou trois fois, chez nos parents à Saint-Just-sur-Loire, et chez Gabrielle, rue Guy-Colombet à Saint-Étienne. Je l'ai observé avec attention, à l'affût d'un signe de plus de sa bizarrerie. Il n'a rien laissé paraître d'anormal. Et puis, j'ai fait ce cauchemar où il lui faisait du mal.

Quelle sorte de mal, je ne sais pas. Cela n'apparaissait pas dans le rêve, c'était caché. Je la voyais seulement pleurer et je le voyais, lui, le visage tordu par la haine. Il la tirait par le bras, violemment, pour l'emmener de force quelque part, ou au contraire pour l'éloigner d'un endroit où elle n'aurait pas dû se trouver. Et la chose la plus étrange était celle-ci : il avait l'air dégoûté par elle, voilà, dégoûté. Je l'ai fait plusieurs fois, ce cauchemar, et je me réveillais dans un état de terreur épouvantable. Pour m'en extraire, pour remonter de ces ténèbres, je devais allumer toutes les lumières de ma chambre et écouter trois fois de suite *She has no time* de Keane.

Alors, j'ai appelé Gabrielle et je lui ai dit que je devais lui parler d'urgence. C'est le mot que j'ai employé : d'urgence. Ils n'avaient pas perdu de temps, le mariage était programmé pour l'automne. Mes parents ne le voyaient pas d'un mauvais œil. Jens serait le gendre parfait, solide, attentif et, ce qui ne gâtait rien, bien assis dans la vie avec son confortable salaire d'ingénieur chimiste.

Nous nous sommes retrouvées dès le lendemain, Gabrielle et moi, au café du cinéma Méliès. J'ai commandé un Perrier et elle un *espresso*, je crois. On se faisait face. J'ai trouvé Gabrielle plus jolie que jamais, avec son abondante chevelure rousse, ses yeux verts et sa peau claire. Elle tient de maman. Moi, je tiens du côté sombre de mon père et de mes grands-parents, du côté de l'Italie. Il y avait beaucoup de monde, un peu trop à mon goût. Les gens étaient venus pour le dernier film des frères Coen, je m'en souviens. J'ai attendu que les consommations arrivent et je me suis jetée à l'eau :

– Gabrielle, pardonne-moi, je vais te choquer, mais je pense que tu ne devrais pas te marier avec Jens.

Elle n'a pas été choquée mais stupéfaite. J'étais sa cadette de sept ans et si l'une devait donner des conseils à l'autre, ce n'était pas moi. Elle n'avait pas soupçonné une seconde mes réserves à propos de Jens. Elle était certaine que je l'appréciais, que je l'admirais. Elle pensait peut-être même que j'étais amoureuse de lui.

— Tu peux préciser ta pensée ? a-t-elle dit froidement, et rien d'elle ne bougeait à part ses lèvres.

— J'ai rêvé qu'il te faisait du mal. Plusieurs fois.

Elle a laissé passer quelques secondes, le temps d'encaisser.

— Quelle sorte de mal ?

— Je ne sais pas. Ce n'est pas visible. Il est fou de rage, il te tire par le bras et toi tu pleures.

— Il me frappe ?

— Non. Il t'entraîne. Il te menace. Je ne le vois pas te frapper.

Je baissais la tête. Je n'osais plus la regarder après ce que je venais de dire. Elle s'est tue à nouveau, comme si elle réfléchissait à la meilleure réponse possible.

— Anne, tu as fait un cauchemar. Tout le monde en fait. Tu as vu Jens me faire du mal, mais c'était en rêve. Ça ne veut pas dire qu'il va me faire du mal *en vrai*. Ce serait trop simple. Je ne suis pas psychiatre, mais je crois que c'est beaucoup plus compliqué que ça, le rapport entre les rêves et la réalité.

J'étais au bord des larmes. Des gens se sont retournés sur nous. Alors Gabrielle a rapproché sa chaise et s'est penchée vers moi par-dessus la table.

— Anne, enfin… qu'est-ce qui t'arrive ?

Elle a pris mes mains dans les siennes.

– Écoute-moi. Jens est le type le plus doux et le plus patient que j'aie jamais rencontré. Tu me connais, tu sais à quel point je peux être pénible et agaçante parfois, eh bien, il supporte tout. Je ne l'ai jamais entendu élever la voix. Alors me battre… Et puis autre chose que tu dois savoir : j'aime cet homme. Je n'en ai jamais aimé un autre comme ça. Voilà, c'est dit.

J'ai su que c'était perdu d'avance, que j'avais fait une erreur en lui parlant. J'ai abandonné l'idée de lui rapporter le comportement de Jens au restaurant. Je me rappelle seulement la fin de notre conversation.

– Ça va mieux, je t'ai un peu rassurée ?

– Oui, un peu.

– Je peux me marier, alors ? J'ai ton accord ?

Je me suis forcée à sourire et j'ai ajouté :

– Je voudrais te demander quelque chose.

– Quoi ?

– Eh bien, si parfois ça tourne mal avec Jens, je voudrais que tu me préviennes. Je te promets de ne pas te dire : « Je te l'avais bien dit. » Tu le feras ?

– D'accord. Enfin, je ne le ferai pas puisqu'il n'arrivera rien.

Nous nous sommes embrassées et séparées sur le trottoir.

– Maintenant que tu en as parlé, je suis sûre que tu seras débarrassée de ce cauchemar, a-t-elle conclu.

Elle se trompait. J'ai dû l'affronter le soir même, plus violent que jamais. Malgré ma panique, j'ai résisté à l'envie de me réveiller, je me suis forcée à regarder jusqu'au bout, pour en savoir plus, pour connaître l'avant et l'après de cette scène. Mais tout ce que j'ai réussi à voir, c'est autre chose : le «méchant» n'était plus Jens. C'était un autre homme, inconnu. Il était grand et athlétique, il faisait penser à de l'acier. Même Keane n'y a rien fait. J'ai eu froid toute la nuit.

Le mariage a eu lieu le samedi 22 septembre à la mairie de Saint-Just. Quand ma sœur a dit oui dans la petite salle bourrée de monde et très joyeuse, je me suis mordu les lèvres et j'ai laissé échapper un gémissement que personne n'a entendu. Ensuite, nous sommes tous partis pour rejoindre un gîte que Jens et Gabrielle avaient loué dans le Pilat. On a klaxonné en traversant tous les villages, comme il se doit, ce truc idiot qui agace quand on est étranger au mariage, mais qu'on est content de faire quand on en fait partie.

Les deux familles étaient bien différentes. De notre côté, il y avait ce mélange hétéroclite et habituel de cousins, de cousines, d'oncles et de tantes venus de partout. Il y avait nos trois grands-parents restants, même mémé Chiara sur son fauteuil.

Du côté de Jens, rien de tout ça. Il n'avait de famille que sa mère, mais elle était malade et «trop faible pour faire le voyage de Bordeaux». Il était donc venu avec des amis, rien que des hommes, une dizaine, et qui lui ressemblaient tous. Même âge que lui ou plus jeunes, même aisance, mêmes vêtements bien coupés, coûteux et chics. Tous dansaient étonnamment bien. Slow, rock, valse, tango, tous les genres leur convenaient. Ils déployaient souplesse et énergie, ils étaient infatigables et nous faisaient tourner sur la piste jusqu'au vertige. Parfois, quand je m'asseyais pour boire quelque chose ou bavarder avec mes cousins, je prenais le temps de les regarder et j'imaginais qu'ils étaient des invités de location, je veux dire des gens payés pour ça, des professionnels en quelque sorte.

Il était impossible d'entrer vraiment en conversation avec aucun d'entre eux. Ils se dérobaient aussitôt. J'ai tenté ma chance auprès de celui qui était le plus proche de moi en âge, un garçon vraiment mignon avec sa coiffure en pétard et sa chemise blanche ouverte sur le torse. Je me rappelle avoir été impressionnée par sa peau parfaite, une peau dorée et satinée, sans marque d'aucune sorte, ni cicatrices, ni taches. Je me rappelle aussi son sourire qui m'a semblé plus naturel que celui des autres, plus vrai.

– Tu es un ami de Jens?

– De Jens?

Il a eu cette hésitation, comme s'il n'avait jamais entendu ce nom-là, puis il s'est repris :

– Oui, bien sûr! Et toi, tu es la sœur de Gabrielle! Tu danses?

C'était un rock. Je ne suis pas très douée d'ordinaire, mais là, avec lui, je me suis déchaînée. Il me faisait tourner, sauter, glisser. Il me rattrapait à pleins bras ou bien juste du bout des phalanges. J'avais l'impression d'être une autre fille, légère, très à l'aise et qui aurait eu le rythme dans la peau. Il m'a laissée tout étourdie, sous les applaudissements de mes cousins bluffés.

– Tu t'appelles comment?

– Comment je m'appelle? Ah, oui… Bran. Je m'appelle Bran.

Déjà il invitait une autre fille.

Nous nous sommes reparlé beaucoup plus tard dans la soirée, sur la terrasse. On avait improvisé un jeu stupide avec les cousins et ça riait très fort. Lui était adossé à la balustrade, les mains dans les poches, sans sa bande, et il nous regardait avec amusement. Quand tout le monde est rentré, je suis passée la dernière devant lui et il m'a interceptée.

– Pas trop secouée, tout à l'heure?

– Non, ça va.

C'est amusant, le jeu de la séduction. Il y a une seconde précise où l'on sait que l'autre s'intéresse à vous. On se trahit sur un regard, une attitude, une inflexion de la voix. Et là, sur la terrasse de ce gîte, à la seconde précise où il m'a demandé si je n'avais pas été «trop secouée», j'ai su qu'il s'intéressait à moi. Il y avait cette évidence. Et moi aussi je m'intéressais à lui. Seulement, je sortais d'une aventure amoureuse assez compliquée et je n'avais aucune envie de me refourrer la tête dans le sac aussi vite.

Il m'a demandé mon prénom. J'ai dit que je m'appelais Anne. Il a hoché la tête en souriant.

– *Anne, ma sœur Anne…* C'est joli.

Ça m'a plu de voir qu'il connaissait *La Barbe bleue*, ce n'est pas si commun pour un jeune de son âge.

Ensuite nous avons rejoint les autres et chacun de nous deux s'est replongé dans sa fête. Mais chaque fois que nos regards se croisaient, au hasard des jeux, des danses, il flottait entre nous ce petit air de regret, cet air qui dit : « Dommage… » Lui savait déjà l'impossibilité d'aller plus loin ensemble, moi j'attendrais un an avant de la comprendre.

Au bout de la nuit, il n'y avait plus que des moins de quarante ans dans le gîte. Jens et Gabrielle sont partis pour aller dormir dans un lieu tenu secret. Je les ai suivis sur le parking. Ma sœur tenait dans une main sa robe de mariée qu'elle avait ôtée pour danser, et dans l'autre ses chaussures qui lui faisaient mal. Elle portait le petit ensemble gris perle qui lui allait si bien. La nuit était douce, on entendait un ruisseau, un chien aboyait dans la ferme voisine. Jens attendait déjà dans la voiture, le coude à la portière.

– Tu viens ? lui a-t-il dit.

Elle a répondu qu'elle arrivait, elle m'a embrassée et elle s'est éloignée de quelques pas. Puis elle s'est arrêtée, s'est retournée, et elle a fait une chose inattendue : elle a lâché tout ce qu'elle tenait, son sac à main, sa robe, ses chaussures. Tout est tombé au sol et elle a couru vers moi. Elle m'a prise dans ses bras. La fatigue, les émotions de la journée, nous avons pleuré toutes les deux. Il était cinq heures du matin.

Le lendemain, nous n'avons pas pu la joindre, ni sur son portable ni sur son fixe. En fin d'après-midi, nous sommes retournés au gîte du Pilat. Il était fermé, vide, propre et désert, comme s'il n'y avait pas eu de fête la veille en cet endroit. Il ne restait que les traces des pneus sur le gravier du parking et sur l'herbe du pré voisin où de nombreuses voitures avaient stationné. Mes parents ont patienté jusqu'au lendemain matin, c'est-à-dire le lundi, avant d'alerter la police. Notre fille a disparu. Depuis quand ? Depuis hier matin, après la fête de mariage. Oh monsieur, c'est beaucoup trop tôt pour lancer des recherches, ils sont majeurs, ils auront fait une petite escapade en amoureux, repassez dans deux jours si elle n'a pas donné de nouvelles.

Ils y sont retournés deux jours plus tard. Notre fille n'est pas revenue.

– Bien, asseyez-vous, je vais prendre votre déposition.

Ma sœur a disparu. Je cherche ma sœur. Je l'ai dit comme cela au vieux monsieur qui m'a prise deux fois en auto-stop, et c'est la vérité. Un drôle de type avec un air de chien battu et des cheveux gris qui atteignent presque ses épaules. Mais très gentil. Je lui posais des questions que je n'aurais jamais osé poser avant, des questions très personnelles. Ça sortait de moi sans que je prenne le temps de me demander si j'en avais le droit. Et le plus curieux, c'est qu'il y répondait volontiers. Je crois même que ça lui plaisait. J'aurais pu aller beaucoup plus loin. J'allais lui demander s'il avait des enfants et lequel il préférait, quand on est arrivés au croisement.

Mon comportement et ma sensibilité se modifient depuis que je passe. C'est comme s'il me restait peu de temps (peu de temps de quoi ?) et qu'il ne fallait pas le perdre en insignifiances. Quand je parle aux gens, j'ai envie d'aller droit aux choses sensibles et importantes. Beaucoup ne comprennent pas et me repoussent. Séjourner là-bas me change. Et si j'y restais trop longtemps, je ne pourrais peut-être plus revenir en arrière. C'est pourquoi je rentre chaque fois, au bout de deux jours, pour me préserver. Et pour vendre mes chaises.

Le vieil homme est écrivain. Je lui ai dit que je lui demanderais de l'aide en cas de besoin, alors que je le connais à peine. Mais à qui d'autre pourrais-je en demander ? La police est incompétente dans ces affaires qui ne sont plus terrestres, et les autres personnes, mes parents, mes amis, m'enverraient tout droit dans un établissement spécialisé. Il me semble que cet homme a la capacité de me comprendre. Peut-être fait-il partie de «ceux pour qui le monde n'est pas assez». C'est une phrase que j'aime et que j'écrivais sur tous mes cahiers, au collège déjà. En anglais pour faire mieux : *Those for whom the world is not enough.* Aujourd'hui, je me contenterais bien du monde ordinaire. Il serait *enough*. Il me suffirait.

Le vieil homme m'a laissée au croisement et je marche dans la brume. C'est la troisième fois que je passe.

3
La radio,
la nuit

Étienne Virgil patienta jusqu'à dix-huit heures, ce vendredi-là, avant de chausser ses lunettes de vue et de composer le numéro en 06 de sa petite-fille Loïse. Elle répondrait de sa chambre et il éviterait ainsi de tomber sur son fils et surtout sur sa belle-fille, avec qui les rapports se limitaient à l'indispensable.

– Papy ? fit-elle joyeusement.

Elle était l'aînée de ses petits-enfants. Après elle, il en était venu huit autres, des garçons et des filles, qu'il aimait tous à des degrés divers, mais Loïse occupait dans sa hiérarchie affective une place résolument à part. Elle avait été son premier amour de grand-père, en quelque sorte, lui offrant par sa venue une émotion dont il ne s'était jamais remis, et cette petite personne était restée telle dans son cœur, bouleversante, indéboulonnable.

Il y avait entre eux ce lien inconditionnel et définitif : je t'aimerai toujours, quoi que tu fasses. Je serai toujours de ton côté. Elle le savait d'instinct depuis l'âge de six mois sans doute, et rien n'avait pu remettre cela en question. Ni l'agacement des parents face à la concurrence déloyale d'un grand-père adoré, ni l'adolescence et ses tumultes. Elle s'était réfugiée plusieurs fois chez lui après des éclats un peu trop violents en famille.

— Je veux m'en aller, papy! pleurait-elle. Je les supporte plus.

Il appelait son fils au téléphone :

— Elle est là, ne vous en faites pas, je la garde à dormir.

Il la recueillait, raccommodait les morceaux et la rendait le lendemain, suffisamment apaisée pour qu'elle parvienne à faire rouler un peu plus loin sa petite vie compliquée.

— Oui, c'est moi, ma belle. Je te dérange?

— Non. Je fais mes devoirs.

— Ah, c'est quoi, tes devoirs?

— *English*.

— Bon, alors je te *disturb* un peu quand même…

— *Not at all*, papy, *tell me*.

— Écoute, Loïse, c'est juste une question : connais-tu par hasard une fille de ton âge qui s'appellerait Anne Collodi?

— Oui. Qu'est-ce qu'elle a fait?

— Rien, je l'ai prise en auto-stop. Elle m'a dit qu'elle vendait des chaises.

– Oui, elle est en stage à 4 *Pieds*.

– En stage à quatre pieds ?

– À 4 *Pieds*. C'est un magasin de tables et de chaises qui s'appelle comme ça, à La Fouillouse.

– Ah, je vois. Tu es dans sa classe ?

– Non, papy, moi je suis en première L. Anne Collodi est en première Bac pro.

– Bon. Tu la connais bien ?

– On est restées ensemble jusqu'en quatrième. Je l'ai perdue de vue.

– Ah. Et comment était-elle ?

– Normale. Je l'aimais bien. C'est tout ?

– Oui, c'est tout. Je te laisse à ton anglais. Si quelque chose te revient, appelle-moi.

– D'accord. Tu es un peu spess, papy…

– Quoi ?

– Tu es un peu spécial.

– Ah, bon, tu trouves ?

Il raccrocha, mécontent. Il avait espéré autre chose. Que Loïse lui dise qu'elle ne connaissait pas du tout cette jeune fille, ou bien au contraire qu'elle la connaissait très bien et qu'elle lui fasse des révélations sur elle. Cet entre-deux le chiffonna. Qu'Anne Collodi soit « normale » le décevait.

Il dînait d'une omelette brouillée quand la sonnerie du téléphone retentit. Il se leva et décrocha le combiné.

– Oui ?

– Papy ? J'ai oublié de te dire tout à l'heure :
on a beaucoup parlé d'Anne Collodi l'année
dernière parce que sa sœur a disparu. Le lendemain de son mariage. Tu sais, ce genre de
disparition inexpliquée.

– Oui. Elle me l'a dit. Et je me rappelle avoir
lu ça dans les journaux, maintenant.

– Attends, il y a autre chose.

– Quoi donc ?

– Anne et moi, on a été voisines de table pendant un an en cours d'histoire-géo, en classe de
quatrième. Comme elle était gauchère, j'étais
à sa droite. Le prof était très sévère et on ne
s'est pratiquement pas parlé. Mais elle avait un
comportement bizarre.

– C'est-à-dire ?

– Elle rêvait beaucoup. Elle aurait pu être première de la classe si elle avait voulu, très facilement, elle était vraiment intelligente, mais
elle ne suivait pas. Elle rêvait. Un jour, elle est
tombée de sa chaise ! On aurait pu être amies,
ça ne s'est pas fait, mais on aurait pu. Voilà,
c'est tout ce que je peux te dire. Pourquoi veux-
tu savoir tout ça ?

– Comme ça. Je suis curieux, tu le sais bien.

– Quand est-ce qu'il sort, ton nouveau roman ?
demanda-t-elle. Celui que tu n'aimes pas.

– Le mois prochain. Hélas.

– Ne t'en fais pas trop, va. Personne n'est
jamais mort d'un roman moyen.

– Il n'est pas moyen, Loïse, il est mauvais. C'est mon premier roman mauvais. Ils le publient parce que c'est moi qui l'ai écrit et qu'ils m'aiment bien. Ils me l'auraient jeté au nez si j'avais été un inconnu.

Elle rit d'un rire clair qui lui fit du bien.

– Bon, je te laisse, conclut-il. Prends soin de toi, ma belle.

– *Good night*, papy.

Pendant le reste de la soirée, les pensées de Virgil convergèrent sans cesse vers Anne Collodi, à la façon des vagues qui ne se lassent pas du rivage et y reviennent avec entêtement. Il revoyait en particulier son visage d'adolescente dans le cadre que faisait la vitre baissée de sa voiture, au moment où elle était venue lui dire son nom : «Je m'appelle Anne Collodi.» L'harmonie de l'ensemble, dans la brume. Comme un tableau de maître qui se serait composé et défait en quelques secondes, par miracle et par grâce. Il revoyait la douceur du regard et l'inquiétude qui l'habitait. Elle avait dit qu'elle lui enverrait un message le moment venu ou bien qu'elle lui ferait signe de là-bas. À quoi ce là-bas ressemblait-il ?

Il s'aperçut que dans son esprit l'image de la jeune fille se confondait avec celle de Loïse, les deux se superposant. Elles avaient passé une année entière côte à côte sans se parler ou presque, au collège. Il les imaginait toutes deux, chacune avec quatre ans de moins, voisines et muettes, la droitière et la gauchère, la blonde et la brune, l'une étant comme l'image inversée de l'autre. Loïse Virgil et Anne Collodi.

Cette nuit-là, il se réveilla vers quatre heures trente, comme souvent, et il sut qu'il ne retrouverait pas le sommeil de sitôt. Sans allumer sa lampe de chevet, il tendit le bras vers son radio-réveil et pressa la touche *on*. Une voix monocorde rompit le silence de la chambre :

— *monte sur le trône en 1509, après la mort de son frère. Il est vraisemblable que le jeune roi était tombé amoureux de Catherine, qui était pourtant bien plus âgée que lui, n'est-ce pas. Une chose est certaine, c'est que le père de Catherine, le roi d'Aragon Ferdinand II, ambitionnait de contrôler l'Angleterre à travers elle, n'est-ce pas, et c'est la raison pour laquelle il appuya son remariage avec…*

«Idéal pour m'endormir très vite, se dit Virgil, espérons qu'il va parler comme ça longtemps. Dommage seulement qu'il répète sans arrêt "n'est-ce pas", c'est bien un universitaire celui-là…» Il se concentra sur la voix afin de ne pas céder à ses démons nocturnes : où en suis-je de ma vie ? À quoi suis-je encore bon ? Ai-je seulement été bon à quelque chose un jour ?

— *en tout cas*, poursuivit l'historien, *celui-ci*

fut célébré neuf semaines après son accession au trône, n'est-ce pas, le 11 juin 1509 à Greenwich, en dépit des inquiétudes du pape Jules II et de William Warham, l'archevêque de Canterbury, qui doutaient...

Dix minutes plus tard, Virgil sombrait lentement, et il se serait sans doute endormi sans le léger crachotement qui perturba le monologue :

— *de fait, chacun des deux souverains kch-ch-ch-ch... sa faveur, comme le montra de façon très spectac... kch-ch-ch... n'est-ce pas... kch-ch-ch-ch...*

C'était très inhabituel. La réception était en principe excellente. Il tendit le bras et fit tourner très légèrement le bouton de recherche des stations, mais sans succès. Au contraire, la voix s'altéra jusqu'à devenir presque inaudible. Il allait renoncer et arrêter la radio quand il lui sembla distinguer une autre source sonore qui se mêlait à la première. Une voix.

Il tendit l'oreille. Du discours de l'historien, il ne percevait plus rien, à présent, sinon un chuintement confus :

— *Krsch-rch-rch... arb... krsh... de tel... krrrsch-sch-sch... n'est-ce pas...*

Finalement, il y eut un silence parfait qui dura quelques secondes, puis une voix chuchotée, si faible qu'il se demanda s'il la rêvait, prononça ces mots :

— *Vous m'entendez, monsieur Virgil ? C'est Anne. Anne Collodi.*

Dans sa vie, il avait connu des moments de grande peur, et cette sensation d'être pétrifié. Là, ce fut autre chose : il fut comme vidé de son sang.

– *Vous m'entendez, monsieur ? C'est Anne.*

Il se fit violence pour parvenir à bouger, se redressa à demi, se pencha sur sa table de nuit, buta contre elle, renversa son verre d'eau, sa lampe et il colla son oreille au récepteur.

– *Je ne sais pas si vous m'entendez… j'ai besoin de vous… je suis…*

Son cœur battait si fort qu'il l'empêcha d'entendre la suite. Il poussa le volume au maximum, plaqua de nouveau son oreille. Le récepteur émit un souffle puissant et continu, comme le vent dans les arbres, et au tréfonds de ce souffle, la voix :

– *Je suis…*

– Où êtes-vous ? demanda-t-il comme si elle pouvait l'entendre.

– *Je suis à… gare centrale… besoin de…*

– Parlez plus fort !

– *très atten… dange… resp…*

Le vent se calma, la voix se perdit et l'appareil se remit à grésiller :

– *peu enclin… ksch-sch… idées réformatrices allemandes, n'est-ce pas… krrrsch-sch…*

Il jura, prit la radio à deux mains, actionna les boutons au hasard, pesta, perdit la station, la retrouva :

– de l'influence de Rome… ksch… se substituer au pape dans la direction des affaires de l'Église d'Angleterre, n'est-ce pas…

Il tâtonna au pied du lit, retrouva sa lampe, l'alluma, éteignit la radio.

Il resta une heure peut-être, les yeux fixés au plafond de sa chambre, puis il se leva avec calme et lenteur. Il ôta son pyjama, enfila ses vêtements de la veille, qui étaient posés sur le dos d'une chaise, ouvrit l'armoire et descendit de la plus haute étagère un sac de voyage en cuir. Il y mit un pantalon de rechange, deux chemises, un pull-over, des sous-vêtements, sa radio, une boîte de boules Quies, un cahier, des stylos, enfin tout ce qu'il avait l'habitude d'emporter quand il s'en allait pour quelques jours.

Il fit une toilette de chat dans la salle de bains et ajouta la trousse au contenu du sac. Dans la cuisine, il se prépara un café noir. Il se força à avaler deux tartines beurrées. Avant de sortir, il attrapa encore sa veste suspendue au porte-manteau.

La Peugeot n'était pas dans le garage trop encombré, mais garée dans la rue, juste devant la maison. Quand il la démarra, une fumée grise jaillit du pot d'échappement. Il ferait la vidange dès son retour, se dit-il.

La nuit était limpide. La lune éclairait les grands peupliers d'Italie qui bordent la Loire.

Il gagna la D8 en quelques minutes et roula vers l'ouest, en direction de Montbrison. Il dépassa Sury-le-Comtal, laissa sur sa gauche le pic de Saint-Romain en haut duquel le prieuré se détachait avec précision. Il ne croisa pas une seule voiture jusqu'au panneau indiquant «Campagne 3,5». Il ne s'étonna pas de le trouver. Il ralentit et s'engagea lentement sur la petite route. De chaque côté, les phares de la Peugeot faisaient briller les herbes hautes, immobiles sous la rosée du petit matin.

Au bout d'une centaine de mètres, il nota que la température avait fraîchi. Il boutonna sa veste d'une main et poussa le chauffage.

Étienne Virgil savait qu'il était en train de faire une chose tout à fait déraisonnable. Pendant l'heure passée à réfléchir en fixant le plafond de sa chambre, une tempête de force 8 s'était déchaînée dans son cerveau bouleversé.

«Depuis quarante ans, s'était-il dit, j'écris des romans, des fictions, et pour les écrire je fais semblant d'y croire. J'ai gagné ma vie, petitement, mais je l'ai gagnée, à inventer des histoires parfaitement invraisemblables : j'ai réveillé des morts, j'ai inventé des créatures mi-hommes mi-bêtes, j'ai fait léviter des personnes humaines, j'ai ouvert des portes sur d'autres mondes, des mondes qui n'existent pas.

Et ces folies m'ont nourri. Vraiment nourri,

je veux dire : elles ont mis de la vraie nourriture dans mon assiette et dans celle de mes enfants.

Sauf que je n'y crois pas, bon sang, à ces histoires ! Je n'y crois pas !

Je suis un homme rationnel, même si je m'amuse parfois à prétendre le contraire. Je m'entends encore dans l'interview avec ce journaliste, le mois dernier :

– Étienne Virgil, dans votre dernier roman, vous exploitez une fois de plus la veine fantastique…

– Oh, fantastique, vous savez… Rien n'est fantastique, ou plutôt tout l'est. Est-ce qu'il n'est pas absolument fantastique que nous soyons là, vous et moi, à bavarder, tout de suite ? Le simple fait que nous existions est fantastique, non ? Le simple fait qu'il existe quelque chose plutôt que rien l'est aussi. Ce que j'invente dans mes fictions ne l'est pas davantage…

Oui, je m'entends encore le dire, mais je n'y crois pas, bien sûr ! C'est un jeu de paroles, un jeu d'interview, un simple jeu.

Et voilà que la porte de "l'ailleurs" s'entrouvre. Cette fille, Anne Collodi, ce village qui n'existe pas, cette voix dans la nuit… « Est-ce que je serais en train de perdre la tête ? »

Il s'était dit tout cela, Étienne Virgil. Il s'était dit aussi qu'il ne pouvait pas abandonner à son sort cette jeune personne qui l'appelait au secours.

Puis il s'était levé, habillé, il avait bu son café et il était parti.

À présent, il roulait au ralenti sur cette étroite route bordée d'herbes hautes. Il évoluait comme dans un rêve dont on aurait réglé parfaitement la netteté de l'image et du son, ajusté les reliefs et la densité, jusqu'à lui donner l'apparence hallucinante de la réalité. Un rêve dont la durée n'aurait pas été distordue comme dans les vrais rêves, mais serait au contraire restée constante et réaliste.

Il en éprouvait à la fois la terreur et l'émerveillement.

4
Le premier passage d'Anne Collodi

Les gens d'ici ne respirent pas. Je n'emploie pas ce mot au sens figuré, qui laisserait penser qu'ils courent sans cesse et partout sans prendre le temps de s'arrêter ni de souffler. Non, je veux dire qu'ils ne font pas entrer d'oxygène dans leur bouche ni dans leurs narines comme nous, les êtres humains, et comme tous les vertébrés. Ils n'inspirent pas, leurs poumons ne se gonflent pas, ils n'expirent pas ensuite pour rejeter le dioxyde de carbone. Leur poitrine est plate, presque creuse. Ils ne respirent pas.

C'est la chose la plus importante à savoir. J'ai eu de la chance. Je l'ai apprise de Mme Stormiwell, qui est une des réceptionnistes de l'hôtel Légende, le soir de mon premier passage, voilà tout juste deux semaines.

J'avais marché sans m'arrêter depuis le croisement. Le modeste panneau «Campagne 3,5»

51

annonçait un hameau, au mieux un village, mais plus j'avançais et plus il fallait me rendre à l'évidence : il s'agissait d'une ville, et même d'une grande ville. La petite route goudronnée s'est élargie et transformée en chaussée de verre, noire et lisse. Des maisons ont surgi des deux côtés, toutes semblables, sobres et sans élégance. J'ai regardé derrière moi et j'ai vu qu'il ne restait rien de la campagne que j'avais traversée. Le paysage avait été comme avalé et remplacé par un autre. Peu à peu, les maisons ont laissé la place à des immeubles de verre et de métal. Un bus silencieux m'a doublée. Il flottait à un mètre environ au-dessus du sol. Il n'avait pas de chauffeur. Les têtes des passagers se sont tournées vers moi en un joli mouvement synchronisé. Un homme m'a souri.

Au premier carrefour, j'ai vu cette indication sur ma droite : «Hôtel Légende 500 mètres». La nuit tombait. Je m'y suis dirigée.

Sans Mme Stormiwell, je me serais trahie à peine arrivée. Elle m'a démasquée dès qu'elle m'a vue traverser le hall, mon sac de voyage à la main, et m'avancer vers elle. Ses yeux ont glissé une fraction de seconde sur ma bouche et sur ma poitrine, elle a regardé à droite et à gauche pour s'assurer qu'elle seule avait remarqué, puis elle a murmuré, presque sans bouger les lèvres, avant même que je lui adresse la parole :

– Taisez-vous. Voici votre clé. Vous êtes à la chambre 527, au cinquième étage. Prenez l'ascenseur qui est ici et attendez-moi là-haut. Je viendrai vous voir. Ne parlez à personne. Ne vous montrez pas.

– Pourquoi est-ce que je ne dois pas… ?

– Taisez-vous. Prenez l'ascenseur.

Elle est la première personne de «là-bas» que j'ai entendue parler. Le timbre métallique de sa voix et son débit un peu saccadé m'ont surprise. Elle m'a rappelé, en femme, mon oncle Jean, de Roanne, qui a été opéré du larynx.

Elle s'est détournée de moi. J'ai obéi et je suis montée.

Tout de la chambre 527 m'a plu : la poignée de la porte, agréable au toucher et silencieuse, les draps du lit, très doux et propres, la lumière apaisante qui s'est déclenchée toute seule à mon entrée, les blancs et les mauves tendres du papier peint, le bureau et la chaise design. Des chaises comme ça, ils ne connaissent pas à 4 *Pieds*. L'ensemble avait une apparence de luxe qui m'a inquiétée : est-ce que je pourrais payer la nuit ? Je n'avais même pas eu le temps de demander ce qu'elle me coûterait. J'ai tiré le cordon du rideau et il s'est ouvert dans un froissement d'étoffe sur la grande baie vitrée.

La ville est apparue, géométrique.

Des immeubles de huit ou dix étages à perte de vue, la plupart éclairés. Une seule tour, au loin, qui montait haut dans le ciel nocturne. Des voitures ovales et des bus qui flottaient au-dessus des avenues et des échangeurs, sans jamais s'arrêter.

J'ai bu un verre d'eau de la bouteille en verre qui était sur la table basse. Cette eau ne ressemblait pas à l'eau de chez nous. Elle m'a paru plus légère, plus «rapide», je ne sais pas si on peut dire ça d'une eau, mais je ne trouve rien d'autre.

J'ai ôté mes chaussures, je me suis assise sur le lit, j'ai écouté un peu de musique sur mon iPod, puis je m'en suis lassée et j'ai attendu en silence l'arrivée de Mme Stormiwell. Elle n'est venue qu'au bout d'une heure, sans doute à la fin de son service. J'avais faim. Je pensais à Gabrielle. Est-ce qu'elle était descendue dans cet hôtel, elle aussi, le jour de son passage avec Jens?

Est-ce qu'elle s'était défendue? Révoltée? Ou bien est-ce qu'elle était déjà ensorcelée au point d'accepter tout ce qui venait de lui?

En tout cas, après plus d'un an de vide absolu et d'absence de tout indice, voilà que je venais de briser le mur. Je n'avais pas encore retrouvé la trace de ma sœur, bien sûr, mais j'étais de ce côté du monde où cela devenait possible.

Mme Stormiwell a frappé à ma porte. Quand je lui ai ouvert, elle s'est coulée à l'intérieur comme quelqu'un qui ne veut pas être vu. Nous sommes restées debout dans le couloir, à l'entrée de la salle de bains. C'était une personne plus petite que moi, portant les cheveux courts, massive dans son uniforme sombre, les yeux légèrement exorbités, mais il y avait de la bienveillance dans son regard.

– Vous venez de «là-bas», mademoiselle, de «l'autre côté»?

– Oui.

– Si vous voulez éviter les ennuis, il ne faut pas montrer que vous respirez.

– Pardon?

– Votre poitrine qui se soulève, votre bouche qui s'entrouvre, le bruit que vous faites…

– Je ne comprends pas.

Elle a levé les yeux au ciel.

– Je ne sais pas pourquoi vous êtes ici, et je ne veux pas le savoir. Je n'aurais pas dû vous accepter à l'hôtel. Je me suis mise en faute. Mais vous ne ferez pas long feu si vous continuez comme ça. Vous serez prise.

– Prise? Par qui?

Elle a secoué la tête.

– Vous savez à quoi vous me faites penser? Pour vous aider à comprendre, je vais utiliser une image de chez vous, de votre monde. Vous me faites penser à un poussin qui serait entré dans la cage des serpents et qui se demanderait: «Où est le problème?»

Pour faire le poussin, elle a pris une petite voix qui m'a autant amusée qu'effrayée.

— Venez, lui ai-je dit. Venez vous asseoir et expliquez-moi, madame… j'ai déchiffré son nom sur le badge accroché à son uniforme, madame Stormiwell.

— Non, je n'ai pas le temps. Ni le droit. Je voulais seulement vous faire quelques recommandations, pour retarder un peu votre capture. D'abord, évitez autant que possible de parler. Votre timbre de voix vous trahit. Évitez aussi de demander ce que vous devez. Ici, rien ne coûte rien. Nous n'avons pas de… comment appelez-vous ça déjà ?

— D'argent ?

— Oui, d'argent. Et surtout écoutez bien ceci : respirez, puisque vous ne pouvez pas faire autrement, mais ne le montrez pas ! Inspirez par le nez. Gardez la bouche fermée. Portez des vêtements amples qui cacheront le mouvement de votre poitrine quand vos poumons se gonflent. N'éternuez pas. Ne vous mouchez pas. Ne toussez pas. Ne riez pas. Ne vous essoufflez jamais. Ne courez pas. Évitez de vous approcher des gens. De là où je suis, je sens que vous respirez et je me trouve à plus d'un mètre de vous.

J'en suis restée éberluée.

— Mais… mais, vous respirez bien, vous ?

— Non, je ne respire pas. Personne ici.

Et comme pour en faire la démonstration, elle s'est tue et figée. Je l'ai mieux observée et l'immobilité parfaite de tout le haut de son corps m'est apparue. C'était à la fois glaçant et beau. Aucune palpitation des narines, aucun frémissement d'aucune sorte. Son buste évoquait celui d'une statue de pierre.

– Voilà, a-t-elle conclu. Je vous laisse. Soyez prudente. Vous ne rencontrerez pas beaucoup de personnes comme moi.

– Attendez ! Pourquoi faites-vous ça ?

– Je ne sais pas.

Elle s'est tournée pour repartir, puis elle s'est ravisée.

– Est-ce que je peux vous demander quelque chose, en échange ?

– Oui, bien sûr.

Elle est revenue vers moi, saisie d'une timidité inattendue, et elle a levé une main hésitante.

– Je peux ?

Comme je ne savais pas ce qu'elle comptait faire, je n'ai pas réagi. Alors elle a appliqué la paume de sa main droite sur le haut de ma poitrine, le gras de son pouce s'est logé dans la petite cavité de mon cou.

– Allez-y… Respirez…

J'ai inspiré puis expiré quatre ou cinq fois, posément, profondément, comme on fait chez le médecin. Je sentais la pression de sa main sur moi, et mes poumons qui la repoussaient à chaque respiration.

– Encore un peu, s'il vous plaît…

J'ai continué. Le visage impassible de Mme Stormiwell était maintenant traversé par des vagues d'émotion. Ses lèvres tremblaient. Ses yeux se sont fermés.

— Encore un peu.

J'ai continué.

— Merci, mademoiselle.

Elle a ôté sa main, lentement. Je croyais qu'elle allait se contenter de ça, mais non.

— S'il vous plaît, soufflez. Montrez-moi comme vous faites.

J'ai soufflé devant moi. Elle a mis le dos de sa main dans la petite colonne d'air et fait bouger ses doigts dedans.

— Dans mes cheveux, s'il vous plaît. Ensuite, je vous laisserai.

Elle a baissé la tête et attendu. Je n'ai pas pu faire autrement que souffler dans ses cheveux courts qui ne bougèrent presque pas. J'ai recommencé plusieurs fois, avec délicatesse.

Cette fois elle n'a pas remercié, mais l'expression de ses yeux valait mieux que des remerciements.

— C'est pour ça que je le fais, a-t-elle seulement dit, et elle s'en est allée.

J'ai mis du temps à me remettre de cette visite déroutante. Un mot prononcé par Mme Stormiwell m'avait heurtée. Elle avait dit d'abord que je serais « prise », bon, mais ensuite elle avait parlé de ma probable « capture », que je ne pourrais sans doute que retarder. Capture, pour moi, ça concerne les animaux, comme ces deux autres mots qui m'étaient venus au cours de la scène avec Jens, dans le restaurant de Saint-Étienne : chasseur, gibier.

J'avais faim. J'ai imaginé d'aller dîner en bas, mais on m'aurait remarquée aussitôt. Je manquais de l'entraînement nécessaire pour cacher ma provenance. Et, pour dire la vérité, c'était la première fois que je me trouvais seule dans un hôtel, comme une adulte. Il m'était arrivé d'y aller avec mes parents sur la route des vacances en Bretagne. Nous faisions étape à Tours, je crois. Gabrielle et moi adorions ça quand nous étions petites. Une chambre d'hôtel ! Le restaurant ! Le buffet du restaurant ! Qu'est-ce qu'on a le droit de prendre, papa ? Tout, mes filles, tout ce que vous voulez, faites juste en sorte de ne pas vous rendre malades. Nous étions tellement fières de notre liberté et de la confiance qu'il nous faisait, qu'au bout du compte nous prenions un repas plus que raisonnable. Je revois Gabrielle choisir une assiette de carottes râpées !

J'avais faim. Rien ne coûtait rien selon Mme Stormiwell, alors j'ai eu le culot d'appeler la réception, comme dans les films.

— Je suis la chambre 527. Est-ce que vous servez des repas dans les chambres ?

L'employé avait la même voix que Mme Stor-miwell, sans rondeur, comme reconstituée.

– Bien sûr, mademoiselle. Que désirez-vous ?

C'était tellement simple que ça m'a prise au dépourvu.

– Oh, je ne sais pas. Apportez-moi le plat du jour, s'il y en a un.

– Le plat de quoi… ?

– Le plat du… Non, excusez-moi, apportez-moi ce que vous voulez, avec un dessert.

– Oui. Et comme boisson ?

– De l'eau.

Moins d'un quart d'heure plus tard, on a frappé à la porte. Je l'ai entrouverte, je me suis réfugiée dans la salle de bains d'où j'ai crié d'entrer. J'ai entendu rouler le chariot dans le couloir, et l'employé m'a souhaité bon appétit avant de repartir.

Je me suis installée devant la baie vitrée et j'ai dîné en regardant la ville. Les lumières étaient devenues plus intenses avec l'avancée de la nuit.

Je ne sais pas ce que j'ai mangé, mais c'était parfaitement insipide. Cela se présentait sous la forme d'une brique, mi-gâteau mi-fromage, empaquetée dans un film transparent. J'en ai coupé des tranches avec le couteau et je les ai avalées en buvant mon eau «rapide». Il y avait aussi un cube compact, tout blanc, qui fondait dans la bouche, sans doute le dessert. Je n'ai pas réussi à identifier le parfum. Peut-être une idée de réglisse. Ou peut-être pas. Peut-être que je l'imaginais seulement.

L'eau du robinet de la salle de bains était la même que celle que j'avais bue, vive et légère. J'ai enfilé le peignoir suspendu derrière la porte, je suis revenue dans la chambre et, assise sur le lit, je me suis résolue à faire ce que je n'avais pas osé depuis mon arrivée : essayer mon téléphone portable.

Mon pouce a fait glisser l'écran. Il s'est éclairé d'une pitoyable lumière agonisante malgré la batterie chargée et s'est éteint presque aussitôt. J'ai essayé de nouveau. Cette fois, l'appareil n'a donné aucun signe de vie. Je m'en doutais : en passant, on laisse derrière soi le monde d'où l'on vient, complètement. J'avais l'impression de tenir un jouet d'enfant dans ma main, l'imitation d'un vrai téléphone. La rupture du lien avec les miens m'a projetée en quelques secondes dans un état de solitude jamais éprouvé jusqu'alors. Les larmes m'en sont venues aux yeux. Si Mme Stormiwell avait été de service, je crois que je l'aurais appelée pour entendre une voix, n'importe laquelle. J'ai fermé le portable et je l'ai jeté au fond de mon sac.

Dehors, la ville était paisible. Beaucoup de lumières s'étaient éteintes. Je me suis endormie en écoutant le bruit familier que faisait l'air dans ma gorge, son sifflement dans mes narines. En éprouvant la tiédeur de mon souffle sur ma main.

Avant de descendre, le lendemain matin, je me suis placée, tout habillée, devant le miroir de la salle de bains et je me suis posé cette question objective : est-ce qu'on peut deviner que je respire ? La réponse était oui. Même en suivant les recommandations de Mme Stormiwell, inspirer par le nez et garder la bouche fermée, j'étais trahie par le mouvement régulier de mon thorax et celui des épaules. Je me suis souvenue d'une technique apprise au cours d'un stage de théâtre, la respiration par le ventre. Il suffit de bien relâcher le haut du corps, et de laisser l'abdomen se gonfler. J'ai essayé. C'était beaucoup mieux, il me manquait juste un vêtement plus ample que mon pull et ma veste.

Je me suis répété mentalement les consignes de survie : ne pas éternuer, ne pas se moucher, ne pas tousser, ne pas courir. Cela faisait beaucoup. Sans oublier celle qui serait peut-être la plus difficile à observer : ne pas rire.

Ainsi prête à affronter ce nouveau monde, je suis sortie de ma chambre.

J'ai passé la journée du dimanche à parcourir la ville en prenant soin d'éviter ses habitants. Étrange exercice. Aussi loin que je sois allée, je n'ai pas vu la nature. Je prenais des bus aériens au hasard, de préférence ceux qui étaient presque vides. Ils s'arrêtaient aux stations, s'abaissaient au niveau de la rue, je montais et je me laissais conduire jusqu'au terminus de la ligne. Ils étaient tous parfaitement silencieux. Leur plafond lisse et brillant reflétait les passagers, tête en bas, comme suspendus à l'envers. Je n'ai vu dans le trafic qu'un seul modèle de voiture : une espèce de suppositoire à deux places, les deux passagers étant assis l'un derrière l'autre. La circulation était sans heurt, fluide.

Le comportement des gens aussi, d'ailleurs. Pas d'éclats de voix, pas de disputes. Pas de pleurs ni de cris chez les rares enfants visibles. Les hommes étaient vêtus de tuniques rectilignes qui leur tombaient à mi-cuisse, et de pantalons de toile semblables à des tuyaux, le tout dans les gris et les bleus. La tenue des femmes ne valait guère mieux : c'était la même chose, en plus clair. Leurs seins absents, leurs poitrines plates me mettaient mal à l'aise. Triste défilé de mode.

C'était étrange de savoir que j'avais le droit de me servir dans les magasins sans devoir payer. Si j'avais pu faire la même chose à *La Muscadine*, la pâtisserie de mon enfance, à Saint-Just, ce n'est pas cinquante et un kilos que j'aurais pesé mais quatre-vingt-quatre. Seulement rien ne me faisait envie, ni la nourriture, ni les habits, et puis j'avais peur de me confronter aux gens.

Je suis tout de même entrée dans un magasin de vêtements et j'ai commencé à fureter dans les cintres. Je cherchais une veste ample qui cacherait mieux ma respiration et avec laquelle j'aurais l'air moins déguisée qu'avec la mienne. Je me fichais de mon apparence. Une fille blonde, plutôt jolie, dans mes âges, s'est approchée.

– Je peux t'aider ?

Le timbre de sa voix était moins métallique que celui de Mme Stormiwell, un peu plus velouté, plus proche du mien, mais il restait triste et mécanique. Elle portait un chemisier strict. J'ai noté la qualité de sa peau, si parfaitement nette et saine, comme celle de toutes les personnes rencontrées ici.

– Oui, je cherche une veste…

Elle se tenait tout près. Je me suis éloignée. Elle s'est rapprochée. J'ai senti mon souffle s'accélérer. Elle allait le remarquer, m'entendre. Je me suis bloquée en apnée haute. La panique n'était pas loin. Mme Stormiwell m'avait recommandé de garder mes distances et je faisais tout le contraire.

– Regarde celle-là. On vient de la recevoir.

J'ai abrégé l'échange.

– Oui, elle me plaît.

– Essaie-la.

J'ai filé vers la cabine d'essayage où j'ai pu respirer à mon aise pendant une minute et d'où je suis ressortie avec la veste sur le dos. Elle tombait comme un sac, mais j'avais retrouvé un peu de mon calme et la fille a hoché la tête.

– Elle te va bien. Prends-la. Tu veux autre chose ?

– Non, c'est tout. Je te dois comb…

– Pardon ?

– Non, rien. Merci. Au revoir.

Au milieu de l'après-midi, le bus où je me trouvais a longé un vaste lac aménagé au milieu de la ville. Des gens déambulaient sur la rive, seuls ou en groupes. Je suis descendue au premier arrêt, j'ai marché un peu et je me suis assise sur un banc, face à l'eau. La vieille dame assise à l'autre bout m'a saluée d'un sourire aussi artificiel que le lac. Une longue créature maigre, vêtue de blanc.

Et j'ai commis ma première grave erreur. En m'asseyant, j'ai soupiré… Oh, pas très bruyamment, mais elle avait l'oreille fine.

Ses yeux se sont écarquillés. Elle a jailli du banc comme s'il lui avait brûlé les fesses, pointé son index sur moi et reculé, muette d'horreur. Puis elle s'est mise à caqueter comme une hystérique :

– Là ! Là ! Celle-ci ! C'en est une !

Une quoi ? J'étais une quoi ? Je ne sais pas qui était la plus terrorisée de nous deux. J'ai détalé à toutes jambes.

– Arrêtez-la ! criait la vieille. Arrêtez-la ! Elle m'a craché dessus ! Je suis infectée !

Sa voix claquait comme si on avait actionné les lames métalliques d'un vibraphone.

Craché sur elle ? Je n'avais craché sur personne. J'ai traversé l'avenue, une pelouse synthétique, un parking, et je me suis cachée entre deux voitures, hors d'haleine.

Les mots qui font peur me sont revenus : chasseur, gibier, capture… Traque…

J'ai pris le temps d'apaiser mon souffle, de le stabiliser complètement et je suis rentrée à l'hôtel Légende pour y reprendre mon sac. À ma grande déception, Mme Stormiwell n'était pas à la réception. Un homme à l'allure soignée m'a poliment remis ma clé. En partant, je lui ai dit :

– Je reviendrai sans doute vendredi prochain, ou samedi.

Il m'a souri.

– Vous serez toujours la bienvenue, mademoiselle.

Je suis repassée sur Terre le soir même, en empruntant le même chemin qu'à l'aller, la même rue. Au bout d'un quart d'heure de marche environ, les maisons se sont espacées, puis la nuit est descendue et les a dissoutes. J'ai continué à avancer dans le noir.

Peu à peu, j'ai senti le vent sur mon visage. C'était le petit jour. Mes narines se sont emplies d'un mélange d'odeurs puissantes : celle de l'herbe, vive et pointue, celle plus fade de branches en décomposition dans quelque fossé, celle proche et toxique des gaz d'échappement d'un tracteur. J'ai aimé toutes ces odeurs et j'ai mesuré combien j'en avais été privée depuis la veille. Un petit animal a détalé sur ma droite, un chat peut-être, ou un ragondin. J'ai tressailli, de surprise et de plaisir.

De «là-bas» je ramenais le sentiment de n'avoir rien découvert à propos de ma sœur, mais aussi celui de m'en être bien tirée, de n'avoir rien compromis, de posséder encore toutes mes chances.

Je ramenais surtout une certitude, et un immense soulagement : on pouvait en revenir.

5
Le deuxième passage
d'Anne Collodi

J'ai effectué mon deuxième passage le vendredi suivant, le jour où le vieux monsieur m'a
prise en auto-stop pour la première fois, et le
jour où j'ai trouvé le scarabée vert sur le gravier, à la sortie de Sury-le-Comtal. Il bruinait.
J'aime ce temps-là, quand il ne dure pas trop
longtemps.

J'avais pensé toute la semaine à Mme Stormiwell en vendant mes chaises. Elle était à coup
sûr la personne grâce à laquelle je pourrais
avancer dans ma recherche, et l'impatience de
la revoir me taraudait.

Quel que soit le moment de la journée où
l'on passe, c'est toujours le soir quand on arrive
chez eux, et la nuit descend sur la ville.

J'ai traversé le hall de l'hôtel Légende avec
l'assurance d'une habituée. Je contrôlais mon
souffle. Mme Stormiwell m'a regardée venir à
elle et ses yeux ont commenté : c'est mieux!

– Je vous donne la même chambre, m'a-t-elle dit. La 527.

En prenant la clé, je lui ai glissé :

– Vous viendrez me voir ?

Elle a acquiescé d'un mouvement des paupières.

Cette fois, nous nous sommes assises. Elle sur la chaise du bureau et moi au bord du lit. Elle m'a semblé plus détendue que la semaine précédente. J'avais préparé mon discours.

– J'ai beaucoup de questions à vous poser, madame Stormiwell. En échange de vos réponses, je vous ferai sentir ma respiration et je vous soufflerai dans les cheveux. Je peux même le faire avant, pour vous montrer que j'ai confiance en vous.

– Je veux bien, a-t-elle répondu.

Nous avons renouvelé notre charmant petit ballet : elle sa main entre ma gorge et ma poitrine, moi qui remplis mes poumons et les vide avec application, elle qui se trouble, qui tremble, moi qui continue ; elle qui agite ses doigts dans l'air que j'expire, qui se penche et me présente sa tête, moi qui souffle dessus, longuement ; elle qui relève son visage bouleversé et qui me dit merci.

Nous nous sommes rassises, nous avons bu un verre d'eau « rapide », ouvert le rideau sur la ville éclairée et j'ai commencé.

— Dites-moi, madame Stormiwell, où sommes-nous ici ?

— Nous sommes à Campagne.

— Oui, je sais, c'est le nom de cette ville, mais je voulais dire : dans quel monde ?

— Eh bien, je ne sais pas comment vous répondre, il n'a pas de nom. C'est… le monde. Nous sommes… dans le monde. C'est vous qui n'y êtes pas vraiment. Les gens ici ne croient pas en vous, d'ailleurs, et c'est très mal considéré d'y croire. Si j'en parlais, je passerais pour folle et on me soignerait. Comme ceux qui prétendent voir des fantômes ou des extraterrestres chez vous. En fait, vous êtes un fantôme pour moi. N'empêche que je crois en vous.

— Merci de croire en moi. Je suis très honorée.

Sa bouche s'est étirée et il en est sorti une sorte de cliquetis joyeux tout à fait inattendu. Cela rappelait, mais en plus sonore, le claquement sec que font les haricots sauvages dans la chaleur, *clic clic clic* ! Devant ma surprise, elle s'est expliquée :

— C'est notre façon de rire. Vous en avez une différente, n'est-ce pas ?

— En effet, je vous ferai entendre à l'occasion.

— Maintenant ?

— Je voudrais bien, mais je n'y arrive pas sur commande.

– Ah, et si je cliquetais encore, ce serait une occasion ?

– Essayez, pour voir…

Ses lèvres se sont fendues dans un crépitement frénétique. On aurait dit qu'elle imitait le cri d'un animal, d'un oiseau peut-être. J'ai éclaté de rire sans me douter de l'effet que cela produirait sur elle. La stupeur l'a collée au dossier de sa chaise. Ses yeux ronds se sont presque exorbités. Elle a dressé ses mains devant elle comme pour se protéger de moi.

– Non ! C'est dangereux ! Vous me faites peur !

Ça m'a arrêtée net.

– Vous n'avez pas à avoir peur.

– Je sais, seulement c'est très impressionnant pour nous. Tout ce bruit ! On dirait que vous avez mal, que vous souffrez. Et puis, quelqu'un pourrait vous entendre du couloir !

– Bon, je ne le ferai plus. Mais vous, évitez de cliqueter…

– C'est promis.

Nous nous sommes tues un instant.

– Madame Stormiwell…

– Oui ?

– Est-ce que j'ai mal entendu ou avez-vous vraiment dit que mon rire était… dangereux ?

– Oui, je l'ai dit. Excusez-moi, je n'aurais pas dû.

– Ce n'est pas grave. J'aimerais seulement savoir pourquoi vous avez employé ce mot.

– Mais à cause des microbes! Quand vous riez, c'est un véritable bombardement! Toutes les maladies viennent de là… les infections… les bactéries… les virus. Enfin, toutes ces choses épouvantables qu'il y a chez vous. Et il y a même pire, paraît-il. Est-ce vrai que vous… enfin… quand vous avez trop mangé ou bu trop d'alcool, que vous… oh je n'ose pas le dire…

– Que nous vomissons?

Elle a rougi, cliqueté un peu, puis :

– Oui, c'est ça… Dites-moi que ce n'est pas vrai. La nourriture ne ressort pas… par en haut quand même?

J'ai hésité, mais j'étais engagée dans un jeu de vérité avec cette femme et je n'ai pas voulu mentir.

– Si, c'est vrai. Mais ça arrive rarement, vous savez.

– Est-ce que… est-ce que ça vous est arrivé, à vous?

– Oui, quand j'étais malade. On appelle ça une gastro-entérite.

Sa bouche s'est contractée dans un rictus de dégoût.

– Oh, mon Dieu!

J'ai sauté sur l'occasion pour changer de sujet :

– Vous avez dit «mon Dieu». On croit en Dieu, ici?

Elle a cliqueté, s'est rappelé sa promesse et a mis la main devant sa bouche.

– Oh, non ! C'était juste une expression. Personne ne croit en Dieu, chez nous ! Ce serait très mal vu aussi ! Et vous, vous y croyez ?

– Non plus. Dites-moi, madame Stormiwell, comment savez-vous toutes ces choses sur nous ?

– Je les ai lues. Ça me passionne.

– Dans des livres ?

– Bien sûr. Des livres électroniques. Pas des livres de… comment appelez-vous ça ?

– De papier ?

– C'est ça. Nous n'avons pas de papier. C'est sale.

– Et que disent les livres électroniques sur nous ?

– Ils parlent de vous, ils racontent des histoires sur vous, mais ils précisent bien que vous n'existez pas.

J'ai pensé aux contes que j'avais lus, enfant, à tous ces romans lus plus tard, à toutes ces fictions comme celles qu'écrivait sans doute le vieux monsieur qui m'avait prise en auto-stop. On y trouve des fées, des géants, des ogres, des fantômes, mais pas plus les auteurs que les lecteurs n'y croient, bien entendu. On les invente juste pour se sentir moins seuls dans notre univers. Et voilà que dans cet autre monde que le mien, je devenais moi-même une de ces créatures.

– Comment vous appelez-vous, au fait ? m'a demandé Mme Stormiwell.

– Je m'appelle Anne Collodi.

– Collodi ?

– Oui. C'est le même nom que celui de l'auteur italien qui a écrit *Pinocchio*. Enfin, c'était un pseudonyme. Il a pris le nom du village de Toscane où il est né et qui s'appelait comme ça : Collodi.

– Je ne comprends pas les mots que vous dites… italien… Toscane… Pinocchio…

– Ça ne fait rien. C'est dommage, mais ça ne fait rien.

– Je dois m'en aller, a dit Mme Stormiwell en regardant sa montre. On m'attend chez moi.

– Qui vous attend ?

– Mon compatible, et notre adopté de quatre ans.

– Votre compatible ?

– Oui, enfin mon « mari », comme vous dites, je crois.

– Et votre adopté ?

– Oui, mon fils, si vous voulez…

– Vous avez un fils ?

– Oui, mais pas comme vous l'entendez. C'est-à-dire que je ne l'ai pas… Oh, vous allez me faire dire des horreurs ! Je veux bien parler de microbes, et même de vomi, mais ça… non !

– Vous voulez dire que vous ne l'avez pas porté, pas mis au monde, que vous n'êtes pas sa mère ?

– Voilà, j'en étais sûre ! Est-ce qu'on est obligé

de dire des grossièretés ? Je *suis* sa mère ! Mais on peut être mère sans avoir… enfin sans… je ne sais pas comment dire… sans faire comme les animaux !

J'ai su qu'aller plus loin dans cette conversation la choquerait profondément et je ne le voulais en aucun cas. Et pourtant, j'étais loin d'avoir tout compris. Est-ce que c'était le fait d'être enceinte qui l'horrifiait, ou bien l'idée de l'amour physique entre deux personnes ?

— Pardonnez-moi, madame Stormiwell, je ne voulais pas vous blesser. Je vous laisse partir. Je vous remercie infiniment de votre gentillesse. Je voudrais juste vous poser une dernière question.

— Si c'est sur ce même sujet, je ne préfère pas.

— Non, c'est autre chose.

Elle s'est rassise.

Ce qui me restait à lui demander était en réalité ce qui m'importait le plus. Mon estomac s'est noué. Je me suis lancée.

— Étiez-vous déjà dans cet hôtel l'automne dernier ?

— Certainement, j'y travaille depuis douze ans.

— Bien. Alors, vous rappelez-vous avoir vu arriver ici une autre personne de « chez nous », à la mi-septembre ? Une jeune femme de vingt-cinq ans, accompagnée d'un homme.

– Oui, bien sûr, une jolie rousse avec la peau blanche. Une Terrienne. Je m'en souviens, comment oublier ? Ce n'est pas si souvent qu'il en passe.

Mon cœur s'est affolé.

– Continuez, je vous en prie. Comment était-elle ? Racontez-moi !

– C'était une capturée. L'homme avait beau prendre un air naturel et la cacher de son mieux, j'ai tout de suite vu qu'elle respirait. J'ai l'œil, vous avez pu vous en rendre compte.

– Une capturée. Qu'est-ce que ça veut dire ?

Elle s'est raidie, m'a regardée plus intensément.

– Vous connaissez bien cette jeune femme ? Quel lien avez-vous avec elle ?

J'ai hésité, mais une fois encore j'ai choisi la vérité.

– C'est ma sœur.

– Votre sœur ? Elle a réfléchi quelques secondes. Est-ce que c'est une chose importante, chez vous, d'être sœurs ? Pardonnez cette question, mais je ne me rends pas vraiment compte…

Une image lointaine a surgi de ma mémoire. Gabrielle me tendait une barre de chocolat et me souriait. J'avais douze ans et je venais de me ridiculiser dans un concours de saut d'obstacles. Mes parents m'avaient acheté la veille le pantalon blanc, la bombe neuve, l'équipement complet pour ma toute première compétition.

Je m'étais entraînée dur. Ils étaient présents dans le public, avec deux de mes tantes. J'étais tombée du cheval, pitoyablement, dans la boue, dès le début du parcours. J'avais tout raté. Je me sentais moche, nulle, honteuse, dégoûtée de moi-même. Le soir, je ne voulais plus voir personne, même pas venir à table. Gabrielle m'avait rejointe dans ma chambre et tendu cette barre de chocolat, sans rien dire, juste en me caressant les cheveux. Je l'avais mangée en reniflant. Elle était allée en chercher une deuxième. Je l'avais mangée. Une troisième. Je l'avais mangée… «C'est le seul remède quand on se vautre dans la boue devant toute sa famille, m'avait-elle dit. Il y a aussi le suicide, mais le chocolat, c'est mieux.» Et on avait ri. Moi, je riais dans mes larmes. Elle m'avait embrassée sur la joue et laissée comme ça, un peu moins malheureuse.

Mme Stormiwell attendait ma réponse. J'ai bredouillé :

— Oui, c'est une chose importante d'être sœurs. Je suis…

Je ne trouvais pas le mot juste et j'ai dit le premier qui m'est venu :

— Je suis très attachée à elle…

Mes yeux se sont mouillés. Alors, dans cette image brouillée, j'ai vu Mme Stormiwell qui se levait de sa chaise et s'approchait de moi. Elle a avancé sa main, avec lenteur.

– Je peux ?

Cette fois, j'ai compris ce qu'elle désirait, et j'ai hoché la tête en signe d'acceptation.

Elle a cueilli de l'index une larme sous mon œil gauche. Elle l'a portée à ses lèvres, déposée sur le bout de sa langue, goûtée.

– Oh, c'est salé… Exactement comme ils disent dans les livres… Comment faites-vous ça ?

Comment je faisais ça ! Je me suis retenue de rire. J'ai essuyé mes yeux avec mon mouchoir.

– Vous ne savez pas pleurer ?

– Non. Pas comme vous en tout cas. Nous n'avons pas ce liquide salé qui nous sort des yeux. Certaines personnes, dont je fais partie, pleurent, mais c'est à l'intérieur de nous, vous comprenez ?

– Oui, je crois que je comprends.

Je suis revenue à ma question.

– Qu'est-ce que ça veut dire, une capturée ?

Elle paraissait très ennuyée, maintenant.

– Eh bien, je suis désolée pour votre sœur… Comment vous expliquer… ? Il y a ici des hommes très puissants qui sont attirés par les femmes de chez vous. Ils disent qu'elles ont quelque chose que celles d'ici n'ont pas, quelque chose de sauvage, de… comment dire… ?

– d'animal ?

– Oui, c'est ça, d'animal… Pardon pour votre sœur… C'est surtout la respiration qui les fascine… Et puis les autres choses : la sueur, les larmes justement… ça les attire. Vous voyez bien l'effet que vous faites sur moi qui suis une femme, alors sur un homme vous imaginez…

L'épouvante me gagnait.

– Vous voulez dire que cet homme avec qui ma sœur est passée…

– Oh, non, pas lui. Lui n'est qu'un chasseur. Il va chercher, seul ou avec sa bande, et il ramène. Il travaille pour un autre, beaucoup plus puissant.

Je l'ai interrompue :

– Mais il ne s'est pas contenté de l'enlever. Il l'a séduite, rendue amoureuse ! Il s'est marié avec elle !

– Oui, j'ai bien une explication, mais j'ai peur de vous choquer.

– Allez-y. Je suis prête à tout entendre maintenant…

– Vraiment ? Alors voilà. Les femmes qu'on capture de force et qu'on contraint malgré elles sont moins, comment dire… moins tendres. L'idéal est qu'elles viennent de leur plein gré.

Moins tendres ! Je n'ai pas pu m'empêcher de penser aux bêtes qu'on emmène à l'abattoir et qu'on traite aussi bien que possible afin de ne pas rendre leur viande immangeable.

– Je vous ai choquée avec cette histoire de tendresse ? a demandé Mme Stormiwell.

Puisque j'avais pris le parti de ne pas mentir, j'ai répondu du tac au tac :

— Oui, vous m'avez choquée. J'ai bien le droit de l'être à mon tour, non ?

— Je suis désolée…

Soudain, j'en ai eu marre de l'entendre dire qu'elle était désolée. Marre de sa voix mécanique, de ses yeux secs, de sa peau impeccable.

— Où est ma sœur, à votre avis ?

— Je ne le sais pas.

— Je pense que vous mentez et que vous le savez très bien.

— Je ne le sais pas.

— Qui sont ces hommes puissants ? Où se trouvent-ils ?

— Je dois partir…

Comme elle se levait, on a frappé à la porte. Trois coups secs dont le dernier a résonné dans le silence. Mme Stormiwell a sursauté puis, à ma totale stupéfaction, elle s'est jetée au sol et a rampé sous le lit en s'appuyant sur ses avant-bras. J'ai vu son gros derrière y disparaître avec peine. Les jambes et les pieds ont suivi, puis plus rien n'a bougé.

On a encore frappé. Je suis allée à la porte et j'ai ouvert.

L'homme blond qui se tenait là n'avait rien d'un employé de l'hôtel. Il n'en portait pas l'uniforme. Il était grand et svelte, de type nordique, aurait-on dit chez nous. Il aurait eu sa place parmi les amis de Jens le jour du mariage. Tout en lui, les cheveux, la denture, la peau, le sourire, tout affirmait : « Je suis beau, je suis en bonne santé et je suis fier d'être l'un et l'autre. » Le front étroit, hélas, apportait un bémol et disait : « Je suis stupide. »

— Est-ce que Mme Stormiwell est ici avec vous ? a-t-il demandé.

J'ai répondu avec un aplomb qui m'a étonnée moi-même. Non, il n'y avait personne d'autre que moi dans cette chambre. Est-ce que j'en étais bien sûre ? Oui et, d'ailleurs, je ne connaissais pas cette dame dont il parlait. Qui était-ce ?

Son sourire a changé. Je faisais barrage au milieu du couloir. Il s'est penché pour regarder derrière moi, j'ai fait un pas sur le côté pour l'en empêcher.

— Est-ce que vous me permettez de vérifier ?

— Non, je ne vous le permets pas.

Ce furent les derniers mots de notre bref dialogue. Il m'a frappée violemment avec le poing, sur la tempe, sans me regarder, comme si déjà je ne comptais plus. J'ai vu des étoiles. Je suis tombée au sol et il m'a enjambée pour accéder à la chambre. Il a marché droit vers le lit qu'il a renversé à deux mains, découvrant Mme Stormiwell, pelotonnée dessous comme un chat craintif.

Ensuite le cauchemar.

Il a saisi la pauvre femme par le poignet et l'a traînée jusqu'à la baie vitrée qu'il a fait coulisser de sa main libre, puis il l'a décollée du sol, brandie au-dessus de lui et jetée par la fenêtre.

Il a jeté Mme Stormiwell par la fenêtre.

Elle n'a émis aucun son. C'est moi qui ai hurlé. J'aurais dû fuir, avant qu'il ne me jette moi aussi, mais j'étais sous le choc.

Il a refermé la baie. En repartant, il m'a regardée fugitivement et lancé ces mots :

— Retourne d'où tu viens, truie.

L'insulte m'a giflée aussi fort que la main. Il est parti en refermant la porte, doucement, presque poliment.

Je me suis retrouvée dans le silence de ma jolie chambre. Le lit était resté dressé au milieu de la pièce. Le sang battait à ma tempe meurtrie. Je suis allée à la baie vitrée. Je l'ai rouverte et j'ai regardé en bas. Un petit attroupement s'était déjà constitué autour du corps de Mme Stormiwell. Elle gisait sur le ventre, inerte. Des têtes se sont levées pour voir d'où elle avait pu tomber, et je me suis retirée.

J'ai fait mon sac, dans un état second, et je suis descendue. J'avais l'impression d'être à côté de moi-même. Le réceptionniste s'est étonné.

— Vous ne gardez pas votre chambre, mademoiselle ?

— Non, je dois repartir. Excusez-moi.

Il m'a demandé si j'avais l'intention de revenir la semaine suivante. J'ai répondu que, oui, je reviendrais. Il m'a dit que je serais toujours la bienvenue.

Quel que soit le moment où l'on repasse dans l'autre sens, c'est toujours le petit matin quand on revient chez nous.

La brise légère, le parfum de la terre, la rosée sur mes chevilles m'ont donné la même émotion que la fois précédente. On devait faire brûler des broussailles, quelque part, et j'ai aimé l'odeur âcre de la fumée dans mes narines. J'ai aimé la chaussée inégale. J'ai aimé le morceau de fil de fer rouillé accroché à une barrière. J'ai aimé jusqu'au hérisson écrasé sur la route.

La nuit suivante, dans mon petit studio de Saint-Étienne, j'ai fait le rêve le plus délicieux de ma vie. Mme Stormiwell avait bien été jetée de la chambre 527 de l'hôtel Légende, mais elle n'était pas tombée. J'ouvrais la baie et je la voyais voleter devant la fenêtre. Elle décrivait de gracieuses figures dans les airs, s'éloignait, se rapprochait, tournait, virait. Elle souriait et paraissait heureuse. Quand elle passait près de moi, je l'entendais cliqueter.

6
Le troisième passage
d'Anne Collodi

Je ne sais pas comment j'ai réussi à vendre mes chaises, cette semaine-là. La scène de la défenestration de Mme Stormiwell s'est rejouée à l'infini devant mes yeux, occupant tout mon espace mental. J'éprouvais de la sympathie pour cette femme. Nos jeux de respiration avaient créé entre nous deux une forme de complicité secrète. Je n'ai rien pu faire pour la protéger de cet homme trop fort et trop brutal, mais je m'en veux d'avoir été agressive et méchante avec elle à la fin de notre conversation. J'éprouve le sentiment détestable d'avoir été injuste, et de ne plus pouvoir me le faire pardonner. Maintenant qu'elle est morte, il ne me reste plus que la seule perspective de vivre toujours avec ce cuisant regret.

De plus, je réentends sans cesse l'épouvantable insulte que l'homme m'a lancée. S'il me compare à un animal, c'est qu'il sait d'où je viens. Une truie ! On imagine une femelle énorme, grognante, vautrée dans la boue, le ventre gonflé de mamelles auxquelles s'accrochent une dizaine de porcelets braillards. Un spectacle drôle et attendrissant pour nous, mais abject et répugnant pour les gens de là-bas, je suppose.

Qui est cet homme ? De qui tient-il ses ordres ? L'idée de savoir Gabrielle livrée à des êtres de cette espèce ne me laisse aucun repos.

De tout cela, les clients de *4 Pieds* ne se souciaient guère. J'ai eu l'impression de jouer des scènes surréalistes avec eux. J'étais absente. Je répondais en automate.

LA DAME. – Le tissu est salissant, non ?

MOI. – Peut-être, mais les housses sont lavables.

LA DAME. – Ah. C'est bien, ça. (*Au mari.*) Tu as entendu : les housses sont lavables.

LE MARI. – Les housses sont lavables, mademoiselle ?

MOI. – Oui, les housses sont lavables.

LA DAME. – À moins qu'on prenne en cuir… je veux dire l'assise… l'assise en cuir…

MOI. – C'est du similicuir. Vous pouvez laver les taches d'un simple coup d'éponge.

LA DAME, *au mari*. – Tu entends, si on prend en similicuir, je veux dire l'assise, on peut laver les taches d'un simple coup d'éponge…

LE MARI. – C'est pratique.

LA DAME. – Oui, c'est pratique.

MOI. – En effet, c'est pratique.

LA DAME. – Et le dossier ?

MOI. – Oui, le dossier ?

LA DAME. – Il est solide, le dossier ? Parce que mon mari a l'habitude de se balancer sur sa chaise.

LE MARI. – Oh, il faut pas exagérer.

LA DAME. – Je n'exagère pas du tout. Tu te balances sur ta chaise, reconnais-le.

MOI. – Le dossier est solide…

LA DAME. – Et vous dites que les housses sont lavables…

MOI. – Oui, les housses sont lavables.

Je passe pour la troisième fois, ce vendredi matin, premier jour des vacances de la Toussaint. C'est encore le vieux monsieur qui m'a prise en auto-stop. Il s'appelle Étienne Virgil. Il est écrivain. Si un jour tout cela prend fin, je lirai un de ses livres.

J'hésite à me rendre à l'hôtel Légende, mais la force de l'habitude y guide mes pas. J'emprunte la porte tournante avec ses parois de verre, je traverse le hall en contrôlant ma respiration de mon mieux, malgré l'angoisse.

On doit s'attendre à tout quand on est dans un autre monde, mais en voyant Mme Stormiwell à son poste de travail, je ressens la même émotion bouleversante que si je voyais réapparaître dans sa cuisine mon grand-père Marcello, mort depuis trois ans.

Son visage tuméfié porte les marques de sa chute, mais elle a atténué les bleus avec une épaisse couche de fond de teint qui la fait ressembler à une poupée de cire. Son nez cassé et réparé présente une bosse imposante. Son poignet droit est bandé. Elle me lance un regard chargé de reproche : «Vous êtes revenue ?» Je réplique par un regard ébahi : «Vous êtes vivante ?»

Qu'elle ait pu survivre à cette chute du cinquième étage, face contre terre, est prodigieux et m'en dit long sur la solidité des gens d'ici. Ils sont faits d'une autre matière que nous.

Il y a trois femmes à la réception. Je bloque ma respiration et je m'adresse à Mme Stormiwell comme si nous ne nous connaissions pas.

– Bonsoir. Je voudrais une chambre, s'il vous plaît.

De près, je distingue les terribles blessures, la mâchoire violette sous le fard, les dents remplacées. J'ai pitié d'elle. Tout cela lui est arrivé par ma faute. Si nous étions seules, je ferais le tour du bureau, je l'embrasserais et la serrerais contre moi.

– Bien sûr, mademoiselle, répond-elle sur un ton professionnel, mais le léger tremblement de ses lèvres ne m'échappe pas.

Elle consulte son ordinateur, tapote le clavier et fait pivoter l'appareil vers moi.

– Celle-ci vous conviendrait ? Elle est sur l'arrière.

Sur l'écran, il n'y a pas de photographie de chambre à regarder. Rien qu'une phrase écrite :

PARTEZ D'ICI ! RENDEZ-VOUS À MINUIT SOUS
L'HORLOGE DE LA GARE CENTRALE

Je remercie, bredouille un prétexte pour ne pas prendre la chambre : que ce n'est pas pour ce soir-là, que je repasserai, et je sors.

Pendant la semaine, je me suis entraînée à parler comme les gens d'ici et j'ai fini par attraper le truc : il faut expirer tout l'air de ses poumons, contracter son larynx, enlever de la rondeur, ne pas trop moduler. Je teste ma nouvelle capacité sur la première personne rencontrée devant l'hôtel.

– Pardon, monsieur, comment va-t-on à la gare centrale ?

C'est un homme d'une trentaine d'années, grand et svelte dans sa tunique bien coupée, sain, comme tout le monde ici. Ma voix lui convient, c'est-à-dire qu'il ne marque aucune surprise. Il tend le bras.

– Prenez le 12, à la station, juste là. Il y va directement.

Je suis fière de moi. Ça me rappelle mon premier voyage en Angleterre, j'avais treize ans et j'ai demandé à un *bobby* : «*Where is the nearest post-office, please?*»; et, miracle, il m'a comprise. Moi je n'ai rien compris à sa réponse, mais qu'importe.

Je ne prends pas garde à l'architecture, chez nous. C'est comme la cuisine gastronomique, ça me passe au-dessus. Je m'intéresse davantage aux petites choses, et surtout aux gens et à leurs secrets. Mais là, toute seule, et avec du temps devant moi, je regarde. La gare centrale ressemble à une maquette d'elle-même. Une immense cathédrale de verre et de métal, parfaite, géométrique. Je la trouve presque belle, dans sa lumière dorée.

À l'intérieur, les gens se déplacent dans des tubes de verre qui s'entrecroisent dans l'espace, en silence, et cela donne l'impression d'un film dont on aurait coupé le son. Ici également, on semble avoir banni toute idée de bruit, d'usure, de poussière, de salissures.

Il est vingt-deux heures à la grande horloge.

Je m'assois sur un siège, face au panneau électronique qui indique les horaires et les destinations. Une trentaine de noms s'affichent, chacun poussant le précédent d'une ligne vers le haut, au rythme des départs.

Ferlikeir 22 : 12
Amietha 22 : 18
Bolitchin 22 : 21

Pour patienter jusqu'à minuit, je bois une bouteille d'eau «rapide» et mange des aliments sous vide choisis au hasard dans une boutique. La présentation varie en couleur et en forme : cube, galette, cylindre… mais le contenu reste toujours aussi peu ragoûtant. Je pense avec nostalgie à la râpée de ma mère, bien aillée et accompagnée d'une salade verte, aux pizzas appétissantes de *La Storia* et aux délicieux feuilletés au chocolat de *La Muscadine*.

Ensuite, je vais me réfugier dans les toilettes, d'une propreté impeccable, bien sûr. C'est étrange d'avoir à se cacher pour écrire sur un carnet…

Je commence la liste : «*Respirer… pleurer… suer… vomir… accoucher…*»

Tout cela, j'en suis certaine, on ne peut pas le faire ici, je l'ai entendu de la bouche de Mme Stormiwell. Mais il y a beaucoup d'autres mots bannis du vocabulaire. J'écris : «*puer… pourrir… grouiller… cracher… moisir…*»

Est-ce qu'il faut y ajouter tous ces verbes qui désignent ces événements de chez nous que je n'ai toujours pas constatés ici : «*pleuvoir… neiger… bruiner… avoir chaud… avoir froid…*»?

J'ai toujours eu le même temps sec et frais depuis que je passe. Le ciel sans lune et sans nuages reste invariablement pâle le jour et sombre la nuit.

Faut-il ajouter sur ma liste ces autres verbes qui font notre faiblesse et que les gens d'ici semblent ignorer : «… *hésiter… douter… se tromper… être malade… se fatiguer… mourir…*»?

Il y a tant de choses que j'ignore encore de ce monde.

À minuit moins cinq, je suis sous l'horloge et je guette l'entrée principale. Mme Stormiwell y apparaît à l'heure dite. Dans ce décor grandiose et sans son uniforme, elle me semble plus fragile qu'à l'hôtel, plus menue. Elle porte un manteau beige dont elle a relevé le col, sans doute pour mieux cacher ses blessures. Elle claudique.

Je marche vers elle, et nous nous sommes à peine rejointes qu'elle m'entraîne.

– Venez ! Nous parlerons dehors.

Je la suis.

Nous empruntons une rue calme et rectiligne qui va vers le lac. Nous marchons côte à côte sur la chaussée sans creux ni bosses, aussi parfaite que la peau des gens.

– Je suis contente de vous revoir, lui dis-je, et c'est la vérité.

– Moi aussi, je suis contente. Mais il ne faut plus. C'est la dernière fois. Je suis surveillée, vous avez vu, et on m'a bien punie…

– Punie ? Jeter une personne du cinquième étage, vous appelez ça punir ? C'est un assassinat ! Je vous ai cru morte pendant toute la semaine. Ça m'a fait pleurer. Je m'en suis voulu d'avoir été désagréable avec vous et je vous demande de me pardonner.

Elle cliquette. Nous nous arrêtons un instant.

– Je vous pardonne, mais sachez qu'on ne meurt pas de tomber du cinquième étage…

– Ah bon? Chez nous, si…

– Je sais, je l'ai lu. Vous pouvez même mourir de maladies qui s'appellent le cancer et le sida, c'est vrai?

– Oui, c'est vrai… Mais vous, de quoi mourez-vous ici, si vous résistez à tous les accidents et à toutes les maladies?

– Nous mourons d'un autre mal.

– Quelle sorte de mal?

Nous repartons à pas lents. Un bus presque vide nous double, flottant à mi-hauteur. Mme Stormiwell attend qu'il disparaisse et elle baisse la voix.

– Ça va vous amuser, je pense. Faites attention à ne pas rire trop fort. La rue est déserte mais on ne sait jamais.

– Allez-y, je suis prête.

– Eh bien, quand nous arrivons à la cinquantaine, un beau jour, nous nous asseyons par terre, n'importe où, là où nous nous trouvons. Ça peut être chez soi, un matin dans sa cuisine, ou dans un ascenseur, ou dans les toilettes d'un restaurant, sur une place ou au milieu de la rue qu'on est en train de traverser, et nous ne bougeons plus. Il n'y a plus rien à faire.

Je n'ai pas envie de rire.

– C'est comme... une dépression ?

– Je ne sais pas. Peut-être. Je crois plutôt que c'est l'ennui qui nous submerge.

– L'ennui ?

– Oui. Nous mourons d'ennui. Mais il est interdit d'en parler. C'est un sujet tabou. On dit simplement que telle ou telle personne s'est assise et tout le monde comprend.

– Que fait-on de ces personnes qui... qui s'assoient ?

– La brigade sanitaire vient les chercher et les emporte.

– Elle les emporte où ?

– Dans une autre ville, qui s'appelle Estrellas.

Estrellas... étoiles... C'est un joli nom, mais je ne me rappelle pas l'avoir lu sur le panneau indicateur de la gare.

– Et que fait-on d'elles, là-bas ?

– On leur administre une injection létale et on les incinère.

– Elles ne se défendent pas ?

– Non. Elles n'ont plus envie de rien.

Nous arrivons au lac.

– Venez, dit-elle en prenant mon bras. Ma hanche me fait mal. Nous allons nous asseoir.

– D'accord, mais promettez-moi de vous relever ! Je n'ai pas envie de voir arriver la brigade.

93

– Rassurez-vous, je n'en suis pas là. Je me relèverai.

Elle choisit un banc un peu en retrait des autres, dans la pénombre. Le lac reflète la lumière froide des réverbères. Sa surface lisse a l'immobilité d'un miroir sombre. Aucun vent pour faire frisotter l'eau. Aucun canard ni aucun cygne pour la fendre et l'animer.

– Vous n'êtes pas comme les autres, madame Stormiwell.

Elle cliquette doucement, l'air gêné.

– En effet. Je suis différente.

– En quoi ?

– Eh bien, je suis… Oh, c'est difficile à dire… C'est tellement… pardonnez-moi… Une autre fois peut-être, s'il y en a une… En réalité, je voulais vous revoir à propos de votre sœur.

– De ma sœur ? Vous savez où elle est ?

– Non, pas précisément, mais je peux vous aider à retrouver sa trace. Je connais l'homme avec qui elle est passée.

Je tressaille.

– Jens ?

– Ah, c'est le prénom qu'on lui a donné pour sa mission ? Ici, il n'y a pas de prénom. Juste des noms, et tous en trois syllabes. C'est un ordinateur qui nous les attribue à notre sortie de couveuse. Votre Jens s'appelle ici Kordemian. C'est un chasseur. Il descend deux fois par an à l'hôtel Légende. Il est toujours seul à l'aller mais, quand il revient, il est toujours en compagnie : une blonde, une brune, ou une rousse comme votre sœur, ça dépend de la commande. Rien que des jolies femmes. Votre sœur était jolie, je l'ai remarqué.

Une bouffée de haine me vient contre cet homme si charmant au-dehors et si démoniaque en dedans. J'imagine ma sœur, traversant le hall de l'hôtel Légende au bras de celui qui est son mari depuis la veille et qui s'apprête à la livrer comme on livre du bétail. Je l'imagine telle que je l'ai vue la toute dernière fois, au petit matin, ses chaussures à la main, sa robe de mariée sur le bras, épuisée d'émotions. Ma haine se mue en chagrin.

— Elle était pieds nus ?

— Non, quelle idée ! Pourquoi me demandez-vous ça ?

— Laissez, ça n'a pas d'importance. Dites-moi ce que vous savez, je vous en prie.

— Eh bien, je sais qu'il emporte ses captures à Lorfalen. Si vous voulez avoir une chance infime de retrouver votre sœur, c'est là-bas.

— Lorfalen ?

— Oui, c'est une ville à sept heures d'ici par le train. Vous avez un départ vers deux heures du matin, je crois.

— Vous connaissez cette ville, madame Stormiwell ?

— Non, je n'y suis jamais allée.

— À qui remet-il ses «captures» comme vous dites?

Elle se trouble, regarde autour d'elle.

— Je vous l'ai déjà dit : à des gens puissants, les hommes qui nous dirigent. Ils ont tous les droits. Ils s'offrent ces aventures extravagantes. S'il vous plaît, ne me demandez rien de plus. C'est terriblement dangereux pour nous deux. Je risque d'être punie si on me revoit avec vous. Je dois rentrer. Mon compatible m'attend. Et mon adopté.

Elle se lève.

— Attendez! Il y a trop de choses que je ne comprends pas. S'il vous plaît, rien qu'une minute…

Je dois la tirer par la manche pour qu'elle se rassoie.

— Madame Stormiwell, dites-moi : les chasseurs, les gens comme Jens, ils sont d'ici et pourtant ils respirent, ils…

— Oui, ils respirent, mais ils sont aussi capables de ne pas respirer s'ils le veulent. Ils sont d'ici et de là-bas. Ce sont des hybrides. Ils possèdent les deux natures…

— Comment est-ce possible?

Elle se penche vers moi et, dans un murmure, comme s'il s'agissait d'un secret honteux :

— Ils sont… ils sont les enfants d'un homme d'ici et… d'une femme de là-bas.

— Vous voulez dire d'une de ces femmes capturées?

— Oui.

— Comme vous ?

La question fuse de mes lèvres avant que j'y réfléchisse. Je la répète :

— Comme vous, madame Stormiwell ? Vous êtes une de ces enfants ?

Elle me regarde de ses yeux gris un peu exorbités. Sa bouche s'étire dans un rictus douloureux, comme pour cliqueter.

— Oui… Oh, mon Dieu, mademoiselle, qu'est-ce que vous me faites dire ? C'est la première fois… je l'ai toujours gardé pour moi… Oui, c'est vrai, je suis une de ces enfants, mais cela remonte sans doute à plusieurs générations… Cette femme dont je descends et qui venait de chez vous est au moins mon arrière-grand-mère… Vous voyez bien : je ne sais plus respirer… j'ai perdu cette merveille, respirer… et pourtant j'en sens encore la beauté… et je ne sais plus pleurer… sauf à l'intérieur… comme je le fais là en vous parlant, je pleure à l'intérieur de moi… Il ne me reste rien de votre monde… enfin, presque rien… juste une sorte de parenté qui fait que je vous reconnais au premier coup d'œil… Rappelez-vous quand vous êtes arrivée… ce n'est pas seulement votre respiration comme je vous l'ai dit… c'est une inquiétude dans votre regard… une enveloppe invisible autour de votre corps… mais je la vois… je la sens… Et puis, il me reste autre chose de votre monde… la *nostalgie*, c'est le mot juste n'est-ce pas ? *nostalgie*… on ne l'emploie jamais ici, je l'ai appris dans les livres… Moi, j'ai la *nostalgie* de quelque chose que je n'ai jamais eu… et je pleure à l'intérieur de moi, vous comprenez ?

C'est étrange. Il n'y a chez elle aucun de ces signes qui, chez nous, accompagnent l'émotion : les larmes, les soupirs, les sanglots, le vacillement de la voix. Il manque tout cela, et pourtant la tristesse exprimée par cette femme est profonde. Je prends sa main au poignet bandé et caresse ses doigts à la peau trop douce et parfaite.

— Oui, je crois que je comprends… Est-ce que je peux faire quelque chose pour vous, madame Stormiwell ?

— Non, il n'y a rien à faire pour moi. Je suis d'ici, maintenant. Et je finirai comme eux. Un jour sans doute, quand j'en aurai assez, je m'assoirai par terre et j'attendrai la brigade… J'espère seulement que, d'ici là, je vous reverrai toutes les deux, votre sœur et vous, à l'hôtel Légende, le soir où vous passerez pour rentrer chez vous. Prenez le train pour Lorfalen, mademoiselle, et tâchez de la retrouver. Elle est là-bas.

— Mais comment faire ? Je n'ai aucune piste…

— Lorfalen… Kordemian… Vous avez ces deux noms-là. Je dois rentrer maintenant. Restez ici sur ce banc pendant que je m'éloigne. C'est plus prudent.

Elle se lève et je sais que je ne la retiendrai pas plus longtemps. À moins que…

– Voulez-vous sentir ma respiration, une dernière fois ?

Elle ne résiste pas à cette tentation. Nous vérifions que les environs sont déserts et nous nous enlaçons, comme le feraient deux amoureux. Elle pose sa tête contre ma poitrine et je respire longtemps, pour elle. Jamais, avant cette folle expérience, je n'ai eu à ce point conscience du trésor que je possède : ce souffle tiède et régulier, ce mouvement profond, ce lien continu et silencieux entre le dedans et le dehors, cette vague invisible qui n'en finit pas de nous emplir et de nous vider… Mme Stormiwell presse son corps immobile contre le mien, comme si elle voulait se confondre avec moi, et activer en elle une fonction morte. Son étreinte a quelque chose de désespéré.

Nous nous détachons doucement.

– Merci, mademoiselle, dit-elle. Je vais faire une dernière chose pour vous. Mon messageur est sous surveillance. Mais j'en ai un deuxième, secret. Je vais vous donner ce numéro. Ne l'utilisez qu'en dernier recours. Ne l'écrivez nulle part. Retenez-le : 13546810.

Elle me le répète trois fois. Je l'enregistre. Je trouve un moyen de le retenir : on va de deux en deux : un, trois, cinq. Ensuite on revient d'un pas en arrière : quatre et on repart de deux en deux : six, huit, dix…

– Prenez garde à vous, dit-elle encore, et elle s'en va.

Je la regarde s'éloigner. J'attends une dizaine de minutes avant de me remettre en chemin vers la gare centrale. Désormais je suis seule.

Le train de Lorfalen est annoncé à deux heures douze sur le panneau lumineux. Je mange un de leurs infâmes sandwichs, bois une bouteille d'eau «rapide» et je me dirige vers la rangée d'ordinateurs mis à la disposition des voyageurs, au fond de la gare. Il n'y a pas de siège. On se tient debout devant. Je prends le premier venu.

Le contact de mon ongle allume l'écran tactile, et ma compétence s'arrête là…

Rien ne me dit rien. Les termes et les icônes me sont inconnus. *Stock. Route. Fil…* Autant de mystères. Je tapote au hasard, mais chaque tentative m'emmène vers *Erreur* (ça je comprends) ou vers plus obscur encore. J'ai une pensée affectueuse pour mon grand-père Marcello que l'informatique et la technologie en général affolaient complètement. «*Non ci capisco niente!*» se lamentait-il en agitant ses grosses mains de maçon. Aux prises avec cet écran rebelle, je me sens tout aussi désarmée que lui. La seule indication qui me parle, c'est *Quitter*. Alors, je demande *Quitter*. Mais l'appareil ne se résigne pas comme ça.

Cosmo a détecté une anomalie dans les ondes que vous émettez.

Cosmo vous recommande le mode TR. Désirez-vous poursuivre?

Je ne sais pas ce qu'est ce mode TR, mais j'accepte. L'écran affiche brièvement :

Recherche en cours.

Il se sature de traits horizontaux, semblables à des griffes qui se mettent à défiler de plus en plus vite. Cela dure une minute environ et je vais abandonner quand l'image se stabilise, comme épuisée par cette course folle.

Échec.

Cosmo vous recommande de poursuivre.

Voulez-vous poursuivre?

«Oui, mon cher Cosmo, je ne suis pas pressée, alors si tu veux poursuivre et t'amuser encore, poursuis…» C'est reparti.

Recherche en cours.

Les griffes reprennent leur galopade mais, cette fois, au moment de ralentir, elles s'agrémentent d'un grésillement qui semble vouloir dire : «Nous attrapons quelque chose… peut-être que nous attrapons le début de l'amorce du commencement de quelque chose…» Et quand elles s'immobilisent, des mots apparaissent, tout petits, en bas et à gauche de l'écran :

Liaison TR (instable) établie.

Vous êtes la deuxième personne.

La deuxième personne? Qu'est-ce que cela signifie? La deuxième personne aujourd'hui? Il n'y a pas le mot «aujourd'hui». La deuxième personne de… toujours? Je ne sais plus comment continuer. Je touche l'écran.

Entrer longueur d'onde, me demande Cosmo.

Entrer longueur d'onde… Ma pensée imite les griffes de l'écran. Elle s'accélère. Elle bondit. Comme mon cœur. Comme mon souffle. Par chance, les ordinateurs voisins sont inoccupés et les rares utilisateurs se trouvent trop loin de moi pour discerner mon trouble.

L'appel au secours de ma sœur Gabrielle m'est venu par les ondes, voilà un mois. J'écoutais NRJ, un après-midi, en faisant le ménage du studio, et le son s'est détérioré. Ça n'arrivait jamais. La radio était posée par terre et j'ai cherché à régler la réception, à genoux. Il y a eu un crachotement puis un souffle, une sorte de brise montée du fond de l'univers, et la voix de Gabrielle, que je n'avais plus entendue depuis des mois, que je croyais perdue pour toujours, cette voix en a émergé, lointaine, fragile, à peine audible :

— *Anne… Anne… c'est moi… c'est Gabrielle… viens… Campagne… route de Montbrison… Campagne…*

J'ai écrasé mon oreille sur la radio.

— *Au secours!* a dit la voix de Gabrielle. *Au secours… Au secours… cheval…*

Cela grésillait horriblement, mais au milieu de ce désordre sonore j'ai attrapé ce dernier mot : « cheval ». Ma sœur a dit « cheval », j'aurais pu le jurer.

J'ai vécu les jours suivants dans un état de stupeur absolue, absente à tout ce qui m'entourait. Je me suis tue auprès de mes parents, de ma colocataire, de tout le monde, dans la crainte d'être prise pour une folle et, pire, dans celle d'*être* folle. Un autre des mots entendus provoquait en moi une terreur sourde et ce mot était : « Campagne ». J'ai vite retrouvé pourquoi. Quand on s'appelle Anne, on connaît *La Barbe bleue*, on en sait toutes les phrases et surtout la première : « Il était une fois un homme qui avait de belles maisons à la Ville et à la Campagne… » Ma mère m'avait lu, relu ce conte quand j'étais enfant, et ce joli mot de « Campagne », soudain lourd de terribles menaces, me faisait frissonner.

Ainsi, je m'apprête à faire ce que Gabrielle a mis un an à réussir : être ici et entrer en contact avec quelqu'un de notre monde. Est-ce vraiment aussi simple ?

Entrer longueur d'onde…

Je me rappelle. Dans la voiture de mon père, l'auto-radio affichait le nom des stations. Il suffisait de presser le bouton de son choix et la longueur d'onde apparaissait pendant quelques secondes. Je nous revois, Gabrielle et moi, assises à l'arrière et serinant notre père : « NRJ, papa, mets NRJ!» J'ai la mémoire des chiffres : France Inter, chez nous, c'est 88.0, NRJ c'est 102.8. Et France Culture c'est 91.7, je l'ai vu s'afficher sur l'autoradio de M. Virgil.

En cet instant, j'ai deux certitudes. La première est que j'irai à Lorfalen, la seconde est que je ne veux pas y aller seule. Cela me terrifie. Je ne sais pas pourquoi je pense au vieil homme de la D8. Je n'ai aucune idée de ce qui va se passer, ou ne pas se passer, je compose les trois chiffres : 91.7.

À présent, l'écran est parfaitement noir et silencieux. J'attends, l'esprit tendu comme un arc. Puis je reconnais le crachotement familier de la radio de chez nous et une voix inconnue :

— *... Vraisemblable que le jeune roi était tombé amoureux de Catherine, qui était pourtant bien plus âgée que lui, n'est-ce pas...*

Et ce souffle venu d'ailleurs, ce vent cosmique...

Parlez! m'ordonne Cosmo.

— *célébré neuf semaines après son accession au trône, n'est-ce pas...*, continue la voix.

Parlez! répète Cosmo.

Le microphone clignote au-dessus de l'écran. Je pose mon front contre la paroi et je parle dedans, très bas. Je dois donner l'impression de prier.

— *Vous m'entendez, monsieur Virgil? C'est Anne. Anne Collodi.*

Un homme vient se poster devant l'ordinateur voisin et il me jette un coup d'œil intrigué. Je me sens ridicule, mais je ne veux pas abandonner le lien établi.

Liaison TR très instable, avertit Cosmo.

Je continue à parler, tant pis pour mon voisin.

— *Je ne sais pas si vous m'entendez… j'ai besoin de vous… je suis à la gare centrale de Campagne… j'ai besoin de vous… faites très attention… ne montrez pas que vous respirez… ne…*

Liaison TR rompue, dit Cosmo…

L'horloge de la gare centrale indique une heure cinq. Sur le panneau d'affichage, Lorfalen a gagné une dizaine de places vers le haut.

Je laisse l'ordinateur. Mon voisin se retourne vers moi. Il a le même air stupide et borné que l'homme qui a défenestré Mme Stormiwell. Je ne sais pas ce qui me prend. Je n'ai pas peur. J'oublie toute prudence. J'arrondis ma bouche ouverte vers lui et je souffle librement, un bon coup, comme quand on veut faire un rond de buée sur une vitre : *hfou!* Puis je lui tourne le dos et je pars.

7
Le train

Étienne Virgil roulait à cinquante-cinq à l'heure
sur la route bordée d'herbes hautes. «Désormais, tout peut arriver», s'était-il dit, et il avait
adopté une lenteur vigilante. La vieille Peugeot
s'accommodait très bien de cette allure de tortue.
Elle venait de réussir une fois de plus son examen
de passage au contrôle technique, mais de jus-
tesse, et le garagiste avait fait ce commentaire
plein d'élégance :
– C'est une vieille dame, monsieur Virgil, le
cœur tient, mais pour le reste…
Bien sûr qu'il aurait dû la changer depuis
longtemps, cette brave 405 grise! Seulement,
ses droits d'auteur diminuaient régulièrement
depuis quelques années, et mettre une année
de revenus dans l'achat d'une voiture neuve
entrait difficilement dans sa culture.
Quand il avait bifurqué sur sa droite en direction de Campagne, c'était le point du jour et
le ciel se teintait déjà de rose, à l'est. Mais à

présent, voilà qu'il faisait sombre à nouveau, comme si on était remonté dans le temps jusqu'au soir précédent, ou comme si on avait enjambé la journée pour atteindre le suivant. Des maisons apparurent de chaque côté de la voie. La chaussée s'élargit. On aurait dit qu'elle était faite d'un verre opaque et noir. Il jeta un coup d'œil dans son rétroviseur et vit le paysage urbain derrière lui.

– Où suis-je ? murmura-t-il, fasciné par cette étrangeté.

Maintenant, il roulait au milieu d'immeubles qui ressemblaient au décor d'un film futuriste. Il ignora l'indication «Hôtel Légende 500 mètres» vers la droite et poursuivit dans le même axe, sur l'avenue.

«... gare centrale...», avait dit Anne Collodi.

Pour le reste, avant que la liaison se brouille, il avait retenu le... «très atten..., le dange...» et l'incompréhensible «resp...». Un véhicule le doubla. Il se fit la réflexion qu'il n'avait pas de roues, qu'il flottait à un mètre au-dessus de la rue et qu'il ressemblait à un cigare avec son profil allongé et son étroitesse. Les deux occupants, assis l'un derrière l'autre, le regardèrent avec amusement. Le pilote, enfin celui qui était assis devant mais qui ne pilotait rien puisqu'il avait les bras croisés, hocha longuement la tête. Virgil répondit par un sourire prudent et se demanda s'il n'était pas en train de se faire remarquer.

Il l'était.

Plus il progressait en direction du centre-ville, plus les cigares étaient nombreux et plus ils s'intéressaient à lui. Sur le revêtement qui n'était pas prévu à cet effet, ses pneus émettaient un sifflement continu très agaçant. En l'absence de feux, les automobilistes accéléraient et ralentissaient selon des règles mystérieuses, les uns à basse altitude, les autres plus haut, presque à mi-hauteur des immeubles. En tout cas, tous se déplaçaient avec un calme absolu et le trafic restait parfaitement fluide. Virgil se contenta donc de suivre le mouvement et de saluer poliment à droite et à gauche tous ceux qui l'observaient : «Bonjour, monsieur… bonjour, madame… oui, oui, je suis drôle n'est-ce pas, avec mes roues, mon volant et mon moteur qui fait du bruit, mais je suis désolé, je n'y peux rien. »

«Resp…», avait dit Anne. Qu'est-ce que cela signifiait ? Respecter… peut-être ? Il fallait faire «très atten…» et «resp…» ces gens, sans quoi ils devenaient «très dange…». Il n'y manquerait pas.

Il se demanda de quelle façon on se dirigeait dans cette ville. Il n'avait pas remarqué d'autre panneau que celui indiquant l'hôtel Légende. Sans doute les automobilistes possédaient-ils tous des navigateurs ou l'équivalent. Comment trouver la gare dans ces conditions ? Il n'allait quand même pas baisser sa vitre et interpeller le conducteur le plus proche : «Dites-moi, mon brave, pourriez-vous me dire…» Il faisait suffisamment sensation pour ne pas en rajouter.

Il en était là de ses réflexions quand, par miracle, l'imposant édifice de la gare surgit à sa gauche, tout proche, dans sa lumière généreuse.

– J'y suis! s'exclama-t-il, sans se douter qu'il en était encore bien loin.

Il se trompa six fois d'échangeur, huit fois de voie, deux fois de pont et de tunnel. Il décrivit des boucles à l'infini, plus compliquées que des nœuds marins, s'éloignant, se rapprochant, sans jamais arriver à son but. Plusieurs fois, il passa si près de la gare qu'il eut la tentation d'abandonner sa voiture là, sur la chaussée, et de terminer à pied. Mais, une minute plus tard, il en était à nouveau éloigné, complètement perdu, ne sachant même plus si elle se trouvait à gauche, à droite, devant ou derrière lui. Pour couronner l'affaire, le voyant de la jauge de sa Peugeot s'alluma d'un rouge accusateur : «Tu as encore négligé de faire le plein, Étienne, tu es incorrigible.»

– La ferme! lui répondit-il.

Et c'est quand il fut tout à fait exaspéré, tout à fait saoulé d'essais-erreurs, tout à fait désespéré qu'il se retrouva brusquement sur une place, en face de la grande gare.

Il n'en menait pas large en sortant de sa voiture. Jusqu'à cet instant, l'habitacle de sa bonne vieille 405 l'avait protégé de ce monde ô combien étranger, mais maintenant il fallait faire front. Il chercha la jeune fille du regard dans les alentours et ne la trouva pas. Il descendit, ferma les portières à clé, et se dirigea vers la gare. Ses jambes s'activaient normalement, mais il éprouvait la sensation que ses muscles n'obéissaient qu'à contrecœur, que son corps restait à la traîne, méfiant, et que son cerveau devait à chaque pas redonner l'ordre à chaque jambe : avance, avance…

Anne Collodi attendait sous le panneau d'affichage, son sac aux pieds, les mains croisées devant elle. Il se rappela le grand plaisir qu'il avait eu à la revoir, la deuxième fois qu'il l'avait prise en auto-stop, sur la D8. Là, ce plaisir fut démultiplié.

Ils marchèrent l'un vers l'autre et, sans se donner le temps d'estimer si c'était bien ou mal, s'il avait le droit de le faire ou non, il la prit dans ses bras.

— Merci d'être là, merci…, dit-elle en se dégageant, puis : Vous avez entendu mon message ?

— Oui, je l'ai entendu. À la radio. Pardonnez mon retard, je me suis un peu perdu en route. C'est la première fois que je viens… Où sommes-nous ? J'ai l'impression que je rêve et que je n'arrive pas à me réveiller.

– Chut! Ne parlez pas si fort. On va se faire remarquer.

Des voyageurs passaient à proximité et la plupart se retournaient sur ce couple surprenant. Elle le saisit par le bras.

– Nous sommes à Campagne, dans un autre monde, vous le voyez bien.

Il hocha la tête. Il le voyait bien. Restait à y croire, à mettre en accord ses perceptions et son raisonnement.

– J'ai cru que vous n'arriveriez jamais à temps, poursuivit-elle. Venez, on prend le train dans sept minutes.

– Le train? Mais j'ai ma voiture.

– Votre voiture? Vous êtes venu ici avec votre 405?

– Oui.

Elle pinça les lèvres pour ne pas éclater de rire.

– Pardon. Vous avez dû faire un tabac, non?

– Je crois, en effet.

Ils s'avancèrent jusqu'à l'entrée et il tendit le doigt.

– Regardez, elle est juste là.

Elle était là, oui, mais difficile à voir, car cernée par une vingtaine d'hommes en combinaison intégrale argentée. Ils se tenaient à une distance prudente. Plusieurs étaient équipés de puissants vaporisateurs avec lesquels ils projetaient une sorte de givre sur la carrosserie. Ils la couvrirent jusqu'aux pneus de cette substance pailletée.

— Bon Dieu, qu'est-ce qu'ils lui font ? grogna Virgil qui s'élançait déjà pour aller défendre son bien.

— N'y allez pas ! intervint Anne. Je vous expliquerai. Je suppose qu'ils la désinfectent.

— Comment ça, ils la désinfectent ? Elle est propre. Elle est passée au Lavauto d'Andrézieux mardi dernier !

— Venez. Nous allons manquer le train.

Elle l'entraîna sur quelques mètres, mais il pila soudain.

— Mon sac !

— Vous l'avez laissé dans la voiture ?

— Oui, sur le siège passager, à côté de moi.

— Je suis désolée, monsieur Virgil. On ne peut pas y aller. Ils nous prendraient. Et puis, c'est trop tard. Quai 7, vite !

— Pff…, souffla-t-il bruyamment, je ne peux quand même pas partir sans…

Elle lui bondit presque dessus.

— Ne faites plus jamais ça !

— Pardon ? Qu'est-ce je ne dois plus faire ? Oublier mon sac dans ma voiture ?

— Non. Souffler… soupirer. Je vous expliquerai tout ça dans le train. D'ici là, ne parlez à personne, ne vous essoufflez pas, ne vous mouchez pas…

— Ah, bon. Est-ce que j'ai quand même le droit de respirer ?

– Non ! Enfin oui, mais discrètement.

Il la regarda, médusé, puis il rassembla ce qui lui restait de réflexion.

– Vous avez les billets ?

– Non, fit-elle. Pas la peine. Venez.

La dernière fois qu'il était monté sans billet dans un train remontait à 1952, l'année de ses quatorze ans. Il jeta un dernier regard en direction de sa 405. Une grue était en train de la soulever du sol pour la déposer sur le plateau d'un véhicule. Il laissa échapper un gémissement.

Sur le panneau lumineux, Lorfalen occupait maintenant la première place, tout en haut, suivi du mot «embarquement» qui clignotait. Anne avait repéré l'itinéraire. Ils empruntèrent un ascenseur, puis une galerie de verre jusqu'au quai 7 sur lequel attendaient une centaine de personnes.

– C'est ça, le train ? murmura Virgil en désignant l'espèce de missile qui s'avançait au ralenti vers eux, flottant à un demi-mètre au-dessus du sol.

– Je suppose que oui, répondit Anne.

Une fois à l'arrêt, l'appareil se posa sans aucun bruit et les portes convexes coulissèrent vers le haut. Tandis que les voyageurs montaient, ils suivirent le quai vers l'arrière.

– Autant se tenir aussi loin que possible des gens, commenta Anne.

Le train n'était pas constitué de voitures séparées mais d'un interminable tube transparent interrompu par quelques espaces fermés, sans doute les toilettes et la restauration. Les sièges couraient de part et d'autre de ce long couloir. D'un commun accord, ils allèrent jusqu'à la toute dernière porte qui se souleva à leur approche. Ils montèrent.

— Regardez, dit Anne, il y a deux places dans l'arrondi, tout au fond…

En effet, deux sièges, confortables et pivotants, semblaient les attendre. Ils y étaient à peine assis que le train décolla du sol.

— Départ pour Lorfalen dans une minute, annonça une voix féminine si proche et si présente qu'ils eurent l'impression que la femme se trouvait à côté d'eux.

Les horloges numériques installées sur le quai 7 passaient à deux heures douze précises quand le train démarra.

— Belle ponctualité, remarqua Virgil et il régla sa montre à l'heure locale.

La vitesse augmenta tout au long de la traversée de la ville. Ils assistèrent en silence au spectacle des lumières qui défilaient de plus en plus vite, immeubles, ponts, réverbères. Bientôt, elles ne furent plus que des traits horizontaux qui s'espacèrent et disparurent. Et quand il n'y eut plus rien à voir que l'obscurité, ils levèrent les yeux et découvrirent le ciel.

– Il est bizarre, dit Anne.

– Oui, répondit Virgil. Il y a très peu d'étoiles et elles ne scintillent pas. Et puis ça ne ressemble pas au ciel de chez nous. On ne voit pas la Grande Ourse.

– Est-ce que ça veut dire que nous sommes dans un autre système solaire ?

– Sans doute que oui. Je ne sais pas. Je ne m'y connais pas davantage en étoiles qu'en insectes… Je ne m'y connais en rien.

– Oui, vous me l'avez dit l'autre fois. Mais peut-être qu'ici il est inutile de s'y connaître en quoi que ce soit, justement, puisque rien n'est pareil.

– C'est pour ça que vous m'avez demandé de venir ? Parce que je ne m'y connais en rien ? Si c'est ça, vous tombez pile, je suis une sorte de spécialiste.

Elle se retint de rire.

– Ça non plus, il ne faut pas.

– Il ne faut pas quoi ?

– Rire.

Il la regarda quelques secondes, la tête un peu penchée, puis il baissa la voix.

– Anne…

– Oui ?

– Nous allons faire deux choses. D'abord je vais te tutoyer, je peux ?

– Oh, bien sûr.

– Et toi, tu vas m'expliquer.

— Vous expliquer quoi ?
— Tout.

Les autres voyageurs avaient fait basculer leurs sièges. Bientôt tous sombrèrent dans le sommeil, et il ne resta plus en éveil que ces deux passagers assis tout à l'arrière : le vieil homme et la jeune fille, si différents l'un de l'autre, mais tous deux venus du même ailleurs. Un ailleurs vertigineusement lointain déjà et qui le devenait plus encore à chaque seconde, tandis que le train traçait comme une balle silencieuse dans le noir compact de la nuit.

Anne Collodi commença son récit par Jens et Gabrielle, leur étrange mariage, les danseurs infatigables, l'enlèvement, l'année de deuil et de silence, puis la voix de Gabrielle sur les ondes, son appel au secours. À cette évocation, ses yeux se mouillèrent de larmes.
— Ça non plus, il ne faut pas…, dit-elle.
— Qu'est-ce qu'il ne faut pas ?
— Pleurer.
Elle continua par Mme Stormiwell, ses conseils de prudence pour survivre ici, sa folle cabriole par la fenêtre de l'hôtel Légende, la résurrection de cette même Mme Stormiwell, ses épouvantables révélations sur le trafic de femmes terriennes, et sur cette espèce hybride à laquelle elle appartenait encore un peu, tout à fait d'ici

par la physiologie, mais à moitié encore de là-bas par la *nostalgie*. Elle finit par Cosmo et sa remarque sibylline : «Vous êtes la deuxième personne…»

Virgil ne l'interrompit jamais. Il ne la quitta pas des yeux et l'écouta jusqu'au bout avec une concentration totale. Quand elle eut fini, il tourna lentement la tête, scruta un instant la nuit qui les entourait et dit avec calme :

— Je crois que nous allons très vite.

— Qu'est-ce qui vous fait dire ça ?

— Regarde. Il y a parfois des lumières sur les côtés de la voie. Elles défilent à une vitesse incroyable. L'œil arrive à peine à les attraper.

Elle y prêta attention et constata la même chose.

— C'est vrai. J'ai l'impression que ce train va aussi vite que nos avions. À cette allure, on sera loin dans sept heures.

Ils se turent, puis Virgil reprit :

— Si j'ai bien compris, cette Mme Stormiwell est issue d'un ancien croisement de nos deux espèces, c'est ça ? Et ce Jens, enfin ce Kordemian, serait l'enfant d'une union beaucoup plus récente, d'où sa double nature, et sa capacité à se fondre parmi nous ?

— Oui, je l'ai compris comme ça. Lui et sa bande. Ils étaient une dizaine au mariage.

— Tu les reconnaîtrais ? À part Kordemian, je veux dire.

Elle revit le jeune homme qui l'avait entraînée sur la piste et laissée comme une chiffe molle après un quart d'heure de rock acrobatique. Les cousins en étaient restés scotchés. Oui, il avait vraiment du charme avec sa démarche souple et sa peau parfaite, mais elle se rappelait surtout son sourire. Ce n'était pas le rictus plaqué de quelqu'un qui cherche à séduire. C'était un sourire naturel et généreux.

Il y avait aussi une faille dans son regard, une fragilité, en tout cas quelque chose d'absent chez les autres de la bande. À y repenser, elle eut un choc. Depuis l'enlèvement de Gabrielle, elle éprouvait une haine tenace pour ces hommes, et pour Kordemian en particulier, mais elle n'arrivait pas à mettre ce garçon dans le même sac.

– Oui, j'en reconnaîtrais un à coup sûr. Il s'appelle… Ah, oui, il s'appelle Bran. Enfin, il a prétendu s'appeler comme ça.

– En somme, tu connais deux personnes dans cette ville où nous allons : la première avec un vrai nom, Kordemian, et la seconde avec un faux, Bran, c'est ça ?

– Oui. Et une troisième que je connais encore mieux et qui s'appelle Gabrielle Collodi.

« Si elle y est encore », eut-il envie de dire, mais il s'en garda. Le récit d'Anne le laissait perplexe. Gabrielle était vivante puisqu'elle avait adressé un message à sa sœur, mais un unique message et au bout d'un an ! Dans quel état la retrouveraient-ils si jamais ils la retrouvaient ? L'épisode de la défenestration l'avait choqué. La brutalité de ces gens, sous leur apparence lisse, lui donnait froid dans le dos.

– Je suis désolée de vous entraîner dans… dans tout ça.

Il sourit.

– Tu es vraiment désolée ?

– Non. En réalité, je suis contente que vous soyez venu. Très contente.

Il soupira, autant contrarié qu'attendri.

– Ne soupirez pas !

– Il n'y a personne autour de nous.

– Peut-être, mais il faut prendre des habitudes.

– Pourquoi m'as-tu appelé ? reprit-il. Je suis vieux. Je ne sais rien faire. Tu ne me connais pas. Nous faisons un couple d'aventuriers complètement à côté de la plaque, tous les deux. Je suis sûr qu'il y avait dans ton entourage au moins cinquante personnes plus compétentes que moi.

– Peut-être.

– Alors ?

– Alors je sais pas… J'ai eu l'intuition que…

– Que quoi ?

– Que vous feriez l'affaire. Que vous seriez la bonne personne. Je vous ai trouvé l'air un peu perdu, dans la voiture. Mais l'air sage aussi. C'était un drôle de mélange. Et puis, votre métier.

Je me suis dit que vous seriez peut-être plus familier avec ces choses peu ordinaires.

– J'avais l'air tellement perdu ? demanda-t-il.

– Oui. Un peu.

– Ah, bon.

L'air perdu… Cette remarque le laissa perplexe. On se fait sans doute une très fausse idée de soi-même, se dit-il. Vos proches sont tellement habitués à votre apparence que leurs regards glissent sur vous, et les inconnus ne se mêlent pas de vous dire à quoi vous ressemblez. Il y a entre les deux ces gens qu'on appelle les amis, et dont le rôle est de vous parler avec franchise. Il se fit la réflexion qu'il en avait peu, d'amis. Que la plupart étaient loin. Qu'il les voyait rarement. Que les meilleurs étaient morts. Restait cette jeune fille de dix-sept ans, presque inconnue, pour oser ces mots très simples : « Vous avez l'air perdu, monsieur. »

Il revint à elle.

– Et toi, qu'as-tu dit chez toi en partant ? On va s'inquiéter, non ?

– Non. J'habite un studio, à Saint-Étienne, en colocation. Et j'applique la théorie du triangle.

– La théorie du triangle ?

– Oui. Il y a trois endroits où je peux me trouver le week-end : au studio, chez une amie ou chez mes parents. Il suffit de dire aux personnes de ces trois endroits que je serai sans doute dans l'un des deux autres, mais sans préciser lequel. C'est imparable.

— D'accord. Et si nous restons plus longtemps que le week-end ? Ils vont bien s'en rendre compte, à 4 *Pieds* ?

Elle le regarda, surprise.

— Non. C'est les vacances de la Toussaint. Mais comment savez-vous que je travaille à 4 *Pieds* ?

— C'est ma petite-fille qui me l'a dit. Tu étais avec elle au collège. En classe de quatrième, je crois.

— Ah, vous avez mené l'enquête sur moi... Elle s'appelle comment ?

— Loïse. Loïse Virgil.

Anne n'eut pas à fouiller bien longtemps sa mémoire.

— Ah, oui, je me souviens d'elle. On a passé un an l'une à côté de l'autre, en histoire-géo.

— Sans vous parler, c'est ça ?

— Oui. Le prof était très sévère.

Il se contenta de cette explication. L'image s'imposa de nouveau à lui : les deux filles, côte à côte et silencieuses, quatre ans plus tôt. La théorie du triangle... Est-ce que Loïse l'utilisait aussi quand elle s'enfuyait de chez elle ?

Ils se turent à nouveau pendant quelques minutes. Ils regardèrent le noir derrière le train et ils se sentirent comme à l'arrière d'un bateau sans sillage. Au-dessus d'eux le ciel restait figé.

– Tu as un petit ami ? demanda-t-il.

Après tout elle n'avait pas le monopole du coq-à-l'âne et de l'indiscrétion.

– On ne dit plus « petit ami » depuis longtemps, répondit-elle, mais non je n'ai pas de copain en ce moment. J'en avais un, mais on a rompu au début de l'été.

– Pourquoi ?

– Parce qu'il disait toujours « c'est clair » et « pas de souci ». Et parce que je m'ennuyais avec lui.

– Trois bonnes raisons, approuva Virgil. On ne devrait jamais…

Sa phrase resta en suspens. Quelqu'un se tenait debout derrière eux. Un homme aux cheveux presque blancs, vêtu de sa tunique à col ras, les bras tombant le long du corps. Depuis combien de temps était-il là ? Qu'avait-il entendu ? Comme eux, il regardait la nuit. Ils n'osèrent pas se retourner, ni lui adresser la parole.

« Mes épaules…, pensa Anne, surtout ne pas faire bouger mes épaules en respirant… » « Le bruit de l'air dans mes narines…, pensa Virgil, j'ai l'impression que ça siffle un peu… »

Cela dura de longues minutes. L'homme n'éprouvait apparemment aucune difficulté à rester dans cette attitude, comme statufié, mais pour eux l'attente devint vite difficile à supporter. Est-ce qu'il allait enfin dire quelque chose, ou s'en aller ? Non, il ne faisait rien. Il regardait la nuit. Anne céda la première. Elle se tourna vers lui et prit sa voix d'«ici».

– Vous allez à Lorfalen, monsieur ?

Par réflexe, il baissa les yeux vers celle qui venait de lui parler, mais sans la voir vraiment. Son regard éteint passa à travers elle sans s'accrocher à rien.

– Vous allez à Lorfalen ? répéta-t-elle.

Virgil, intrigué, se retourna aussi. La pâleur de l'homme le frappa.

– Vous ne vous sentez pas bien ?

L'homme l'ignora.

Il continua un instant de dévisager Anne sans prendre conscience d'elle, puis il se mit en mouvement. Au ralenti. Il fit trois pas lents vers la paroi de verre, s'y adossa et se laissa glisser. Quand il fut assis, il étendit ses jambes devant lui, posa ses mains sur ses cuisses maigres et ne bougea plus.

– Je sais ! dit Anne.

– Tu sais quoi ? demanda Virgil.

Elle se leva d'un bond et alla s'agenouiller devant l'homme.

– Monsieur, murmura-t-elle, monsieur ! Ne vous laissez pas aller !

Malgré ses yeux ouverts, il semblait déjà ailleurs, très loin de ce train et de tout ce qui s'y passait.

– Monsieur! Revenez! Parlez-moi!

Virgil se leva à son tour.

– Il a un malaise. Je vais chercher du secours.

– Non! N'y allez pas! Il n'a pas de malaise. Il s'est assis. Il est en train de mourir.

– Mais non, il…

Elle vérifia d'un coup d'œil que personne ne s'était approché, prit une main de l'homme dans les siennes et souffla dessus plusieurs fois, avec énergie.

– Fffff! Fffff! Monsieur! Revenez! Il y a plein de choses passionnantes! Tenez, Ffff! Vous sentez l'air sur votre main? Ffff! C'est intéressant, ça, non?

Elle eut l'impression, l'espace d'une fraction de seconde, que l'homme avait marqué un étonnement, mais il retomba aussitôt dans son au-delà. Elle se rappela les mots de Mme Stormiwell : «nous nous asseyons par terre, n'importe où, là où nous nous trouvons… nous ne bougeons plus. Il n'y a plus rien à faire…».

Il n'y avait plus rien à faire. Elle reposa la main.

– Je crois qu'on devrait changer de place, dit-elle à Virgil. Je vous expliquerai.

Elle prit son sac et tous les deux s'éloignèrent, laissant là l'homme, qui s'était affaissé un peu plus et dont les yeux étaient à présent parfaitement vides.

Ils trouvèrent place côte à côte, de part et

d'autre du couloir, dans une zone pas trop occupée, avec la prudente résolution de ne plus se parler. Aucun des passagers endormis autour d'eux n'ouvrit l'œil. L'absence de respiration conférait à leur corps une immobilité absolue. Anne se fit la remarque glaçante qu'ils ressemblaient à des morts.

Comme Virgil faisait basculer son siège et relevait le col de sa veste, elle se pencha vers lui.

– Vous ne ronflez pas, j'espère…

– En principe non.

Il ne semblait pas convaincu lui-même.

Virgil dormit par courtes séquences et d'un sommeil agité. Dans ses moments de veille, il lui semblait qu'il était en train d'écrire un roman fou, un roman dans lequel il ne se serait imposé aucune des limites raisonnables habituelles, un roman écrit sans stylo ni traitement de texte, mais avec son propre corps, en trois dimensions, dans l'épaisseur des choses.

D'ordinaire, il «imaginait» des scènes, c'est-à-dire qu'il s'en projetait les images mentales. Il les vivait intensément bien sûr, mais elles restaient sages à l'intérieur de son cerveau. Rien de tout ça, ici. Cette fois, il se trouvait *dans* les images, avec toute sa densité physique. Elles étaient une fiction qui avait pris corps et qu'il ne maîtrisait plus.

D'un côté, il trouvait ça reposant : ne plus avoir à se donner la peine de créer, de s'accoucher sans cesse. De l'autre, il ressentait une sourde inquiétude : «Où cela va-t-il ? Est-ce qu'il y aura un retour possible ? Qu'ont-ils fait de ma voiture ? »

Le petit jour révéla un spectacle inattendu et fascinant. À l'infini, et des deux côtés du train, un désert de sable blanc, parfaitement lisse, exempt de toute ride. «Aussi parfait que la peau des gens», pensa Virgil. Il n'aurait pas su dire si c'était superbe ou effrayant. Le ciel était voilé et le sable semblait boire la lumière au lieu de la refléter. Cela posait sur le paysage une sorte de somptueuse tristesse, ce sont les mots qui lui vinrent : une somptueuse tristesse, et il se surprit à penser qu'il pourrait leur trouver une place dans son prochain roman, si jamais il y en avait un… Le train traçait droit au milieu de cette immensité blafarde.

Anne s'était réveillée. Elle tourna vers Virgil son visage ensommeillé.

— Vous avez vu ça ? Tout ce blanc. C'est magnifique, non ?

— Je ne sais pas, dit-il.

Elle lui sourit. Il la trouva étonnamment jeune et émouvante dans cette attitude.

Peu à peu, le train adopta une vitesse que l'œil pouvait appréhender. Les pylônes défilèrent de

moins en moins vite. Quelques bâtiments apparurent, puis on entra dans une cité aussi plate
et blanche que le désert qu'ils venaient de traverser. Le soleil trop faible ne projetait aucune
ombre des constructions. Dès que le train se
fut arrêté et posé au sol, quatre hommes en
blouse d'infirmier montèrent et se dirigèrent
vers l'arrière, dans l'indifférence des voyageurs.
«La brigade sanitaire», se dit Anne.

La gare de Lorfalen était plus vaste, plus propre
et plus impersonnelle encore que celle de Campagne. Ils la traversèrent en silence, impres-
sionnés.

— J'aimerais porter ton sac, proposa Virgil qui se
sentait les mains vides et terriblement démuni
sans le sien. Tu n'y vois pas d'inconvénient ?

— D'accord, dit-elle, prenez-le.

Il le jeta sur son épaule.

Piqués devant l'entrée de la gare, ils regardèrent
un moment le ballet silencieux des bus aériens
qui flottaient autour de la place. C'étaient les
mêmes qu'à Campagne.

— Et maintenant ? demanda Virgil.

— Je ne sais pas, répondit Anne.

Pour cette petite clé-ci, c'est la clé du cabinet au bout de la grande galerie de l'appartement bas : ouvrez tout, allez partout, mais pour ce petit cabinet, je vous défends d'y entrer, et je vous le défends de telle sorte que, s'il vous arrive de l'ouvrir, il n'y a rien que vous ne deviez attendre de ma colère.

Charles Perrault, *La Barbe bleue*

1
La leçon de sentiments

Tandis qu'Étienne Virgil et Anne Collodi se tenaient devant la gare de Lorfalen, avec un sac pour deux, et se demandant bien où diriger leurs pas, un jeune homme de vingt ans nommé Bran Ashelbi venait de se réveiller, dans une chambre de la base militaire où il était affecté, non loin de cette même ville.

Le bâtiment aux lignes pures et aux murs d'un bleu très pâle, presque inconsistant, se confondait avec le sable du désert alentour. Construit en carré autour d'une cour elle-même sableuse, il abritait les salles de classe, les salles de projection, celles de simulation climatique, de simulation sensorielle, les laboratoires, les gymnases, les espaces informatiques, les cuisines et, au dernier étage, le quatrième, les chambres des soldats.

Aucune structure visible ne semblait en interdire l'accès, ni grilles, ni murs, ni fossé, et, pourtant, cet endroit était inaccessible à tout étranger. N'importe quel véhicule non autorisé l'approchant à moins de cinq cents mètres était détruit sans la moindre sommation, ni le moindre égard pour ses occupants.

Au lieu de se lever, Bran Ashelbi était resté étendu sur son lit et, les mains croisées derrière la nuque, il se livrait à une occupation dont la quasi-totalité des habitants de ce monde était parfaitement incapable : il rêvassait.

Torkensen dormait encore dans le lit voisin. «On aurait pu lui en donner un à sa taille», se dit une fois de plus Ashelbi en observant la longue carcasse de son camarade de chambre. Torkensen mesurait près de deux mètres, si bien que ses pieds dépassaient sous les draps tandis que sa tête butait à l'autre bout.

Un ciel vide se découpait dans le rectangle de la fenêtre qui donnait sur l'infini du désert blanc. Pendant les premières années de sa formation, Bran était allé s'appuyer chaque matin au bord de cette fenêtre. «Comme c'est beau ! s'était-il dit, jour après jour, au spectacle de l'aube naissante. Comme c'est pur !» Et puis, d'un seul coup, il s'en était lassé. Cela remontait à un an. Précisément à son retour de la mission.

Il était revenu changé de là-bas. Les instructeurs le leur avaient prédit : «Vous verrez, c'est une expérience ! Vous ne serez plus tout à fait les mêmes, après!» Ils ne savaient pas à quel point ils avaient raison, concernant Bran. Ses compagnons avaient le sentiment d'avoir visité un monde étranger puis d'être rentrés chez eux. Lui avait ressenti autre chose, de très troublant, et qu'il n'avait encore confié à personne : c'est en allant *là-bas* qu'il avait eu le sentiment de rentrer *chez lui*.

Bran Ashelbi oscillait dans sa rêverie entre deux souvenirs, vieux d'un an déjà. Un agent nommé Kordemian, parti en mission terrestre depuis plusieurs mois, avait eu besoin d'aide.

On leur avait donc attribué à chacun un prénom, comme aux Terriens, et ils étaient partis, lui et quelques camarades, heureux de pouvoir enfin mettre en application ce qu'on leur avait enseigné. Depuis des années, on leur avait appris le vent, la pluie, la neige, enfin tout ce qu'il y avait là-bas et qu'il n'y avait pas ici. On les avait entraînés à supporter la saleté, le désordre, le bruit ; à manger des choses répugnantes comme ces fromages ronds enfermés dans des boîtes et qui puent tellement ; à ne pas s'enfuir épouvanté quand on croise une de ces femmes au ventre rond avec un bébé dedans… Malgré tout ça, beaucoup d'entre eux avaient eu le cœur soulevé les premiers jours.

Ils s'étaient d'abord rendus par le train jusqu'à Campagne, là où se trouve le passage. On les avait conduits jusqu'à cette fameuse rue qui s'en va derrière l'hôtel Légende. Et là, même les plus hardis s'étaient tus devant la force et le mystère du lieu. Ils avaient marché. Peu à peu le crépuscule avait avalé les maisons, la chaussée, et quelques minutes plus tard, ils avaient reçu de plein fouet, et malgré tous les exercices de simulation auxquels on les avait soumis, le choc de ce monde nouveau, saturé de couleurs, incroyablement sale, odorant et compliqué.

Le premier des deux souvenirs de Bran était la branche d'un arbre, un catalpa, lourde de feuilles généreuses. Elle s'avançait presque jusqu'au balcon de sa chambre d'hôtel, là-bas, dans cette ville appelée Montbrison. Dans le mot Montbrison, on entend «brise». Et justement, le vent la faisait bruire et se balancer, cette branche, tantôt fort tantôt doux, comme animée par une main invisible. Il avait admiré ce prodige pendant des heures. Et l'idée qu'il était là-bas *chez lui* s'était déjà insinuée dans son esprit. Souvent, depuis, il avait repensé à cette branche. Il s'était dit qu'il aimerait la revoir, l'entendre à nouveau. Elle lui manquait.

L'autre souvenir, c'était une personne. Une jeune Terrienne. La sœur de la capturée, qui s'appelait Anne. Il l'avait rencontrée le jour du mariage et fait danser comme les autres. Non. Pas comme les autres, justement. Tous les deux avaient éprouvé une complicité particulière, bien au-delà de cette danse folle. Une attirance immédiate et réciproque. Et le sentiment d'un secret commun, un secret dont ils ne savaient rien, mais qui était là.

En tout cas, cette fille l'avait chamboulé au point qu'il avait hésité quand elle lui avait parlé de Jens à propos de Kordemian. Et il avait même bafouillé avant de retrouver son prénom à lui, son prénom de là-bas : Bran.

Plus tard dans la soirée, il l'avait abordée, mais il savait déjà que cela n'avait pas de sens, puisque au petit matin il s'en retournerait avec les autres et qu'il ne la reverrait pas. Alors à quoi bon ? Le gouvernement ne vous envoyait jamais deux fois en mission dans le même secteur. Les policiers terriens n'étaient pas très finauds dans leurs recherches, mais autant ne leur donner aucune chance de rapprochement.

Bref, ils s'étaient contentés d'échanger des regards, tout au long de la nuit, et chaque regard l'avait ému. La dernière vision qu'il avait d'elle, c'était au petit matin. Il marchait vers le parking avec deux autres soldats pour rejoindre la voiture qui les emmènerait. Les deux mariés, Kordemian, dit Jens, et sa toute nouvelle femme, Gabrielle, venaient de tourner au bout de l'allée. Anne s'en revenait, tête baissée, et il avait remarqué qu'elle s'essuyait les yeux avec son mouchoir. Quelque chose en lui s'était alors tordu, et il avait éprouvé une vague envie de vomir.

Il avait parlé d'elle une seule fois à Torken-sen, son camarade de chambrée. Celui-ci l'avait écouté avec attention, sans se moquer, puis il avait dit :

– Oublie, Ashelbi. Qu'est-ce que tu crois ? Que tu vas la rejoindre ? Même si tu es le plus Terrien de nous tous, tu serais un monstre, là-bas. Imagine : un type qui est capable de *ne pas respirer* ! Tu lui ferais peur. Pour eux, c'est comme être mort, on nous l'a appris en cours, rappelle-toi. Quelqu'un comme Kordemian pouvait donner le change pendant quelques mois, mais c'est tout. T'es pas de là-bas, Ashelbi, même si tu as aimé la mission. Et cette fille ne viendra pas ici pour tes beaux yeux. Aucune Terrienne n'est jamais passée de ce côté-ci pour autre chose que… que ce que tu sais. C'est ça que tu lui souhaites ? Si tu veux un conseil, oublie.

Il avait fait cette tirade aussi longue que lui, Torkensen, puis il s'était retourné pour dormir.

Bran Ashelbi était né vingt ans plus tôt, mais son existence n'avait pas commencé normale-ment, c'est-à-dire programmée par les logiciels du gouvernement, puis initiée dans les éprouvettes d'un laboratoire de Lorfalen à partir de deux gamètes choisis avec soin afin d'assurer à l'enfant à naître un programme génétique de qualité.

En ce cas, son avenir aurait été le même que celui de tous les habitants de ce monde, c'est-à-dire tracé par avance, avec la certitude et la pureté d'une barre de titane. Son embryon aurait été conservé le temps nécessaire, à température idéale, dans une couveuse du Centre de natalité, puis, une fois suffisamment développé, remis à sa cellule, composée d'un homme et d'une femme. L'enfant aurait ensuite reçu l'enseignement adapté à la fonction sociale pour laquelle on l'avait conçu et à laquelle il était prédestiné : aiguilleur de bus, poseur de plafond, nutritionniste ou informaticien. Devenu adulte, il aurait exercé cette fonction, on l'aurait associé à sa compatible, une femme avec laquelle il se serait mis en cellule, et ils auraient à leur tour accueilli un enfant issu de deux gamètes choisis avec soin afin d'assurer au nouveau-né un programme génétique de qualité et un avenir…

Non.

Bran Ashelbi n'avait pas vu le jour de cette façon-là, ni suivi ce processus immuable. Il était un cas très exceptionnel.

Un secret d'état.

Comme la quarantaine d'autres soldats de la base, il était le fruit de l'union cachée d'un haut fonctionnaire du gouvernement et d'une capturée.

Il était un hybride.

Il était l'enfant d'une Terrienne.

– On est en retard, Ashelbi, non? Pourquoi tu m'as pas réveillé?

Torkensen ne s'étira pas, ne bâilla pas non plus. Il ne respirait pas en dormant. Pas plus que les autres soldats de la base. Bran Ashelbi, lui, respirait nuit et jour, mais il était capable de se bloquer et de ne pas le faire pendant vingt-quatre heures s'il le voulait. Ou s'il le fallait.

– On n'est pas en retard, répondit-il. Tu dors tellement bien que tu as toujours l'impression d'avoir fait la grasse matinée.

– « La grasse matinée… faire trempette… se la couler douce…», tu me récites le cours dès le matin! Tu crois vraiment qu'on est obligé d'apprendre tout ce vocabulaire?

– Oui, je crois. Si tu pars en mission, tu t'en rendras compte.

– D'accord, prof, d'accord! Je m'incline devant ton expérience. Et je m'incline devant les sur-doués.

– Je suis pas surdoué et j'aime pas quand tu dis ça.

– Ah, et comment on appelle quelqu'un qui apprend trois fois plus vite que les autres?

Bran ne répondit pas. Il ne s'estimait en aucune façon surdoué. Il se trouvait simplement que cet univers terrien avec lequel on cherchait jour après jour à les familiariser au point qu'ils puissent s'y fondre, cet univers lui était natu-rellement familier. Ce qui dégoûtait les autres ne le dégoûtait pas, ou le dégoûtait moins. Ce qui les choquait ne le choquait pas, ou moins.

Il se rappelait par exemple ce cours où on leur avait projeté quelques photographies de femmes «enceintes», comme disaient les Terriens. À la vue des ventres nus, gonflés et distendus sur lesquels les futures mamans croisaient leurs mains, et surtout à l'idée qu'il y avait vraiment un embryon de bébé à l'intérieur, Bachelier, l'élève le plus studieux de la classe, s'était purement et simplement évanoui. Les autres avaient paru mal à l'aise. Tous savaient, bien sûr, qu'ils étaient eux-mêmes venus au monde de cette façon, mais cela restait un sujet délicat et qu'on n'abordait jamais. Devant le réalisme des photos, ils avaient esquissé des grimaces gênées. Bran avait fait mine d'être indisposé lui aussi, mais en réalité il n'éprouvait ni répulsion ni dégoût. Bien au contraire, et même s'il ne l'aurait avoué pour rien au monde, la rondeur de ces ventres l'avait attendri. Il aurait volontiers posé sa main dessus.

Un quart d'heure plus tard, ils étaient devant leur petit déjeuner terrestre. Chacun avala d'abord le petit comprimé antinausée qui lui permettrait de supporter l'absorption de choses aussi repoussantes que des tartines de confiture et un bol de café au lait. Bran n'en prenait pas. La confiture de myrtille lui plaisait, même avec son parfum artificiel.

– Qu'est-ce qu'on a ce matin en première heure ?

– On a sentiments.

– Ah, oui. Et il y avait une leçon à apprendre, non ?

– En effet. Il fallait aussi choisir un sentiment, et trouver un exemple pour l'illustrer.

– Oh, mince, se désola Torkensen en prenant sa grande tête dans ses mains, j'y comprends rien aux sentiments. Et j'ai pas fait le travail.

– Tu n'y comprends rien, mais tu les éprouves, au moins. Le lieutenant Geemader, lui, c'est le contraire : il connaît les définitions par cœur, mais il n'a aucune idée de ce que c'est.

– Peut-être, n'empêche que ça m'avance pas beaucoup pour tout à l'heure.

– Tu as peur d'être interrogé ?

– Plutôt, oui !

– Eh bien, c'est parfait. Le voilà ton exemple.

Torkensen dut réfléchir quelques secondes avant de comprendre, puis il regarda son camarade avec admiration.

– Après ça, tu prétendras encore ne pas être surdoué… À côté de toi j'ai l'impression d'être nul.

– Et de deux ! commenta Bran.

– Deux quoi ?

– Deux sentiments : la peur et le sentiment d'infériorité. Je crois que tu es fin prêt. Viens, on y va.

Le lieutenant Geemader, professeur de cuisine et de sentiments à la base militaire, n'était pas l'enfant d'une Terrienne. Ses collègues instructeurs ne l'étaient pas davantage, d'ailleurs, et tous dispensaient des connaissances purement théoriques à des élèves largement plus doués qu'eux. La plupart ne se rendaient pas vraiment compte de ce handicap, ni de la drôlerie qu'il provoquait.

Dans la salle de classe aux murs parfaitement nus, le mobilier était réduit au minimum. Geemader attendit que les vingt élèves-soldats de la promotion aient pris place derrière leur ordinateur personnel. Son uniforme anthracite impeccable, ses cheveux ras, son cou maigre, ses petits yeux serrés et son visage parfaitement glabre de tortue à qui on aurait tiré les rides, tout en lui concourait à donner l'impression d'un grand vide intérieur.

— Bien, commença-t-il de sa voix mécanique, rappelons d'abord le plus important : les sentiments sont la… sont la… ?

— La conscience de quelque chose, mon lieutenant ! lança un élève.

— Oui, et ils sont aussi un é… un é… ?

— Un état affectif ! continua un deuxième.

— Veuillez maintenant afficher sur votre écran l'exercice que vous aviez à faire pour ce matin. Voyons… Torkensen ! Avez-vous trouvé un sentiment ?

– Oui, mon lieutenant.

– Alors levez-vous et dites-nous lequel.

Torkensen se déploya lentement et à contre-cœur. Ses genoux butèrent contre sa table. Il s'appuya sur ses longs bras et adressa un clin d'œil plein de gratitude à Ashelbi qui se trouvait assis à côté de lui.

– La peur, mon lieutenant.

– Oui, la peur est un sentiment terrien, approuva Geemader en tapotant sur son clavier pour vérifier son affirmation. J'accepte votre réponse. Et en quelle occasion un Terrien peut-il ressentir de la peur ? Pourriez-vous me donner un exemple ?

– Euh… eh ben si un élève terrien n'a pas fait son travail, il peut avoir peur d'être interrogé par son professeur.

– En effet, Torkensen. Cet élève va éprouver la conscience d'une menace qui, dans le cas que vous évoquez, pourrait prendre la forme d'une punition. Avez-vous déjà éprouvé ce sentiment, Torkensen ?

– Jamais, mon lieutenant, parce que je fais toujours mon travail.

À ces mots, les élèves de la classe, qui connaissaient le peu d'ardeur de leur camarade, se mirent à cliqueter bruyamment. On aurait dit un troupeau d'éléphants broyant de la paille fraîche.

– Silence ! intervint Geemader. Je ne sais pas

ce qui est drôle dans la réponse de Torkensen, mais, si vous devez rire, je vous demande de le faire comme il convient, c'est-à-dire à la façon des Terriens. Prenez donc exemple sur Ashelbi. Il est le seul à avoir ri correctement.

Le lieutenant Geemader n'avait laissé paraître aucune colère. Il n'était pas capable d'en éprouver, pas plus qu'il n'était capable de félicitations sincères. Il suivait un programme et appliquait des consignes. Il ne fallait pas lui en demander plus.

— Torkensen, reprit-il, nous allons redire la fin de notre dialogue et, au moment venu, la classe rira, mais correctement cette fois. Allons-y.

Il se concentra un instant afin de retrouver les mots exacts qu'il avait employés et se lança :

— Avez-vous déjà éprouvé ce sentiment, Torkensen ?

L'élève se rappelait très bien, lui, et il répondit sans hésitation :

— Jamais, mon lieutenant, parce que je fais toujours mon travail.

Le silence qui suivit désarçonna l'instructeur.

— Vous ne riez pas ? balbutia-t-il.

Son air ahuri déclencha aussitôt la deuxième vague de rire. Il frappa dans ses mains.

— Du calme, je vous prie. Quelqu'un peut-il m'expliquer pourquoi vous avez ri la première fois et pas la deuxième ? Et pourquoi vous riez à nouveau maintenant, alors que nous n'avons pas répété ce qui était drôle ?

Bachelier, au premier rang, ne ratait jamais l'occasion de ramener la classe au sérieux. Il se leva. C'était un petit gabarit, sec et nerveux. Les dents du peigne avaient tracé des sillons rectilignes dans ses cheveux lissés en arrière. Ses yeux chafouins et sa bouche minuscule trahissaient la sécheresse de son tempérament. Si Bran Ashelbi était le plus terrien des hybrides, Bachelier était sans aucun doute celui qui l'était le moins.

– On ne rit pas deux fois de la même chose, mon lieutenant, commença-t-il. En tout cas, on rit moins. C'est l'effet de surprise qui provoque le comique et…

« Il y en a même qui ne rient jamais, ni la première fois ni les autres, toi par exemple », pensa Bran. Il était vrai que Bachelier parvenait tout juste à cliqueter, et encore était-ce seulement pour se moquer d'un camarade en difficulté.

– Mais pourtant, intervint Geemader en tapotant sur son clavier, je vois qu'on parle ici du comique de répétition, qui serait très apprécié des Terriens.

– Oui, bien sûr mais…, voulut argumenter Bachelier.

– Essayons ! l'interrompit Geemader, soudain plein d'enthousiasme. Je reprends. Êtes-vous prêt, Torkensen ?

– Je suis prêt, mon lieutenant.

La classe fit silence pour écouter les duettistes.

– Avez-vous déjà éprouvé ce sentiment, Torkensen ? reprit Geemader pour la troisième fois.

Le grand Torkensen laissa passer un temps puis lâcha sa réplique. Il n'était pas du tout dans son intention ni de faire rire ses camarades, ni de provoquer son instructeur. Il mélangea les mots, tout simplement.

– Toujours, mon lieutenant, dit-il, parce que je ne fais jamais mon travail.

Ce fut une explosion dans la classe. Un mélange sauvage de cliquetis et de rires terriens. Geemader, le seul à ne pas avoir noté la variante dans la réponse de Torkensen, s'affairait déjà sur son clavier, sans doute pour chercher une explication à ce mystère : le comique de répétition ne fonctionnait bien qu'une fois sur deux.

Dès que le calme fut revenu, on passa à la suite.

– La honte, annonça Geemader. Aujourd'hui, nous allons étudier le sentiment de honte. Soyez attentifs. Il ne s'agira pas, une fois là-bas en mission, et dans le cas où quelqu'un vous dirait « j'ai honte » de le regarder avec des yeux ronds et de lui demander : « Qu'est-ce que c'est que ça ? » Alors, qu'est-ce que c'est, justement ? Eh bien, la honte, messieurs, c'est la conscience qu'ont les Terriens d'avoir commis une faute. J'ai dit la « conscience », j'espère que vous vous rappelez ce concept étudié au trimestre dernier. La conscience, donc, d'avoir commis une

faute. Attention, il ne s'agit pas de «regret».
Ne confondez pas! Ils peuvent «regretter» de
n'avoir pas fait quelque chose, parce que ce
quelque chose leur aurait rapporté un avantage,
de l'argent peut-être. Ici, ce n'est pas le cas. Ils
estiment que ce qu'ils ont fait n'est pas bien
parce que ce n'est pas mo… ce n'est pas mo…?

— Mozzarelle? lança un élève du dernier rang,
déclenchant une vague de cliquetis mêlés de
rires.

— Non, le reprit Geemader en tordant son
visage de tortue. Vous confondez avec le cours
de cuisine de la semaine dernière. Allons, parce
que ce n'est pas mo… ce n'est pas mo…?

— Moral! rectifia Bachelier, au premier rang.

— Exact, approuva le lieutenant. Parce que ce
n'est pas moral. Et connaissez-vous l'effet produit sur un Terrien par ce sentiment-là? Non,
personne? Eh bien le Terrien se sent mal à l'aise,
il a envie de disparaître! Il arrive même qu'il
change de couleur. La peau de son visage devient
plus rouge. Cela peut atteindre les oreilles dans
certains cas, et même le haut de la poitrine. Notez
cela, messieurs.

Tous les élèves s'activèrent sur leur clavier
pour noter ce que venait de dire leur professeur.

— Quelqu'un pourrait-il donner à la classe
un exemple précis? continua celui-ci. Ashelbi,
peut-être? Vous qui avez déjà effectué une mission terrestre…

Bran se racla la gorge, se leva et parla lentement, d'une voix sourde :

— Oui. Je pense qu'un Terrien peut avoir honte s'il cause du tort à une personne qu'il aime, que cette personne ne le sait pas, qu'il se garde bien de le lui dire et qu'il sait qu'il aurait pu faire quelque chose pour empêcher que ça arrive…

Tous les regards s'étaient tournés vers lui.

— Soit, commenta Geemader, un peu dépassé par la complexité de la réponse de son élève, mais euh… pourriez-vous préciser ? Peut-être à l'aide d'une situation plus concrète.

Un silence suivit. Bran se revit sur le parking du gîte du Pilat. Le jour pointait. Anne le croisait sans le voir, bras nus, et elle essuyait de son mouchoir le rimmel qui avait coulé sur ses joues. Un chien aboyait avec entêtement depuis la ferme voisine, le ruisseau tout proche bruissait. Anne venait de perdre sa sœur et elle en avait peut-être le pressentiment puisqu'elle pleurait. Et lui, Bran, avait joué son rôle à la perfection : il avait participé au rapt, en toute conscience. Il aurait encore pu courir, rattraper la voiture des mariés, ouvrir à la volée la portière de Gabrielle et lui hurler : « Vous êtes en danger ! Descendez ! Ils vous emportent dans un autre monde ! Vous serez droguée, humiliée ! Vous ne reviendrez jamais ! » Elle ne l'aurait pas cru, mais il l'aurait obligée à descendre, de force, il aurait fait un scandale, il se serait battu physiquement avec Kordemian, avec ses camarades de mission.

Mais il n'avait rien fait de tout cela. Il avait regardé la voiture tourner au coin du parking et s'en aller, il avait vu Anne essuyer ses larmes et regagner la salle de bal. Et il avait ressenti ce goût amer au fond de sa gorge, cette vague envie de vomir, cette détestation de lui-même. La honte.

La voix mécanique de Geemader l'arracha à ses pensées :

— Ashelbi, un exemple plus concret ?

— Non, mon lieutenant, je n'en ai pas.

Le bus aérien à destination de Lorfalen roula au pas jusqu'au poste de contrôle qu'il franchit sans s'arrêter. Un flash unique et bleuté avertit les passagers, une poignée de soldats et quelques officiers, que leur identité venait d'être contrôlée. Assis côte à côte au fond du véhicule, Torkensen et Ashelbi échangèrent un regard ; pour toute la durée de leur présence en ville et jusqu'à leur retour à la base, ils devraient se dispenser de leur respiration terrienne et de tout ce qui allait avec : soupir, toux, éternuement, rire… Pour Torkensen, dont la nature profonde était de ne pas respirer, cela ne représentait aucune difficulté. Il lui suffisait en quelque sorte de rester lui-même. Pour Bran, en revanche, c'était une contrainte particulière, un abandon de quelque chose qui constituait sa personne réelle.

Il vida ses poumons, se bloqua en apnée basse, poitrine creuse, et attendit le déclic dans sa gorge. Celui-ci survint au bout de quelques secondes. Il avait souvent fait l'expérience de se boucher les oreilles pour l'entendre, ce petit claquement, à l'intérieur de lui-même, à la hauteur du larynx. Il n'aimait pas cet instant où il devenait un autre, une créature sans souffle. Il ne renonçait pas seulement à l'air, lui semblait-il, mais à bien davantage : à une façon de ressentir le monde autour de lui. C'était comme si sa vie perdait soudain un peu de son épaisseur et de sa substance. Comme s'il se privait, en même temps que de son souffle, d'une partie de son âme.

Ne plus respirer pendant les trois ou quatre heures à venir… Il n'y manquerait pas, et dans le cas où il aurait oublié la consigne, le souvenir de Moustique se chargerait de lui rafraîchir la mémoire. On l'avait appelé comme cela, Moustique, parce qu'il ne mesurait guère plus d'un mètre cinquante, un nain à côté de Torkensen. C'était un garçon joyeux et, un jour, dans un restaurant du centre-ville, il avait éclaté de rire, de son rire terrien hélas. Comme Ashelbi, il tenait beaucoup de sa mère et l'apnée ne lui était pas naturelle. Son éclat avait provoqué une panique parmi les clients. Des gardes l'avaient pris en chasse et traqué dans la ville. Il avait réussi à leur échapper et à rentrer à la base. Mais les officiers avaient eu vent de l'esclandre et, quelques jours plus tard, Moustique avait tout simplement disparu. Il était interdit de demander de ses nouvelles, et même d'évoquer son nom. Un seul mot revenait à son propos : Estrellas. Et cela donnait le frisson. Enfin, à ceux qui étaient capables de frissonner.

Le bus entra dans la ville blanche et basse. Les deux jeunes soldats descendirent à la troisième station. Leur projet n'était pas original : boire un verre à l'Aquateria et manger quelque chose qui les changerait un peu de l'ordinaire de la cantine, puis aller jouer sur les nouvelles consoles du Centre ludique.

La gigantesque salle de l'Aquateria, située au premier étage du bâtiment, était presque déserte en ce milieu d'après-midi. Ils s'assirent à l'une des tables qui donnaient sur la place, commandèrent une eau aromatisée et deux gâteaux sous vide. La serveuse, une fille blonde aux yeux délavés, les connaissait mais elle ignorait quel genre de soldats très spéciaux ils étaient.

— De sortie ? demanda-t-elle.

— Oui, dit Torkensen, on vient faire un petit tour. C'est calme, dis donc.

— Oui, l'après-midi c'est toujours calme, dit la fille.

— Tu finis à dix-neuf heures, dit Torkensen.

— Oui, à dix-neuf heures, dit la fille. Comme tous les jours.

— À dix-neuf heures, nous, on sera rentrés à la base, dit Torkensen.

— Han han, dit la fille.

Un Terrien aurait pu penser, à les entendre, qu'ils flirtaient, mais il n'en était rien. La serveuse, à son vingtième anniversaire, s'était vu attribuer son compatible, un homme dont l'âge, la psychologie, la morphologie et la fonction lui convenaient, de la même façon qu'elle-même convenait à cet homme. Les mauvaises surprises n'existaient pas. Les informaticiens psychologues chargés d'assortir les couples étaient des spécialistes compétents.

Elle alla chercher la commande, la déposa sur la table et reprit son bavardage avec Torkensen :

— Je connais un officier à votre base.

— Ah, il s'appelle comment ?

— Je ne sais pas. Il est assez grand. Moins que toi, mais assez grand.

— Je vois, c'est…

Bran Ashelbi écoutait distraitement le dialogue sans intérêt des deux jeunes gens. Son regard se dirigeait vers la place, en contrebas, sur laquelle les rares passants dessinaient par leurs trajectoires rectilignes des figures éphémères, géométriques et dénuées de sens. Mais non pas de poésie. D'une poésie froide. Bran en prenait un au hasard, le suivait jusqu'à ce qu'il disparaisse, puis s'attachait à un autre, jusqu'à ce qu'il disparaisse. Il sentit monter en lui la mélancolie.

– Tu habites dans le quartier nouveau, à l'est, disait Torkensen.

– Oui, disait la fille. Je prends le 19 pour rentrer.

– Il met une demi-heure, disait Torkensen.

– Un peu moins, vingt-cinq minutes, disait la fille…

Bran Ashelbi ne les entendait plus. Là-bas, au milieu de la place, un couple déambulait, et le pas des deux personnes qui le composaient n'était pas un pas ordinaire : trop irrégulier, trop incertain. Cela l'intrigua. Comme le couple s'approchait, Bran vit que l'homme était vieux. Il portait une tunique d'ici, mais ses cheveux gris atteignaient presque ses épaules, ce qui était plutôt inconvenant. Même à distance, on devinait aux mouvements de ses bras et de ses mains qu'il parlait avec animation. La jeune fille qui l'accompagnait marchait avec grâce. Elle baissait la tête et l'écoutait.

Bran les observa pendant tout le reste de leur traversée. Il ne les quitta des yeux que pour remarquer ceci : un homme athlétique et aux cheveux ras les suivait, accordant aux leurs le rythme de ses pas. Il connaissait ce genre de type peu fréquentable. Que pouvait-il bien vouloir à ces deux-là ?

Quand le couple fut un peu plus proche et que la jeune fille leva les yeux vers les baies de l'Aquateria, il vit que c'était Anne Collodi.

2
Mangiate!

M. Virgil est un drôle de type. Parfois, je me demande si quelqu'un d'autre au monde aurait accepté de me suivre ici. De tout abandonner derrière soi et de passer. Je suis sans doute tombée par hasard sur le seul être humain capable de cette folie. Il a l'air raisonnable et tranquille, comme ça, un bon grand-père. Comment s'est-il laissé entraîner par moi? Je lui ai posé la question, dans le train.

— Je ne sais pas. Peut-être parce que j'ai une petite-fille de ton âge.

— Ah, oui, Loïse.

— Oui. Disons que c'est la moitié de mes raisons. Et même les trois quarts.

— Et le quart qui reste?

— Oh, c'est trop bête.

— Alors ça m'intéresse, dites-moi!

— Je crois que... enfin, il me semble que j'ai voulu voir à quoi ressemblait l'autre côté du réel, celui dont je parle dans mes livres. Disons que je m'amuse à être courageux. C'est très distrayant. Un peu angoissant, mais très distrayant…

Cette seconde explication me convient mieux et elle m'amuse, mais ce matin, devant la gare de Lorfalen, M. Virgil me paraît vieux. Son visage est froissé par la nuit presque blanche. Il me fait pitié avec sa voiture perdue, son sac perdu. Nous regardons la place, un peu désemparés. Je lui demande :

— Vous ne regrettez pas trop ?

— Je ne regrette pas trop quoi ?

— D'être venu.

— Non. Pas encore.

On se tait un instant. Il fait passer mon sac d'une épaule sur l'autre.

— Vous pensez qu'on va retrouver ma sœur ?

— Oui, j'en suis presque sûr.

— Ah, et qu'est-ce qui vous le fait croire ?

— J'y crois parce que ça n'a aucune chance d'arriver. Dans mes romans, ce qui n'a aucune chance d'arriver arrive. Et ce qui doit arriver n'arrive pas.

— Dans vos romans peut-être. Mais on n'est pas dans une fiction, ici.

Il sourit en désignant d'un mouvement de tête la place toute blanche devant nous, les étranges véhicules qui flottent en silence au-dessus de la chaussée, faite comme à Campagne d'un verre noir et opaque, le ciel pâle et vide au-dessus de nous, les bâtiments alignés comme des sucres de craie, au loin.

– Pas dans une fiction ? dit-il. Et où crois-tu que nous sommes ? À Saint-Galmier ?

Il ne veut pas être moqueur, mais je me sens blessée. Je baisse la tête.

– Ma sœur Gabrielle n'est pas une fiction.

L'urgence est l'achat d'une tunique pour lui. Il attire trop l'attention avec sa veste de velours. Nous traversons la place de la gare et marchons longtemps dans une avenue deux fois plus large que la grand-rue de Saint-Étienne avant de trouver un magasin de vêtements. J'y entre seule. La vendeuse, qui d'ailleurs ne vend rien, mais je ne peux pas l'appeler la donneuse, disons la fille de la boutique, est assise derrière l'écran de son ordinateur. Je la dérange visiblement. Elle lève les yeux sur moi un quart de seconde.

– Qu'est-ce que tu cherches ?

Je prends ma voix d'ici. J'y arrive de mieux en mieux. Apnée basse et larynx bloqué.

– Une tunique pour… pour mon compatible.

– Il fait quelle taille ?

M. Virgil se tient à quelques mètres, de l'autre côté de la vitrine, l'air aussi détaché que possible.

– Euh, à peu près comme ce monsieur, là.

– Le monsieur déguisé en Terrien ?

– Oui, le monsieur déguisé en Terrien.

Une minute plus tard, je ressors avec la tunique. Il la met. Nous fourrons la veste dans mon sac.

Nous cherchons un hôtel, de préférence immense, anonyme et dans lequel nous pourrons passer inaperçus. Nous y arrivons au-delà de nos espérances. L'hôtel Titan, un des plus hauts édifices de la ville, est aussi vaste qu'un aéroport. Mais un aéroport sans voyageurs. Tout y est trop grand, trop vide, comme si l'architecte avait voulu empêcher les gens de se toucher, de s'approcher. Nous mettons une minute pour traverser le hall d'entrée et atteindre le bureau de réception qui mesure au moins trente mètres.

– Ça manque d'obstacles, me souffle M. Virgil en marchant.

Et c'est exactement ça : on a envie de contourner, d'être gêné, de buter, mais non, partout ici on va en ligne droite et on a l'impression que les pensées ne peuvent aller qu'en ligne droite aussi.

Je me dirige vers l'une des employées. Au moment de lui parler, je m'aperçois que j'ai choisi sans y penser celle qui ressemble le plus à Mme Stormiwell avec ses cheveux courts et son corps massif. J'ai une pensée affectueuse pour ma complice de respiration, ma petite dame jetée par la fenêtre. C'est étrange, le rêve de Mme Stormiwell voletant et cliquetant devant la fenêtre de l'hôtel Légende me revient sans cesse. Sa grosse bouille réjouie et le comique de la situation me donnent envie de rire à chaque fois, comme le ferait le vrai souvenir d'un événement heureux.

Par prudence, M. Virgil reste en retrait cette fois encore. Je demande deux chambres, une pour moi et une pour le monsieur, là. Les deux contiguës si possible. La dame lève les yeux vers lui. J'ai peur qu'elle fasse comme l'autre et dise, malgré la tunique : «Pour le monsieur déguisé?» Mais elle n'en fait rien.

Dans ma chambre du douzième étage, on pourrait loger trois familles napolitaines. Du lit à la salle de bains je compte quinze pas. Quelle idée saugrenue de faire si grand! Je m'assois sur le lit et j'écoute Keane sur mon iPod. Je n'ai jamais entendu aucune musique ici. Comment les gens font-ils pour supporter ça? Tiens, j'aurais dû en faire profiter Mme Stormiwell. Je suis sûre qu'elle aurait apprécié. Je n'ai vu nulle part de livres non plus, ah, oui c'est vrai, le papier c'est sale... J'éparpille le contenu de mon sac par terre pour mettre un peu de désordre et de vie, et je pense au pauvre M. Virgil, privé du sien, et qui ne peut même pas s'accorder cette fantaisie. Je l'imagine assis au bord de son lit trop bien fait, dans le silence de sa chambre surdimensionnée, et c'est exactement comme ça que je le trouve en poussant sa porte.

— Je ne sais pas où me mettre, dit-il.

– Venez, on va s'asseoir là, contre le mur.

Nous nous calons le dos contre la cloison, près du placard mural, pour nous sentir mieux tenus, moins perdus.

Je sors mon carnet de ma poche, et mon crayon.

– Qu'est-ce que tu écris ? La liste des courses ? Ce serait bien utile, je n'ai plus rien, même pas une brosse à dents.

Il n'a pas l'air si désolé que ça en évoquant son dénuement. J'ai même l'impression qu'il y trouve le plaisir canaille des gens raisonnables embarqués malgré eux dans une folie dont ils découvrent le charme.

– Non. J'écris des mots. Les mots qui désignent ce que nous avons chez nous et qui n'existe pas ici.

– Par exemple ?

Je commence à lire ma liste à voix haute :

– Respirer… pleurer… suer… vomir…

Il comprend très vite et continue :

– Rouiller… dépasser… grincer… chanter… Tu as entendu quelqu'un chanter ici ?

– Non, mais avec leur voix, ça vaut peut-être mieux.

Il opine et ses cheveux gris tombent sur son visage.

– Vous feriez bien de vous faire couper les cheveux. Tout le monde les porte courts ici, vous l'avez remarqué ?

– Pas question.

– Je ne vous demande pas d'aller chez le coiffeur. Je ne sais même pas s'il y en a. Je vous les couperai, moi. J'ai des ciseaux dans mon sac.

– Sûrement pas. Je les porte longs depuis mon seizième anniversaire.

– Bon. Comme vous voulez.

J'essaie de l'imaginer à l'âge de seize ans. Il ne devait pas être mal.

– Vous aviez du succès avec les filles quand vous étiez jeune homme ?

– Quand tu m'interroges comme ça, il me semble qu'on est encore dans la voiture et que tu as ton scarabée dans la main.

– Dans la voiture, vous me répondiez.

– C'est vrai. Non, je n'avais pas grand succès. J'étais timide, maladroit, je dansais mal.

– Et Madeleine ?

– Quoi, Madeleine ?

– Elle vous a trouvé bien, elle.

– Oui. Sans doute.

– Qu'est-ce qu'elle aimait chez vous ?

– Tu es trop curieuse.

– Qu'est-ce qu'elle aimait chez vous ?

– Je ne sais pas…

– Vous me montrerez la photo de la station-service ?

– Non, je ne la montre à personne.

– Vous êtes tous les deux dessus ?

– Oui. C'est un autre client qui a fait la photo. On a le fou rire.

– Pourquoi ?

– Je ne sais pas. On venait d'acheter un camping-car d'occasion, et on s'est fait photographier devant. On venait de faire le plein.

– C'est drôle, ça ?

– Non, mais quand on est heureux, tout est drôle. Sans doute qu'on trouvait idiot de faire cette photo. Ça ne nous ressemblait pas. C'est ce qui nous faisait rire. On a beaucoup moins ri, la minute suivante.

– Pourquoi ?

– Parce qu'on s'est rendu compte qu'on venait de remplir le réservoir d'eau avec du gasoil.

À présent, nous marchons au hasard dans la ville blanche.

C'est tout le contraire d'une promenade d'agrément. On se lasse vite des avenues trop larges et sans trottoirs, de leur parfaite propreté, des bâtiments aux façades laiteuses. On en a vite assez de croiser des créatures interchangeables et indifférentes. On voudrait voir des vrais gens, je veux dire des enfants qui courent et des vieux qui n'avancent pas ! Des ados trop bruyants, des messieurs trop gros, des mamans encombrées de bébés ! Des gens venus de tous pays avec la couleur de peau qui va avec ! On a envie de voir des chiens, des chats, des oiseaux, des arbres ! On a envie qu'il pleuve, qu'il neige, qu'il y ait du vent ! Mais il n'y a rien de tout ça : juste le calme, l'espace vide autour de nous et l'incommensurable ennui.

Nous arrivons sur une immense place ronde que des rares piétons traversent en marchant vite et droit, comme s'ils voulaient faire de la géométrie et tracer des droites dans le cercle.

— Comment imagines-tu la suite ? me demande Virgil. On ne va pas passer notre temps à arpenter au hasard cette ville déprimante. Il nous faut une piste, un signe, enfin quelque chose à quoi nous accrocher.

J'en ai une, piste, et elle tient dans un mot : «cheval». Il m'écoute lui raconter comment Gabrielle m'a parlé à la radio. Il me croit d'autant plus qu'il a reçu mon message par la même voie des ondes.

— Si je résume, reprend-il, ta sœur Gabrielle est aux mains des hommes qui dirigent ce monde. Ces gens-là sont ici, à Lorfalen. Et il y a quelque chose avec un... cheval. C'est maigre. Et je ne pense pas qu'il soit utile d'accoster les passants au hasard et de leur demander s'ils connaissent un nommé Kordemian, et encore moins Bran. Il me semble que nous devons commencer par localiser le siège de leur gouvernement. Je dis une bêtise ?

Je secoue la tête. Non, il ne dit pas de bêtise. Je suis d'accord avec tout. Mais j'ai aussi l'impression désagréable d'une monumentale erreur de casting : Étienne Virgil, soixante et onze ans, écrivain, et Anne Collodi, dix-sept ans, stagiaire à *4 Pieds*, à l'assaut du «siège du gouvernement», comme dans un film d'espionnage. Nous avons le choix entre le pathétique et le ridicule. Je le laisse poursuivre :

– Il se peut aussi que ce dirigeant qui… (Il hésite sur le mot juste.) qui… détient ta sœur, habite tout à fait ailleurs, comment savoir ? Mais bon, il faut bien trouver un fil à tirer, le début de quelque chose, non ?

Il mime le fil à tirer et le début de quelque chose. Je le laisse dire et j'approuve de la tête. Il continue ainsi pendant toute la traversée de la place, soupesant les possibilités qui nous sont offertes, évoquant les risques courus. Je l'interromps brusquement dans son monologue :

– Monsieur Virgil ?

– Oui.

– Si nous étions dans un de vos romans, que se passerait-il maintenant ? Est-ce que vos deux héros iraient traîner autour du siège du gouvernement pour trouver un «fil à tirer» ou le «début de quelque chose» ?

Il ne réfléchit pas longtemps.

– Non. Sûrement pas. Ce serait trop ennuyeux.

– Que se passerait-il, alors ?

– Je suppose qu'il se passerait quelque chose d'inattendu, quelque chose que personne n'aurait pu prévoir : ni les deux héros, ni le lecteur, ni même l'auteur. Personne.

– Par exemple ?

– Je n'en ai aucune idée. Je te l'ai déjà dit dans la voiture : je n'ai plus d'imagination. Et puis ne m'appelle plus «monsieur Virgil». Tu peux me dire Étienne.

Nous atteignons l'autre côté de la place. Je lève les yeux vers le premier étage du bâtiment. On dirait une gigantesque cafétéria avec des tables installées devant les baies. Le reflet des vitres empêche de bien voir, mais il me semble qu'une seule table est occupée. Deux hommes y sont assis face à face et ils regardent vers nous. Une femme, la serveuse sans doute, se tient debout près d'eux. Je propose à M. Virgil, enfin à Étienne, d'y monter pour aller boire une eau «rapide».

Nous prenons l'ascenseur. Quand nous arrivons dans la salle, la serveuse a disparu et il ne reste qu'un seul des deux clients. C'est un très grand jeune homme. Ses longs bras sont croisés devant lui. Il nous regarde en douce.

Les lignes pures des tables et des chaises parfaitement rangées, la propreté absolue du sol, la nudité des murs et l'absence de toute animation distillent une sorte de malaise, une angoisse blanche qui prend à l'estomac. Nous nous installons près d'une baie, le plus loin possible du gars. Je recommande à M. Virgil de ne pas parler. La serveuse blonde apparaît et s'avance vers nous d'un pas traînant.

– Qu'est-ce que vous voulez?

Je bloque ma respiration en apnée basse et j'adopte ma voix de gorge.

– De l'eau.

– Rien à manger?

– Si. Apporte-nous ce que tu veux. Quelque chose de bon.

– D'accord.

Sur Terre, je dirais d'elle qu'elle a l'air triste, mais je crois qu'elle ne l'est même pas. C'est pire, elle ne ressent rien du tout : ni joie, ni colère, ni tristesse, ni désir de quoi que ce soit. Peut-être seulement déjà le début de l'ennui, cet ennui qui la rongera au fil du temps et qui finira par la terrasser et l'*asseoir* dans une trentaine d'années.

Comme l'a dit M. Virgil, il faut attraper le commencement de quelque chose. Je rappelle la fille :

– Attends.

– Oui?

– Tu connais bien la ville?

– Oui.

– Où se trouve le siège du gouvernement?

Elle fait un rapide mouvement de tête vers l'extérieur.

– Là.

Nous suivons la direction de son regard vers les bâtiments qui s'alignent en arc de cercle de l'autre côté de la place. Imaginer Gabrielle dans ces murs, si près de moi, devrait me bouleverser. Je n'éprouve rien du tout et je traduis aussitôt : elle n'est pas là.

– D'où est-ce que vous venez ? demande la fille.

Je lâche le premier nom de ville qui me revient :

– Estrellas.

– Estrellas…, répète-t-elle avec tout l'étonnement dont elle est capable, c'est-à-dire très peu.

Je devine qu'il n'est pas naturel de venir de cet endroit-là. Là-bas, à cinq tables de la nôtre, le grand jeune homme tend l'oreille pour nous entendre. Je baisse la voix et continue sur ma lancée :

– Est-ce que tu connais un homme qui s'appelle Kordemian ?

– Non, dit-elle sans y mettre aucune expression, et elle tourne le dos.

Nous restons seuls. Je me sens mal. C'est la première fois que j'éprouve ce sentiment de… dégoût, comment l'appeler autrement ? Je n'aurais jamais cru qu'on puisse être dégoûté de trop de propreté, de trop de vide, de silence, mais c'est le cas.

La fille revient avec l'eau et deux choses dont la saveur – ou plutôt son absence – rappelle le surimi, en plus fade. M. Virgil, qui n'a rien avalé depuis la veille, dévore sa portion de bon appétit. Il trouve même ça « mangeable ». Je pensais que les vieux messieurs étaient plus difficiles. Peut-être les veufs le sont-ils moins ? L'eau « rapide » ne lui plaît pas, en revanche. Il préférerait un demi de bière, dit-il.

Je considère notre triste repas et je me demande comment réagiraient les gens d'ici si on leur mettait sous le nez une assiette de spaghettis, avec une bonne sauce bolognaise et du parmesan. « Voyez-vous, leur dirais-je, c'est cela quelque chose de bon, est-ce que vous faites la différence ? » À cette seule pensée, mes papilles s'affolent, et mes narines aussi. Je me retrouve dans la cuisine de mon grand-père Marcello, les jours où Gabrielle et moi mangions chez lui, à midi.

C'était le rituel, une fois par semaine, le mercredi, et ça a duré des années. Il nous faisait toujours ses spaghettis bolognaise et nous ne voulions rien d'autre. Il posait la casserole fumante et odorante sur un journal plié en deux au milieu de la toile cirée de la table et il nous disait : « *Mangiate !* » Dans la pièce voisine, ma mémé Chiara, qui commençait à perdre la tête, répétait sans fin la même question : « *Marcello, chi c'è ?* » Marcello, qui est là ? à quoi il finissait par répondre : « *Sono le tue nipoti* », c'est tes petites-filles. Alors elle se taisait pour un moment, avant de recommencer : « *Marcello, chi c'è ?* » Comme dessert, nous avions toujours une boîte de crème Mont-Blanc, praliné, vanille ou chocolat, qu'il nous servait dans des bols. Il nous forçait à la finir. Il était heureux de nous avoir et de nous faire plaisir, une fois par semaine. Mais c'est lui qui est parti le premier. Mémé Chiara est toujours en vie, dans sa maison de retraite, et elle continue à demander «*Marcello, chi c'è*» toutes les quinze secondes environ. La vie est mal fichue.

Nous rentrons. L'angoisse blanche éprouvée dans la cafétéria ne me quitte pas. Elle me suit sur l'immense place ronde que nous traversons une seconde fois, elle m'accompagne dans les rues vides, dans le hall de l'hôtel Titan, l'ascenseur, le couloir désert. M. Virgil, à côté de moi, doit la ressentir aussi. Il se tait. C'est la première fois que nous restons si longtemps côte à côte sans parler. Dans la voiture, dans le train, nous avions quelque chose à nous dire, et là nous nous taisons. Je me sens mal. Il y a une menace au-dessus de nous, je la devine.

Nous nous séparons devant sa porte. Je lui dis :
– À tout à l'heure. Je vais me reposer un peu.
– D'accord, répond-il. Je vais me reposer aussi. À tout à l'heure.

Je suis dans ma chambre qui me paraît encore plus grande qu'avant. La vue sur la ville blanche depuis le douzième étage ne m'apporte aucun réconfort, au contraire, elle ajoute à mon malaise.

Je tire le rideau et vais chercher refuge dans mon lit, dans ma musique. *I walked across an empty land…*, chante Keane. Je me blottis sous les draps. *Oh, simple thing where have you gone…* J'ai à peine le temps de m'évader que le téléphone vibre et clignote.

– *Mademoiselle, vous avez un message.*

Je me redresse, je presse le bouton, et le texte s'affiche : *Mademoiselle, n'ouvrez pas votre porte.*

Un frisson me secoue. Qui me menace ? Et qui me prévient ?

Je cours à la porte et je ferme le verrou. Je suis assise au bord du lit. On frappe. La terreur me pétrifie. On frappe encore et on actionne la poignée. J'implore en silence : « N'entrez pas… ne cassez pas la porte… ne venez pas me tuer… »

Les pas s'éloignent.

Est-ce que M. Virgil a verrouillé sa porte comme moi ?

Je me précipite sur le téléphone. J'essaie d'avoir la réception, j'essaie d'avoir sa chambre. Rien ne fonctionne. Pour commander un repas, j'ai su le faire. Pour sauver un homme, je ne sais plus. Je me maudis.

Je fais glisser la baie vitrée. La chambre de M. Virgil est à la droite de la mienne. Je me penche à l'extérieur et j'appelle :

– Étienne ! Étienne ! Vous m'entendez ? N'ouvrez pas votre porte ! N'ouvrez pas votre…

Son corps jaillit comme une botte de foin jetée dans une grange. On l'a lancé loin. On ne lui a laissé aucune chance de s'agripper au bord de la fenêtre. Il appartient déjà au vide. Il est en chemise, en pantalon, et pieds nus. J'ai le temps de voir tout ça. J'ai la chance de ne pas voir son visage. Oh, quelle chance j'ai de ne pas voir son visage !

Il tombe sans un cri. Il agite brièvement ses bras puis il les ouvre, il se déploie et continue à tomber d'un bloc. Les secondes qui suivent durent une éternité. C'est majestueux et insupportable. Je ne le supporte pas. Avant le choc, je détourne le regard.

Je m'aperçois que je suis tombée à genoux et que je me recroqueville dans mes propres bras. J'ai mal. Imaginer le corps de M. Virgil exploser au sol fait exploser le mien. Je mets de longues minutes avant de pouvoir me relever. Je tremble.

Mme Stormiwell… M. Virgil… Est-ce qu'ils jettent par les fenêtres tous ceux qu'ils veulent punir ?

Le téléphone vibre et clignote à nouveau. *Vous avez un message.* C'est à peine si je trouve le bouton avec mon index. *Il n'y a plus de danger, mademoiselle. Descendez. Je vous attends.* J'ai confiance dans cette personne qui m'a recommandé de ne pas ouvrir ma porte. Je rassemble mes affaires dans mon sac et sors de ma chambre. J'éprouve la même sensation qu'à l'hôtel Légende après la cabriole de Mme Stormiwell, la sensation d'être à côté de moi-même, que ce n'est pas vrai. Je suis glacée. Je ne pleure pas. Je pleurerai plus tard.

Une fois dans le couloir, je vois que la porte de M. Virgil est restée entrouverte. Je la pousse. Les tueurs ont refermé la baie. Sur le lit, il y a la tunique toute neuve, jetée en vrac. Je la fouille et trouve le portefeuille de cuir dans la poche intérieure. Il est encore tiède. Je le jette dans mon sac.

Je descends par l'ascenseur. Un immense garçon dégingandé se tient au centre du hall, à bonne distance de la réception, comme un poteau télégraphique au milieu d'un champ. Je reconnais le gars de la cafétéria. Il se tord les doigts et me regarde marcher vers lui. Il me sourit lorsque je suis à quelques mètres, mais c'est l'émotion qui prédomine sur son visage. Il regarde autour de lui avec anxiété et je devine qu'il n'est pas tout à fait d'ici. Est-ce un Terrien ? Un hybride ?

– Mademoiselle, dit-il à voix basse, il vaudrait mieux…

Je le regarde par en dessous, il est si grand. Il vaudrait mieux quoi ?

– Il vaudrait mieux que vous rentriez chez vous…

C'est la seconde fois qu'on me demande de rentrer chez moi. Je garde de la première le double souvenir du coup de poing à l'oreille et de la

171

terrible insulte. Cette fois, on me le dit tout en douceur, mais c'est presque aussi effrayant.

– Rentrez chez vous… S'il vous plaît…

Il n'est guère plus âgé que moi. Je lui demande :

– Qui es-tu ?

– Je suis un ami d'Ashelbi.

– De qui ?

– D'Ashelbi… enfin de Bran… vous le… Oh, non je ne devais pas vous le dire. Pardonnez-moi, je suis… je suis un peu déboussolé… c'est la première fois que…

Il secoue la tête d'un air désolé, comme quelqu'un qui vient de faire une bêtise de plus et qui s'en rend compte. Il voudrait reprendre ce qu'il a dit. C'est trop tard. Bran… Mon cœur affolé ne peut pas battre plus vite, mais l'émotion change de nature. J'ai l'impression que je me noyais et qu'on vient de me lancer une bouée. Je m'y agrippe.

– Bran ? Où est-il ?

– Il est… Enfin, il vaudrait vraiment mieux que vous rentriez chez vous. Dès ce soir. Il y a des trains pour Campagne.

– Où est Bran ?

– Je n'aurais pas dû vous parler de lui… Vous devriez…

– Où est-il ? Dis-le-moi !

– Bon. Si vous voulez vraiment le voir avant de partir, alors prenez le bus 7. Allez jusqu'à Larena. C'est le terminus. Ensuite marchez.

– Marcher ? Marcher vers où ?

– Devant vous, dans le désert blanc…
Pardonnez-moi, je dois vous laisser. C'est très
dangereux. Ne me suivez pas… Et faites attention à ce qu'on ne vous suive pas.

Déjà il se détourne et s'éloigne.

– Attends !

Il secoue vaguement sa main, ce qui signifie :
« Je suis désolé, je ne peux pas faire mieux. »

Je reste là une minute, le temps qu'il parte,
puis je sors à mon tour. Un peu plus loin, sur
la droite, un attroupement s'est formé autour
du corps disloqué de M. Virgil. Un véhicule
vient se poser tout près. Deux infirmiers en des-
cendent et s'approchent. J'ai envie de foncer
dans le tas, de disperser ces gens, de les chas-
ser, de leur hurler aux oreilles : « Fichez le
camp ! Laissez-le-moi ! Vous n'avez pas à le toucher ! »

Cette fois, les larmes me viennent.

J'ai mal de l'abandonner là à ces pires qu'étrangers, à ces créatures dépourvues de chaleur et
de compassion. Mais si j'y vais, je serai prise,
et je n'aurai plus aucune chance de retrouver
Gabrielle. Je n'y vais pas.

Que vont-ils faire de lui ?

À quoi a-t-il pensé pendant les quelques
secondes de sa chute ? Pendant le décompte
fulgurant des derniers instants de sa vie.

À qui ?

À moi qui l'ai entraîné dans ce cauchemar ? À Loïse ? À Madeleine ? À laquelle de ces trois femmes ?

Je tourne le dos. J'ai honte. Je pleure et je gémis en marchant. Je vais au hasard, droit devant moi. J'entends la voix de M. Virgil :

« … quelque chose d'inattendu, quelque chose que personne n'aurait pu prévoir : ni les deux héros, ni le lecteur, ni même l'auteur. Personne. »

3
Larena

Si une bonne fée avait offert à Torkensen
d'exaucer deux de ses vœux, il aurait sans aucun
doute choisi en premier de mesurer vingt centimètres de moins, et en second de ne pas être un
hybride. Ces deux singularités convenaient mal
à sa nature timide. Depuis qu'il avait atteint,
à l'âge de quatorze ans, ses cent quatre-vingt-
dix-huit centimètres définitifs, on s'était toujours retourné sur lui, en ville. Cela le gênait. Si
bien que rentrer à la base représentait chaque
fois un soulagement. Là-bas au moins, on ne
le considérait pas comme une bête curieuse.

Il sortit de l'hôtel Titan, encore sous le coup
de l'émotion, s'assura que le tueur ne rôdait
plus dans les parages, et il allongea son grand
compas en direction de la station de bus la plus
proche. Les pensées les plus contradictoires le
tourmentaient : il était un héros puisqu'il venait
sans doute de sauver cette jeune Terrienne en
lui conseillant de ne pas ouvrir sa porte. Mais

il était aussi un idiot puisqu'il lui avait parlé d'Ashelbi alors que ce dernier lui avait recommandé de ne pas le faire.

Mais c'était sa faute aussi, à celui-là! Avant de s'éclipser de l'Aquateria et de l'abandonner seul face au danger, il l'avait enseveli sous une avalanche de recommandations. Tout s'était passé en accéléré, dans la précipitation, et lui, Torkensen, n'aimait pas la précipitation.

– Reste ici et tâche d'entendre ce qu'ils se disent.

– Pourquoi tu le fais pas, toi?

– Il ne faut pas qu'elle me voie. Elle est en danger. Il faut qu'elle s'en aille. Si elle me voit, elle ne s'en ira pas.

– Bon, et on se retrouve où après?

– Au Centre ludique. Rendez-vous là-bas. Concentre-toi! Un : tu les écoutes. Deux : tu attends qu'ils s'en aillent. Trois : tu les suis discrètement pour savoir où ils vont.

– Discrètement? Je fais un mètre quatre-vingt-dix-huit…

– On s'en fiche. Ne te fais pas repérer par eux, hein, Torkensen! Et ne te fais pas repérer non plus par ce type qui les suit.

– Ouh là là…

– Si tu peux, cherche à savoir ce qu'il leur veut.

– C'est tout?

– C'est tout. J'entends l'ascenseur. C'est eux. Je te laisse.

— Ashelbi! Hé! Ashelbi, t'en va pas!

Bref, trop de recommandations en trop peu de temps… Comment s'étonner qu'il ait failli à sa mission?

Lorsqu'il rejoignit Bran dans la galerie du Centre ludique, il était donc à la fois en colère et dans ses petits souliers, si on peut parler ainsi d'une personne qui chausse du cinquante-trois. Comme un groupe de jeunes gens stationnait devant l'entrée, Bran le prit par le bras et l'entraîna à l'écart, loin des oreilles indiscrètes. Ils se retrouvèrent dans la rue et marchèrent au hasard.

— Alors? demanda Bran.

— Alors quoi?

— Tu as pu savoir ce qu'ils faisaient ici?

— Ben oui. C'est ce que tu pensais : elle cherche sa sœur.

Torkensen raconta dans le détail tout ce qu'il avait entendu dans l'Aquateria, puis sa filature réussie jusqu'à l'hôtel Titan. Il expliqua comment il avait vu le type prendre l'ascenseur à la suite des deux Terriens, comment, lui Torkensen, avait aussitôt réagi en obtenant le numéro de chambre d'Anne, et comment il l'avait alertée par un message envoyé depuis la réception.

— Je lui ai dit de ne pas ouvrir sa porte. Je pense que je l'ai sauvée, hein, Ashelbi, qu'est-ce que tu en penses? Je crois que je l'ai sauvée parce que, dans la minute qui a suivi, il y a eu du mouvement devant l'hôtel et on a appris qu'une personne venait d'être défenestrée. Ensuite j'ai vu le type sortir de l'ascenseur, traverser le hall et s'en aller tranquillement, comme un client qui irait faire une balade en ville. Ces gens-là ont un sang-froid qui me dépasse…

Il raconta ensuite son angoisse. Qui venait d'être jeté par la fenêtre ? Le vieux monsieur ou la jeune fille ? Après tout il n'avait pas vu le corps.

– Oui ? Et alors ? faisait Bran pour accélérer le récit de son ami, mais cela ne servait à rien.

– Alors, je lui ai envoyé un deuxième message, pour savoir.

– Mais il suffisait d'aller voir le corps, dans la rue, non ?

– T'as raison. C'est bête, mais j'y ai pas pensé. Ou plutôt, j'ai pas osé. J'aime pas voir les accidents. Sur le message je lui ai écrit qu'elle pouvait descendre, et j'ai attendu au milieu du hall, en espérant qu'elle arriverait.

– Et alors ? supplia Bran.

– Eh ben… eh ben, elle est arrivée… Elle avait l'air choquée. On peut la comprendre…

Bran sentit sa gorge se dénouer et un soupir lui échappa. Des passants les croisaient. Il dut se concentrer pour se remettre en apnée basse et bloquer son larynx.

– Qu'est-ce que tu lui as dit ?

– Eh ben, je lui ai dit qu'elle ferait mieux de rentrer chez elle.

– C'est bien. Et tu penses qu'elle va le faire ?

– Non, je crois pas…

On en venait au plus délicat et Torkensen préféra prendre les devants. Autant tout avouer d'un coup. Il s'arrêta et se tourna vers Ashelbi. Il le dominait de plus d'une tête, mais c'est pourtant lui qui se sentait petit.

– Écoute-moi. Quand elle s'est approchée, j'ai perdu mes moyens, voilà. C'est la première Terrienne que je rencontre, tu comprends. En classe de simulation et sur l'écran, c'est une chose, mais quand tu vois la personne en vrai devant toi, c'en est une autre. J'ai pas fait de mission sur Terre, moi. Et tu sais que je suis émotif. J'ai senti que mes jambes commençaient à trembler. Et ma tête à tourner. Pour un peu je m'effondrais au milieu du hall ! Bref, j'étais dans tous mes états. Elle m'a demandé qui j'étais et c'est sorti tout seul : je lui ai dit que… enfin, je lui ai dit que j'étais ton ami.

À cet instant-là de son récit, Torkensen marqua une pause. Ashelbi allait l'accabler de reproches et lui faire mesurer une fois de plus combien il était stupide. Il préparait déjà ses excuses, mais ce fut inutile.

– Et ensuite ? demanda simplement Bran.

– Ensuite quoi ?

– Comment a-t-elle réagi ?

– Oh, après ça, elle voulait plus rien entendre. Elle voulait seulement savoir où tu étais. Elle l'a demandé trois fois.

– Et tu le lui as dit ?

– Ben, j'ai pensé à Larena et je lui ai dit qu'elle pourrait te voir là-bas.

– Quand ?

– Ben, maintenant, tout de suite… Si ça se trouve elle y est déjà partie. J'ai fait une bêtise, non ?

– Non, Torkensen, tu n'as pas fait de bêtise. Au contraire. C'est bien. Je te remercie. Rentre à la base et signale-moi comme retardataire.

Torkensen n'en revenait pas d'avoir improvisé quelque chose et d'en être félicité. Une onde de fierté le parcourut des pieds à la tête, c'est-à-dire sur une longue distance. « Tiens, voilà un sentiment de plus, se dit-il, et je l'ai détecté tout seul, cette fois ! Finalement, je suis peut-être moins bête qu'on le dit. »

– D'accord, Ashelbi, fit-il d'un ton soudain plus assuré. Mais sois de retour avant vingt heures, sinon tu seras recherché, tu le sais.

– Je le sais. Je serai de retour. T'en fais pas.

Ils se séparèrent au bout de la rue, l'un pour une fois satisfait de lui-même, l'autre empli d'une joie nouvelle et presque inconnue qui lui donna envie de courir.

Le 7 était de tous les bus aériens du réseau celui qui s'éloignait le plus de la ville. Il atteignait les confins nord de Lorfalen, là où cessaient les habitations, là où commençait le royaume du sable. Il avait perdu des passagers à chaque station, et maintenant il n'en restait plus que deux à bord.

Le premier était un homme d'une cinquantaine d'années au long visage éteint. Le haut de sa tunique froissée lui remontait de travers sur la nuque sans qu'il songe à le remettre en place. Il restait impassible à chaque arrêt, les mains posées sur les genoux, le regard mort. Bran Ashelbi, le deuxième passager, sut que cet homme s'était assis. Il détestait être témoin de ce spectacle pourtant très commun. Les gens s'en accommodaient en l'ignorant, mais lui n'y arrivait pas. Voir une personne s'abandonner ainsi le plongeait toujours dans un mélange de colère et de désespoir. Il ne s'y faisait pas. Il se rendit compte qu'il expérimentait pour la première fois de sa vie cette situation insolite : se retrouver seul avec un être en partance.

Le bus ralentissait déjà en vue du dernier arrêt, Larena, et l'homme ne bougeait pas d'un pouce. Alors, Bran se leva et il fit quelque chose de sacrilège, quelque chose d'interdit et qu'il n'aurait jamais osé si quelqu'un avait pu le voir : il marcha vers l'homme et l'apostropha d'une voix forte, presque agressive.

– Vous descendez là, monsieur ?

L'homme ne cilla pas.

– Monsieur ! Je sais que vous m'entendez. Vous descendez là ? Où allez-vous ?

Comme l'homme ne réagissait toujours pas, il l'empoigna carrément par la tunique et le secoua comme un sac.

– Vous allez répondre, oui ? Je vous parle !

L'homme le regarda avec effroi pendant quelques secondes, comme s'il remontait des tréfonds d'un rêve trouble.

– Je vous demande où vous allez, c'est pas difficile à comprendre !

Bran se rendit compte qu'il avait crié.

– Ne me battez pas, dit l'homme.

Sa voix métallique était faible, atone.

– Mais je ne veux pas vous battre…

Il le relâcha. Si, il avait envie de le battre. De l'obliger à se défendre. De le rosser jusqu'à ce qu'il se rebelle. Il était en colère. S'il ne s'était pas retenu, il l'aurait roué de coups. La joie qu'il avait éprouvée à l'idée de revoir Anne Collodi était gâchée.

– Excusez-moi. Mais c'est de votre faute aussi. Et arrangez-moi cette veste ! Vous faites peine à voir !

L'homme arrangea négligemment le haut de sa tunique. Regarda autour de lui.

– Où sommes-nous ?

– Nous sommes à Larena.

Le bus, qui venait de s'arrêter, s'abaissa au niveau du sol. Tout autour, ce n'était plus que l'immensité blanche. Quelques maisons basses aux façades crayeuses avaient autrefois justifié l'existence de cette ligne. À présent, désertées de leurs habitants, accablées de silence, elles formaient un bloc inutile et désolé. Dépourvu de fonction. C'était, à la connaissance de Bran, le seul endroit de ce monde où l'on pouvait voir une construction laissée à l'abandon, et c'est pourquoi il l'aimait.

Avant même de sauter à terre, il repéra les empreintes dans le sable. Elles s'en allaient droit vers le nord, à l'opposé de la ville. De courtes empreintes nettes et régulières. Anne.

Il les suivit sur une vingtaine de mètres et se retourna. Le bus repartait dans l'autre sens. L'homme était semble-t-il déjà à nouveau en léthargie. Sa tête pendait sur sa poitrine.

– Hé! cria Bran à pleine voix. Hé, monsieur!

L'autre ne réagit pas.

Anne Collodi avait emprunté ce même bus aérien moins d'une heure plus tôt. Dernière passagère, elle était descendue à cette même ultime station. Rien n'indiquait qu'il s'agissait là du terminus, mais elle n'avait eu aucun doute. Larena... arena... sable... Il n'y avait plus là que du sable.

Elle avait ignoré les quatre maisons abandonnées et marché tout droit, laissant la ville derrière elle. L'absence de traces l'avait intriguée, bien sûr, mais que faire d'autre? « Si vous voulez voir Ashelbi, avait dit l'immense garçon,

183

marchez vers le désert», alors elle avait marché vers le désert. Il lui aurait dit : «Si vous voulez voir Ashelbi, enterrez-vous dans le sable», elle se serait enterrée dans le sable.

«C'est lui qui me rejoindra, s'était-elle dit. Il n'aura qu'à suivre mes pas, et me rejoindre.» Et maintenant, elle allait lentement, sous le voile immuable du ciel. Il n'y avait pas de dune, puisqu'il n'y avait pas de vent. Elle allait comme une somnambule, son sac à l'épaule, ses pieds s'enfonçant à demi dans la tendresse du sable. Et ses pensées elles-mêmes étaient comme amorties, molles, sans consistance. Elle dut se faire violence pour les rassembler : «M. Virgil est mort... il est venu à mon secours et il est mort... Tous ceux qui m'aident sont agressés... Je ne sais pas où est Gabrielle... Je cherche un garçon rencontré sur la Terre il y a plus d'un an et que je n'ai jamais revu... Il est de ceux qui ont enlevé ma sœur, mais il est aussi le seul à pouvoir m'aider à la retrouver... peut-être qu'il ne viendra jamais... peut-être que je mourrai ici, seule, en écoutant Keane sur mon iPod, dans le désert blanc de cet autre monde...»

Elle s'arrêta et scruta la ligne d'horizon, derrière elle. Les quatre maisons de Larena n'étaient plus en vue. Désormais son regard ne pouvait plus s'accrocher à rien. Elle considéra cet infini de morne blancheur, autour d'elle, cet horizontal blafard, à perte de vue. La seule chose vivante, désormais, la seule chose colorée, sonore, mouvante, c'était elle-même. Elle-même dans l'enveloppe de son corps et de ses habits. Et la seule trace d'elle dans ce vide, c'étaient les empreintes de ses chaussures derrière elle.

Il était inutile d'aller plus loin. Elle s'assit en tailleur sur le sable, en prit une poignée et le fit couler entre ses doigts. Il était d'un blanc mat, fin comme du sel, et si sec qu'il suffisait d'ouvrir la main pour s'en débarrasser jusqu'au moindre grain.

Bran Ashelbi suivait la voie rectiligne que lui indiquaient les pas. Spontanément, il libéra sa gorge. Il inspira et expira lentement, avec conscience. C'était à chaque fois comme une célébration de son souffle retrouvé, et son corps jubilait, telle une plante assoiffée qu'on arrose. Peu à peu, le souvenir détestable de l'homme du bus s'estompait et la joie était de retour. Torkensen, pour une fois, avait fait merveille. Son idée d'envoyer Anne à Larena était simplement lumineuse. Quel décor parfait pour les retrouvailles de deux amoureux ! De deux amoureux ? Où est-ce qu'il avait pris ça ? Ils avaient juste dansé un rock, un an plus tôt, sur Terre. Qu'est-ce qu'il s'imaginait ?

Quand il vit dans la pâleur du paysage le point plus sombre que dessinait Anne loin devant lui, à l'extrême limite de ce que ses yeux pouvaient distinguer, il accéléra son allure. Il n'avait pas la moindre idée de ce qu'il comptait faire une fois qu'il l'aurait rejointe. Il pressentait seulement que le reste de sa vie se jouait là, d'une façon ou d'une autre. Il sut aussi qu'il acceptait ce jeu, ou plutôt ce combat, et qu'il y engagerait toutes ses forces. Le sable vola sous ses pieds.

Anne l'aperçut à son tour, se leva et marcha vers lui.

Quiconque aurait vu leurs deux silhouettes l'instant d'avant les aurait trouvées dérisoires dans cette immensité, mais, à présent qu'elles se dirigeaient l'une vers l'autre, animées par la même volonté de se rejoindre, elles prenaient soudain une force singulière, poignante.

Ils se tinrent d'abord face à face quelques secondes, immobiles et muets.

Elle le trouva moins beau que dans son souvenir. Ses cheveux plaqués sur le front avaient remplacé sa terrestre coiffure en pétard et sa tunique stricte lui allait beaucoup moins bien que la chemise ouverte d'alors.

Lui la trouva plus jolie que dans son souvenir. Elle avait quelque chose de moins enfantin que douze mois plus tôt, de plus émouvant.

– Bonjour, dit-il. Torkensen m'a dit que tu étais là, alors je…

Elle l'interrompit de sa main levée.

– Où est ma sœur ? Je suis venue pour elle. Pas pour toi.

– Je sais que tu n'es pas venue pour moi.

Elle jeta son sac par terre et s'agenouilla à côté, dans le sable. Il fit de même.

– J'ai des questions à te poser, dit-elle en le regardant droit dans les yeux. Tu vas y répondre ?

– Je ferai de mon mieux.

Elle inspira profondément, expira.

– D'abord, je veux savoir à qui je parle. Tu t'appelles Bran et tu es un hybride, c'est bien ça ?

– Oui. Mon nom d'ici est Ashelbi, et je suis un hybride. Mais tu peux continuer à m'appeler Bran.

– Bien.

Elle marqua un temps et reprit. Sa voix était dure et précise.

– Où est ma sœur ?

– Ta sœur est la… la compagne d'un haut dignitaire du gouvernement.

– Tu sais lequel ? Tu le connais ?

– Non.

– Tu as dit la compagne. Elle l'est de son plein gré ?

– Non, elle ne l'est pas de son plein gré. Elle est droguée.

– Alors ne dis pas «compagne». Dis «esclave» si tu veux, mais pas compagne. Quand et où l'as-tu vue pour la dernière fois ?

— À l'hôtel Légende. C'est un hôtel qui se trouve…

— Je sais. Quand était-ce ?

— Il y a un an. Le jour où nous sommes repassés ici, le lendemain du mariage.

— Où est-elle maintenant ?

— Chez cet homme.

— Où est-ce ?

— Quelque part à Lorfalen. Je n'en sais pas plus.

— Et Jens ? Enfin, je veux dire Kordemian, qu'est-il devenu ?

— Tu sais son nom d'ici ? s'étonna-t-il. Qui te l'a dit ?

— Laisse ça. Pour l'instant, c'est moi qui pose les questions.

Il vit qu'elle était déterminée et il poursuivit. Le regard d'Anne restait vissé sur lui. Le sien voyageait du sable au visage de la jeune fille, puis du visage au sable.

— Kordemian est un chasseur. Il a été envoyé sur Terre pour ramener une fille rousse. C'était son contrat. Ce genre de mission ne dure en principe que quelques jours. Mais il y a eu… comment dire… un imprévu.

— C'est-à-dire ?

— Eh bien, Kordemian s'est attaché à ta sœur. Il en est tombé amoureux, comme vous dites. Au lieu de rentrer avec elle, il est resté plusieurs mois là-bas. Il a tellement bien joué son rôle de

Terrien qu'il s'est piégé lui-même. Il a fini par y croire. C'était une folie, mais il est allé jusqu'au bout, jusqu'au mariage.

Elle accusa le coup. Mme Stormiwell avait interprété autrement le long séjour et les égards de Jens. La petite dame avait évoqué la «tendresse» des femmes qu'il fallait préserver. Cette nouvelle explication donnée par Bran, plus romantique que la première, lui sembla presque aussi abjecte avec son goût de trahison. Elle opina, écœurée.

– C'est ça. Il est tombé amoureux d'elle, il s'est marié avec elle et il l'a livrée à son maître. Quelle belle histoire! C'est d'un romantique! Je suis très émue.

– Il ne l'a pas livrée. On l'a convaincu de rentrer avec elle en lui promettant qu'il pourrait la garder.

– Et puis?

– Ils n'ont pas tenu leur promesse. Alors, il s'est rebellé et on l'a liquidé.

– Qui, on?

– Les exécuteurs.

– Comment l'ont-ils tué?

– Ils donnent des coups de poing sur le côté de la tête. Ils frappent jusqu'à ce que le cerveau cesse de fonctionner.

Elle se rappela l'homme qui avait défenestré Mme Stormiwell et le coup qu'il lui avait assené sur l'oreille. Elle en gardait un sifflement qui lui revenait parfois dans les moments de fatigue. L'idée que Jens ait été frappé à mort de cette façon la fit frémir. Elle repensa aussi à ce dîner pris au restaurant avec les deux fiancés, à Saint-Étienne. Jens lui avait fait tellement peur ce soir-là. Elle avait donc interprété de travers son étrange comportement. Sans doute était-il déjà à cet instant aux prises avec son dilemme : la perdre ou se perdre lui-même. Il connaissait le risque mortel qu'il prenait en gardant pour lui cette fille aux cheveux roux. Et il l'avait pris.

Ce fut comme si l'image qu'elle avait de cet homme commençait à glisser vers quelque chose de plus acceptable. Elle se raidit pour ne pas aller plus loin dans cette voie. Tant que Gabrielle serait captive, elle continuerait à les haïr, et il faudrait que Bran lui-même rende des comptes. Elle ne le lâcha pas des yeux.

— Et toi ? Quel a été ton rôle dans tout ça ?

— J'ai été appelé avec une dizaine de soldats. Des hybrides comme moi. Nous avons servi de partenaires à Kordemian, enfin à Jens, pour jouer la comédie du mariage jusqu'au bout et le ramener avec cette femme.

— Avec ma sœur, s'il te plaît. Ne dis pas «cette femme».

— Pardon. Avec ta sœur.

— Donc, tu savais ce que tu venais faire.

— Non. Je l'ai appris une fois sur Terre.

— Et qu'as-tu pensé quand tu l'as compris ?

Il plongea sa main dans le sable et fourragea dedans.

— Qu'as-tu pensé quand tu l'as compris ? répéta-t-elle.

Il baissa la tête.

— Je veux que tu le dises, Bran. Je veux l'entendre.

— Je n'ai rien pensé, dit-il. J'ai eu honte.

La lumière baissait déjà sur le désert, et le blanc du sable se mit à scintiller de minuscules fragments de poussière noire. Ils se turent pendant un instant. La température ne variait pas, mais Anne frissonna.

— Tu as froid ? demanda Bran.

— Non, dit-elle. Je n'ai pas froid. J'aimerais bien, mais ici on n'a jamais ni froid ni chaud, tu le sais mieux que moi. Tu as dû être surpris, sur Terre ?

— Pas vraiment. J'ai été formé pour ça. Nous sommes soumis à des séances de simulation climatique.

— Tu es donc un soldat ? reprit-elle.

— Oui.

— Qu'est-ce qu'on t'apprend ?

— On nous prépare aux missions terrestres.

— À capturer des femmes et à les ramener ? Tu es un apprenti chasseur ? Comme Kordemian ?

— Non. Il n'y a que deux ou trois chasseurs comme Kordemian. Moi, je ne ferai pas ça.

– Qu'est-ce que tu feras, alors ?

– Nos instructeurs nous forment à l'espion-nage militaire. Nous devrons rendre compte de vos progrès technologiques, en particulier dans le domaine du thermonucléaire. Nos dirigeants suivent ça de très près, mais aussi longtemps que vous êtes inoffensifs, vous n'avez rien à craindre de nous.

– Nous sommes inoffensifs ?

– Complètement. Sauf pour vous-mêmes, bien sûr…

Cette révélation l'interpella. « Nous sommes donc nos pires ennemis, se dit-elle. »

– Et pour ces missions, il faut que vous puis-siez vous faire passer pour de bons petits Ter-riens, c'est ça ?

– C'est ça.

– Eh bien bravo, c'est réussi ! Je m'y suis presque laissé prendre. Ça doit être un sacré travail, non ?

Le ton ironique qu'elle avait employé le blessa et, pour la première fois, il osa affronter le regard de la jeune fille.

– Oui, dit-il posément. Oui, c'est un sacré travail. J'y ai passé des milliers d'heures. Je suis enfermé depuis l'âge de huit ans dans une base militaire et j'apprends. On ne fait pas les choses à moitié, ici. Je ne suis allé qu'une seule fois sur Terre, et j'y suis resté moins de trois semaines, mais je connais la nomenclature de la moitié des arbres de ta planète, en latin bien sûr ; je sais que l'écrivain Guy de Maupassant est né en 1850 au château de Miromesnil ; je sais que les orvets sont appelés «serpents de verre» parce que leur queue se brise par autotomie ; je sais qu'aux États-Unis d'Amérique, pour laver les vitres des gratte-ciel, on embauche des Indiens parce qu'ils ignorent le vertige ; je sais que les enfants terriens de ton pays font avec leur fourchette un puits au milieu de leur purée pour qu'on mette le jus dedans ; je sais qu'Anastase III a été élu pape en l'an 911 de votre calendrier et qu'un match de handball dure deux fois trente minutes avec une prolongation de deux fois cinq minutes en cas d'égalité. Tu le savais, toi ?

Elle se tut.

– On ne m'a pas laissé le choix, est-ce que tu peux le comprendre ? continua-t-il, et sa voix s'emplit de colère et d'amertume. Ma mère est une Terrienne. Elle a été enlevée. On l'a envoyée mourir à Estrellas le jour même de ma naissance, j'imagine. Ils veulent des femmes dans leur lit, pas des mères. Je ne sais pas à quoi elle ressemblait, ni de quel endroit elle venait, je ne sais pas si elle a eu le temps de me nourrir une fois seulement avant qu'on la mette dans ce train de la mort. Je ne sais pas si j'ai bu son lait une seule fois. Mais je sais que je suis son enfant. Et, quand je vais sur Terre, je ne cherche pas à «passer pour un bon petit Terrien». J'en suis un. Pardonne-moi, je ne voulais pas te parler sur ce ton.

— C'est ma faute, dit-elle. Je t'ai provoqué.

Puis, après un temps :

— Tu peux aussi me poser des questions si tu veux. Je suppose que tu en as.

Désormais, ils étaient à égalité. Ils échangèrent un pauvre sourire.

— Oui, reprit-il. Je voudrais savoir qui était cet homme avec toi ?

Elle hésita sur la réponse à donner. Aucune ne lui semblait convenir. Un monsieur qui l'avait prise en auto-stop ? Un écrivain insomniaque qui écoutait France Culture la nuit pour se rendormir ? Un homme qui vivait seul depuis qu'il avait perdu sa Madeleine, trente ans plus tôt ? Le grand-père d'une camarade de classe ?

— Un type bien, dit-elle seulement. C'était un type bien. Il s'appelait Étienne Virgil. Je l'ai appelé à mon secours, il est venu et maintenant...

Sa gorge se serra.

— Oh, Bran ! Tous ceux qui m'aident sont jetés dans le vide. Ça me terrorise. On a l'impression que tout est calme et tranquille, que rien ne peut arriver, et puis ils surgissent et c'est d'une violence épouvantable. Je voudrais que tu m'aides, je n'ai pas d'autre allié que toi, mais ça me fait peur. Qu'est-ce que tu vas faire ?

– Ce que je vais faire ? Je ne sais pas. Depuis un an, je vis avec le regret d'avoir laissé ta sœur monter dans la voiture, au gîte. Ça me poursuit. Je n'ai pas l'intention d'être lâche une seconde fois. J'y pense souvent. Je repense souvent à deux choses de la Terre.

– Lesquelles ?

– À une branche de catalpa qui arrivait jusqu'à la fenêtre de ma chambre d'hôtel, à Montbrison. Elle se balançait dans le vent. J'entendais le bruissement des feuilles. En me penchant, je pouvais les toucher. C'est bête, non ?

– Non, ce n'est pas bête. Et la deuxième chose ?

– La deuxième, c'est toi.

– Je viens seulement après la branche ?

Elle se prit la tête dans les mains.

– Oh, bon Dieu ! Comme si c'était le moment de…

– Le moment de quoi ?

– Le moment de rien. Laisse tomber. Écoute, je ne te demande pas de risquer ta vie. J'ai déjà fait assez de dégâts. Tu pourrais peut-être seulement…

– Dis-moi…

– Tu pourrais essayer de te renseigner sur l'endroit où se trouve Gabrielle. Je ne sais pas ce que je ferai de ça ensuite, mais ce serait un début.

– Je peux essayer, mais tu dois savoir que c'est un secret d'état, et donc terriblement protégé.

L'existence de la Terre est connue d'une poignée d'initiés seulement : les hauts dignitaires du gouvernement, l'état-major de l'armée et nous, quelques dizaines d'hybrides répartis dans les différentes bases du pays. C'est tout. Divulguer ce secret à la population, c'est se condamner à mort.

– Mais qu'est-ce qu'il y a de dangereux à ça ?

Il secoua la tête.

– Tu ne te rends pas compte. Vue d'ici, la Terre est un endroit dégénéré, infecté, grouillant de virus, de maladies, une sorte d'enfer de saleté. Pardonne-moi, je ne la vois pas comme ça, moi, bien sûr, mais je suis un hybride et en plus un hybride très… terrien. En tout cas, la peur de la contamination créerait une panique épouvantable, ici. Et puis, il y a ce trafic de femmes… S'il était révélé, les membres du gouvernement qui y participent, c'est-à-dire presque tous, seraient lynchés et expédiés à Estrellas.

– Donc tu ne peux rien faire, c'est ça ?

– Si, je peux essayer d'obtenir des informations sur Gabrielle. Ça ne sera pas facile. Je ne sais pas comment m'y prendre. Je n'ai aucune piste.

– Je peux t'en donner une.

– Laquelle ?

– *Cheval…*

– Pardon ?

– *Cheval…* C'est un mot que ma sœur a

prononcé quand elle m'a appelée à son secours. C'était par la radio, je t'expliquerai. Ça crachait, c'était confus, mais j'ai entendu ce mot, «cheval», j'en suis sûre.

– C'est curieux. Il n'y a pas de chevaux ici. Il n'y a aucun animal. Elle n'a rien dit d'autre ?

– Non, je suppose qu'elle n'a pas eu le temps.

Cette fois, la nuit descendait lentement sur le désert, faisant virer au gris pâle le blanc du sable.

– Anne, je vais rentrer à la base, je suis obligé, sinon on va me rechercher. Je reviendrai te voir demain, après la journée de cours.

Elle tressaillit.

– Tu veux dire que tu vas me laisser ici ?

– Désolé. Je sais que pour une Terrienne, l'endroit peut paraître un peu sinistre, mais tu y seras en sécurité.

– Un peu sinistre ? Tu plaisantes. Il y a de quoi se pendre, oui !

– Si on a une corde, peut-être. Mais tu n'en as pas. Et si tu en avais une, où est-ce que tu l'accrocherais ? Tiens, je t'ai apporté de l'eau et de quoi manger.

– Bran, je vais devenir folle, toute seule ici. Tu as vu ça autour de nous ? Je préférerais quelque chose de moche que ce... ce rien ! Laisse-moi aller au terminus de Larena. Je me cacherai dans une des maisons abandonnées. J'aurai au moins des murs à regarder.

– Non. Tu leur as échappé de très peu tout à l'heure. Il faut éviter de te montrer. Reste ici. Je te promets de revenir. N'aie pas peur. Repose-toi.

Déjà il était debout et se mettait en marche.

– À demain, Bran. Ne m'abandonne pas.

– Je ne t'abandonnerai pas.

Anne le regarda s'éloigner jusqu'à ce que la nuit l'avale. Puis, comme elle se retrouvait seule dans le grand silence, elle creusa dans le sable une niche arrondie où loger son corps. Elle s'y allongea, son sac serré contre elle, puis elle alluma son iPod.

«*I walked across a fallen tree…*», chanta Keane.

Elle ferma les yeux.

«*Is this the place we used to love?*»

4
Leçon
de cuisine

Bran Ashelbi rejoignit la base quelques minutes seulement avant vingt heures.

– Tu me fais de ces frayeurs ! lui souffla Torkensen, bien soulagé de le voir arriver. Qu'est-ce que tu as fabriqué tout ce temps ?

Bran lui rapporta sa longue conversation avec Anne dans le désert de Larena. Il n'oublia rien, pas même le mystérieux *cheval*. Il hésita cependant avant de lui confier qu'il venait de prendre l'engagement d'aider la jeune fille. Mettre son ami dans le secret représentait un risque évident. Torkensen pouvait être presque stupide, parfois, ou tout au moins très maladroit. Il pouvait s'affoler, perdre son sang-froid, oublier des consignes et en inventer d'autres. Il l'avait encore prouvé lors de sa rencontre avec Anne, à l'hôtel Titan. Cela n'avait pas eu de conséquences trop fâcheuses, au contraire, mais c'était un pur coup de chance. D'un autre côté, Bran éprouvait le besoin de ne pas être seul dans son entreprise, et Torkensen, parmi tous ses défauts, possédait au plus haut degré deux qualités appréciables : le dévouement et la fidélité.

— Aïe aïe aïe ! fit-il après avoir bien écouté. Quand j'entends ça, j'ai tout de suite envie de me mettre en mode respiration.

— Pour quoi faire ?

— Ben, pour soupirer, tiens ! Si je comprends bien, cette fille repartira pas d'ici sans sa sœur, et toi tu vas l'aider jusqu'à ce qu'elle la retrouve, c'est ça ?

— Oui, c'est ça.

— Eh ben, tu es en train de te fourrer dans un drôle de pétrin, Ashelbi ! On dit bien comme ça sur Terre : « se fourrer dans un drôle de pétrin », non ?

Bran ne trouva pas le sommeil ce soir-là. Avoir laissé Anne seule dans le désert blanc lui donnait des remords. Cela représentait certes une sécurité pour elle, mais c'était une épreuve qu'il n'aurait pas aimé vivre lui-même. Quant à la façon dont il allait s'y prendre pour retrouver la trace de Gabrielle, il n'en avait aucune idée. Il n'était après tout qu'un soldat de base, un hybride qu'on utilisait comme un instrument pour ses aptitudes particulières. Il n'était rien, au fond. Il lui vint à l'idée qu'il n'avait même jamais vu le visage d'un seul de ces dirigeants pour lesquels il travaillait.

Il en était là de ses tristes réflexions quand la voix métallique de Torkensen lui parvint dans l'obscurité, depuis le lit voisin. Il l'accueillit avec gratitude. Elle le distrayait un peu de ses soucis.

— Ashelbi ?

— Oui.

— Tu dors pas ?

— À ton avis ?

— Oui, bien sûr, excuse. Voilà, je me disais… enfin, je veux dire… à propos de la fille et de sa sœur j'aurais bien une idée…

Quand Torkensen avait une idée, elle était rarement bonne, mais Bran l'encouragea :

— Vas-y.

— Eh ben, ce qu'il faudrait, c'est entrer dans les résidences des dirigeants, jusqu'à ce qu'on trouve la bonne, enfin celle où elle est enfermée…

— Oui, excellent, Torkensen. On frappe chez eux, on se présente, et on leur demande s'ils ont une Terrienne en captivité et un cheval. Imparable !

— Te moque pas ! Il y a bien un soldat qui y va, chez les dirigeants. Il en parle pas parce que c'est un secret, mais n'empêche qu'il y va.

Bran prêta soudain une oreille plus attentive. Il se redressa sur un coude.

— Qu'est-ce que tu racontes ?

— Oui, Bachelier… Il y va, Bachelier. Il fait sa tournée, une fois par semaine. Il apporte les plats.

– Les plats ?

– Oui. Ces trucs qu'on nous oblige à manger de temps en temps pour nous entraîner à l'alimentation terrestre, tu sais, le gratin dauphinois, l'omelette aux fines herbes, l'escalope à la crème... Heureusement qu'on a nos antinausées, pour supporter ça, hein ? Moi, c'est ce que je craindrais le plus si je partais en mission : la nourriture.

– Tu t'y feras, dit Bran.

Lui-même n'avait eu aucun mal à s'y adapter. Au contraire. Toutes les saveurs terrestres lui avaient plu. Il gardait en particulier un souvenir attendri de la râpée qu'on lui avait servie un soir à Montbrison avec une salade verte. Tandis que le nez de ses camarades s'allongeait au-dessus de leur assiette, il s'était régalé, lui, de cette galette de pommes de terre, dorée, moelleuse et parfumée que la cuisinière avait fait sauter dans la poêle.

Il savait qu'on rapportait de mission les produits indispensables à la cuisine terrestre afin d'accoutumer les hybrides, mais il ignorait que d'autres qu'eux les consommaient aussi.

– À qui apporte-t-il ces plats, Bachelier ?

– Ben, à certains dirigeants. Pour leurs femmes terriennes. Et peut-être qu'ils en mangent, eux aussi, j'en sais rien moi. Mais il y va, Bachelier, ça j'en suis sûr.

– Il te l'a dit ?

– Oui. Un jour que je l'ai défendu contre des gars qui le traitaient de lèche-cul. Je les ai empêchés de le battre. En remerciement, il m'a dit son secret. En me faisant promettre de ne pas le trahir…

Il y eut un silence dans le noir, le temps pour Torkensen de prendre conscience de sa contradiction. Décidément, l'alliance avec lui comportait des risques.

– Oui, je sais ! finit-il par avouer de lui-même, je sais que j'ai pas tenu ma promesse, mais si tu crois que c'est par légèreté, tu te trompes. J'y pense depuis qu'on a éteint la lumière ! Et si j'ai décidé de le faire, c'est pour t'aider, et parce que je vois pas d'autre solution.

– Tu veux dire qu'on mettrait Bachelier dans le coup ?

Cette idée était parfaitement inacceptable pour Bran. Il n'éprouvait aucune sympathie pour Bachelier. Et il ne faisait aucune confiance à ce garçon arriviste dont l'unique objectif était d'être le meilleur élève de la promotion, le plus exemplaire. Il ne serait jamais un chasseur comme Kordemian, pour cela il fallait le physique, mais il avait vocation à finir chef de mission, un chef autoritaire, impitoyable et sans fantaisie.

– Non, bien sûr que non ! lança Torkensen. Pas question de le mettre dans le coup. On pourrait simplement le remplacer.

– Ah, oui ? Et tu crois qu'il cédera sa place comme ça.

– Comme ça, non, mais on peut… enfin on pourrait se débrouiller pour qu'il soit pas en état d'y aller.

Bran ressentit un vague malaise.

– Qu'est-ce que tu veux dire ?

– Eh ben, demain on a justement cuisine. On va préparer un plat terrestre, je sais pas lequel, et on va le manger à midi. Et Bachelier va donc faire sa livraison en fin d'après-midi. Alors, je m'étais dit que… enfin j'avais pensé…

Plus Torkensen avançait dans l'exposé de son plan farfelu, et plus Bran, à sa grande stupéfaction, l'estimait réalisable.

– Qu'est-ce que tu en penses, Ashelbi ? demanda le grand hybride quand il eut achevé.

– J'en pense qu'on en reparlera demain matin, répondit-il. Merci en tout cas d'avoir réfléchi à tout ça. Bonne nuit, Torkensen.

– Bonne nuit, Ashelbi.

Juste avant de s'endormir, Bran entendit le bruit sourd que fit la tête de son ami en cognant la cloison. « Ils pourraient vraiment lui donner un lit plus grand », pensa-t-il.

Même si d'ordinaire il était difficile de lire quoi que ce fût sur le visage du lieutenant Geemader, un œil exercé y aurait détecté ce matin-là l'expression d'une évidente contrariété. L'instructeur principal n'aimait pas le cours qu'il allait devoir assurer pendant l'heure suivante. En deux mots : la cuisine terrienne le dégoûtait. Non pas son odeur puisque, ne possédant pas de respiration, il ne possédait pas d'odorat, mais plutôt son apparence, son goût, sa consistance et par-dessus tout l'idée de ce que c'était…

Il fit entrer les vingt élèves dans la cuisine et attendit, résigné, que chacun ait enfilé son tablier de travail. Pour patienter, il promena son regard sur les quatre fours électriques, le plan de travail rectangulaire installé au milieu de la pièce, les poêles, casseroles, torchons et autres ustensiles suspendus aux murs, bref sur tous ces objets terrestres indispensables à son enseignement. Il se tint cependant à distance du plus redoutable, celui qu'il détestait entre tous : le réfrigérateur. À cause de ce qu'il contenait, bien sûr.

– Messieurs, commença-t-il quand tous furent prêts, nous allons confectionner ce matin un plat que les Terriens affectionnent. Il s'agit de la *quiche lorraine*. Ceux qui parmi vous en ont besoin, peuvent dès maintenant absorber leurs comprimés antinausée.

Disant ces mots, il tira lui-même de la poche de son uniforme un tube métallique dont il engloutit la moitié du contenu, c'est-à-dire environ dix comprimés. Il lui faudrait bien ça pour supporter l'épreuve à venir. La plupart des hybrides en prirent un seul, quelques-uns deux, Bran, comme à son habitude, aucun, et Bachelier, le plus délicat de la promotion, en avala trois.

Geemader désigna quelques élèves pour disposer sur le plan de travail les ingrédients nécessaires.

— Apportez d'abord, je vous prie, une trentaine de ces choses blanches et ovales que vous trouverez tout en haut du réfrigérateur. Ce sont des *œufs*. Ils proviennent de… comment dire… ils sortent en réalité du… enfin, ce sont des animaux terrestres nommés *poules* qui les produisent, qu'importe la manière… On doit les casser en donnant un coup sec sur le bord du saladier. La coquille se fend et… Qui veut bien essayer ? Esteban, peut-être ?

On ne lui demandait pas de séparer le blanc du jaune, mais Esteban fit cependant une véritable bouillie des cinq premiers œufs avant de parvenir à en fendre un correctement. Au spectacle de la matière gluante qui coulait sur les doigts de son élève, le lieutenant Geemader avait mis sa main devant sa bouche et il plissait les yeux.

— Bien, reprit-il une fois que tous les œufs furent cassés et battus dans le saladier. Veuillez maintenant apporter ce qui se trouve sur la deuxième étagère du réfrigérateur.

Un élève alla chercher le plat désigné et le

déposa sur le plan de travail. Geemader recula d'un pas. Il avait légèrement pâli.

– Ces choses roses avec des bords un peu plus foncés sont des *petits lardons*. Ils ne sont pas produits par des animaux…

Chaque fois que le mot «animal» ou «animaux» passait les lèvres de Geemader, sa bouche se rétractait vivement et on imaginait ce qu'il devait penser à cette occasion : «Qu'est-ce qu'on m'oblige à dire, tout de même!» Il recula d'un pas encore, se retrouva dos au mur et, ne pouvant pas mettre davantage de distance entre les petits lardons et lui, il poursuivit :

– Non, ces choses ne proviennent pas des animaux, elles *sont* des animaux. Et pire, elles sont des morceaux d'animaux…

Pour aller jusqu'au bout de sa phrase, il dut contracter douloureusement son visage de tortue :

– des morceaux d'animaux… *morts*.

Après cela, il lui fut plus facile d'évoquer la pâte brisée, l'emmental et le poivre muscade, mais, tandis que les élèves tranchaient, battaient, râpaient, mélangeaient et mettaient au four, il se tint aussi loin que possible de l'action.

– Bien, conclut-il quand les quiches furent enfournées, vous pouvez raccrocher vos tabliers et sortir. Nous reviendrons dans vingt minutes pour vérifier qu'elles sont bien cuites, et si c'est le cas, vous les emporterez à la cantine pour…

La fin de son épreuve arrivait et il puisa dans ce qui lui restait de courage pour prononcer cette dernière horreur :

– pour les manger.

Torkensen attendait cet instant depuis le début du cours. Tout se jouait maintenant et il faudrait compter avec un peu de chance. Ashelbi avait accepté de le laisser agir, puisque après tout c'était son idée à lui.

Alors que tous se dirigeaient vers la sortie près de laquelle se tenait Geemader, il profita d'un instant d'inattention de ce dernier pour s'affaisser d'un bloc et s'accroupir derrière le plan de travail. Il attendit que la porte se referme et, une fois certain d'être seul, il se releva. Il n'avait peut-être pas bien suivi la confection de la quiche, mais il s'était concentré sur autre chose et, parmi tous les tabliers suspendus à leurs crochets, il n'eut aucun mal à repérer celui de Bachelier. Il passa sa grande main dans la poche droite. Elle était vide. Fébrile, il chercha dans la gauche et y trouva ce qu'il cherchait. Il restait cinq comprimés dans le tube, sans doute la dose que Bachelier projetait de prendre avant de manger sa part de quiche. Il le vida, le remit à sa place et alla entrebâiller la porte. Comme personne n'était en vue, il se glissa à l'extérieur et traversa la cour pour rejoindre les autres. La première phase de son plan était un succès. Ashelbi serait fier de lui.

Les quiches qui trônaient au milieu de la table étaient dorées, odorantes, bref réussies. Un Terrien s'en serait léché les babines, mais la plupart des hybrides étaient incapables d'en avaler une bouchée sans l'aide d'un ou plusieurs comprimés antinausée. Ils s'installèrent autour de la table et chacun évalua la dose adaptée à son dégoût personnel.

Torkensen et Ashelbi avaient manœuvré avec habileté et se retrouvèrent assis de part et d'autre de Bachelier. Celui-ci avait dévissé le bouchon du tube contenant ses comprimés et il faisait la tête de quelqu'un à qui un prestidigitateur vient de faire un tour de passe-passe. Il resta la bouche ouverte quelques secondes puis bredouilla :

– C'est drôle, il m'en restait…

Ses voisins ne bronchèrent pas et attendirent la suite. Bachelier n'était pas du genre à quémander. Être redevable de quelque chose lui déplaisait souverainement. Mais devoir manger sans ses comprimés un plat contenant de l'*animal mort*, comme l'avait bien précisé Geemader, voilà qui était au-dessus de ses forces. Très embarrassé, il se tourna vers Torkensen qui le dominait d'une quarantaine de centimètres.

– Excuse-moi. Tu n'aurais pas quelques antinausées ?

Je ne sais pas où sont passés les miens.

— Oh, ça tombe mal ! fit Torkensen, je viens de prendre le dernier que j'avais. Désolé.

Il se garda bien d'ajouter qu'il l'avait fait exprès. Bachelier jeta un coup d'œil sur sa gauche. Il savait très bien qu'Ashelbi n'en aurait pas, mais il était tellement désemparé qu'il demanda tout de même :

— Excuse-moi, Ashelbi, tu n'aurais pas un ou deux antinausées ? Il se trouve que j'ai…

— Désolé, l'interrompit Bran, je n'en prends jamais.

Et il éprouva un malin plaisir à ajouter qu'il adorait la quiche lorraine.

Bachelier aurait pu adresser sa requête à d'autres soldats plus éloignés, mais cela l'aurait obligé à élever la voix et il ne tenait pas à afficher sa situation de faiblesse. De plus, il avait peu de chances d'être exaucé puisqu'il refusait lui-même systématiquement de rendre service à qui que ce soit. Il aurait également pu demander à Geemader l'autorisation d'aller chercher quelques comprimés dans sa réserve, sauf que cela contrariait trop l'image d'élève modèle qu'il entretenait avec soin. Bref, il prit la seule décision qui lui restait : se passer de toute aide et tenter d'avaler dignement son repas.

Torkensen, qui avait prévu tout cela, n'en revenait pas de sa propre finesse psychologique.

La suite est une affaire de couleurs. Celles

qui défilèrent au fil des minutes sur le visage de Bachelier aux prises avec sa portion de quiche, pourtant la plus petite qu'il eût réussi à se faire servir. D'abord, le blanc pâle légèrement rosé par l'appréhension. Puis, le soudain rouge écarlate à la vue du premier morceau piqué au bout de sa fourchette. «*Un morceau d'animal mort* se répéta-t-il, je suis en train de manger *un morceau d'animal mort...*» Il le poussa entre ses lèvres, mâcha, déglutit. À la troisième bouchée, le sang se retira d'un coup de ses joues qui passèrent à un blanc terreux. Celui-ci s'ornementa d'une nuance boueuse à la quatrième. Le jaune fit ensuite son apparition et se maintint vaillamment jusqu'à la dernière bouchée où il céda la place au vainqueur final : le verdâtre.

– Ça va pas ? demanda Torkensen.

– Brhooorrf..., répondit Bachelier qui, d'ordinaire, articulait parfaitement tous les mots.

Il n'y avait pas de temps à perdre et Torkensen enchaîna sans hésiter :

– Si t'es malade, je peux te remplacer pour ta tournée, ce soir...

– Gruuulst..., répondit Bachelier.

«Gruuulst» ne signifie pas oui, mais Torkensen estima que le mouvement de paupières qu'avait esquissé le garçon en le prononçant valait pour un acquiescement.

– C'est d'accord. Je dirai à Geemader que je m'en charge à ta place.

– Rhooooohrg…, dit Bachelier, à la suite de quoi il se leva lentement, se dirigea vers la porte, l'ouvrit discrètement et quitta la cuisine sans même en avoir demandé l'autorisation.

5
Le petit soldat
émeraude

La capturée, assise dans sa chambre propre et blanche, observait la pilule vert émeraude nichée dans la paume de sa main droite et retardait le moment de la jeter dans sa bouche. Sur sa peau blanche de rousse, la perle délicate se détachait avec l'intensité d'un astre incandescent. Elle constituait le centre de sa main, le centre de sa personne et, au-delà, celui de la pièce tout entière.

La jeune femme comparait le médicament à un soldat. Un vaillant soldat fidèle et courageux, dévoué corps et âme. Sa confiance en lui était telle qu'elle pouvait se permettre un jeu dangereux : patienter, attendre le tout dernier instant, tenter le diable… Le diable, c'est-à-dire les monstres tapis dans les recoins de son cerveau. Elle les laissait se réveiller, prendre suffisamment de vigueur, s'approcher d'elle. Elle les guettait, le cœur battant, et, quand ils étaient

tout près, quand ils faisaient trop épouvanta-
blement peur, quand elle sentait l'angoisse gri-
gnoter son ventre, alors seulement, n'y tenant
plus, elle avalait le petit soldat.

Emporté par la gorgée d'eau, il roulait sur la
langue, descendait l'œsophage au grand galop
et atteignait l'estomac d'où il lançait son offen-
sive. Il fallait le voir entrer en action, se déchaî-
ner, guerroyer et mettre l'ennemi en déroute. Et
il fallait les voir, eux, les monstres, battre piteusement en retraite.

L'Homme apportait lui-même la pilule verte,
chaque jour à dix-sept heures, l'heure où les
monstres sortaient des ténèbres et commençaient à la cerner. Si elle dormait, il se conten-
tait de poser sur la table basse le verre d'eau
et la pilule verte dans une soucoupe. Avant de
partir, il passait sa main lisse dans la masse des
cheveux roux de la capturée, affectueusement,
un peu comme on fourrage dans le pelage d'un
chien aimé. Elle ne s'en offusquait pas. Du
moment qu'il apportait le médicament. Il revenait certains soirs pour dormir avec elle.

La capturée ne se rappelait plus très bien ce
jour où la perle verte avait roulé au sol, un mois
plus tôt, ni ce qui était arrivé après cet incident.

*Un faux mouvement. Peut-être a-t-elle attendu
trop longtemps. L'impatience fait trembler les
doigts qu'elle porte à sa bouche. Le petit soldat*

émeraude lui échappe, tombe au sol, rebondit deux fois sur le carrelage puis roule sous le lit. Elle s'allonge, tend le bras, tâche de le pincer entre deux doigts, mais ne fait que le repousser plus loin. Les monstres ont tout vu, tout compris. Ils marchent vers le cerveau privé de ses défenses. Elle ne peut pas discerner les traits de leur visage, et ils n'en sont que plus effrayants. Elle éprouve la panique d'un enfant seul dans une maison isolée, la nuit, qui entend venir ses assassins et qui court de porte en porte, de fenêtre en fenêtre, pour fermer, barricader.

Elle se relève et fait le tour du lit. Elle le pousse, ses forces sont décuplées. Le petit soldat est là. Elle se jette sur lui et, dans sa hâte, ô malheur, l'écrase de sa chaussure. La fragile coque verte éclate et une pincée de poudre blanche se répand. Elle s'agenouille, se penche. Il en reste quelques particules logées dans les joints du carrelage. Elle veut les lécher, mais son souffle affolé achève de les éparpiller. Il n'en reste plus rien. De rage, elle avale l'enveloppe verte. Elle pleure. Les monstres ne se pressent même plus. Ils sont entrés dans la maison. Elle entend leurs atroces pieds traînants qui suivent les couloirs. Ils la cherchent. Elle va bientôt voir leurs yeux. S'ils en ont.

Elle se précipite à la porte et tambourine.

– Au secours ! Aidez-moi ! Je n'ai pas eu mon médicament !

Elle appelle longtemps avant qu'un pas résonne. Le judas s'ouvre et la voix du garde retentit :

— Qu'est-ce que tu veux ?

— J'ai écrasé mon médicament. Donnez-m'en un autre !

— Je n'ai pas le droit, dit le garde. Je dois t'en donner un seul et tu l'as eu.

— Je vous dis que je l'ai écrasé !

— Je n'ai pas le droit.

Il ferme le judas et s'en va. Elle court se blottir dans son lit. Elle se recroqueville. Pendant plus de trois heures, elle reste ainsi, prostrée, tremblante. Le manque la travaille, mais elle ne bouge pas. « Si je ne bouge pas du tout jusqu'à demain soir, se dit-elle, jusqu'à l'heure de mon prochain médicament, il ne m'arrivera peut-être rien. » Elle se trompe. Il arrive quelque chose. Mais cela se passe autrement qu'elle l'aurait imaginé. C'est à la fois beaucoup plus doux et beaucoup plus terrible.

La première pensée monstrueuse qui lui vient est encore confuse, comme encombrée de scories, mais elle tient dans ces quelques mots : « Je pourrais être ailleurs qu'ici. »

Elle se les répète : « Je pourrais être ailleurs qu'ici. »

Qu'est-ce que cela veut dire ? Existe-t-il un ailleurs que cette chambre ? Existe-t-il quelque part autre chose que ce lit où elle dort nuit après nuit depuis... depuis combien de temps, d'ailleurs ?...

Des siècles? Existe-t-il autre chose que cette chaise où elle attend, le jour? Que le parc qu'elle voit par la fenêtre? Que ce gazon artificiel? Que cette petite statue qu'elle aperçoit tout juste en se collant contre la vitre, et qui représente... oui, on dirait un cheval...? Existe-t-il autre chose que ce ciel blanc? Que la porte? Que le judas? Existe-t-il d'autres personnes que les gardes qui se succèdent et dont elle ne connaît que la voix? Que l'Homme, dont elle ne connaît pas le nom mais dont elle connaît tout le reste? Autre chose que le petit soldat émeraude qui la protège?

La deuxième pensée monstrueuse est celle-ci: «Avant d'être dans cette chambre, j'étais autre part et j'avais... un nom.»

Qu'est-ce que c'est, avoir un nom? Et où étais-je, si je n'étais pas ici? Dieu que ces questions sont difficiles!

La troisième pensée monstrueuse est celle-ci: «Il n'y a pas de monstres. Les monstres sont des pensées.»

Oui, des pensées qui font horriblement mal. Qui torturent.

Les heures passent. Elle se terre au fond de son lit. La nuit est venue et, avec elle, du fond de sa mémoire, des formes enfouies, interdites. Si le petit soldat émeraude était là, il les combattrait, les repousserait, mais il reste absent, et les formes se précisent.

Un instant, elle est à deux doigts de retrouver

son nom. Cela la fait gémir. Je m'appelle... je m'appelle... ça se termine par «ielle», et mon autre nom, parce que j'ai deux noms, mon autre nom se termine par «i». Oui par «i» à cause de mon grand-père qui vient de... Mon grand-père... Que signifie ce mot que je viens de dire? Je deviens folle. Je fais des rêves fous.

Une heure passe encore. Cette fois, c'est la nuit noire. Recroquevillée sur elle-même, elle n'a pas bougé d'un millimètre. Elle est en attente de quelque chose, dont elle ne sait pas si c'est une fin ou un début. Une naissance ou une mort. Elle a mal partout et nulle part. Elle a peur d'elle-même et de ce qu'elle s'apprête à penser. Elle l'espère et le redoute. Et soudain cela vient. C'est le son d'une voix. Cette voix s'est frayé un chemin dans le chaos, s'est extirpée du magma. Ce sont trois syllabes qui sonnent clair :

– Mangiate !

Elles sont douces mais elles ont la puissance d'un ouragan.

– Mangiate !

Une brèche s'ouvre derrière elles, dans laquelle les images s'engouffrent. La première image, c'est le visage d'un vieil homme. Cela lui fait mal. Elle a l'intuition que regarder ce vieil homme de plus près va la foudroyer. Mais elle ne peut pas s'en empêcher, elle le voit. Il est petit, il a des cheveux blancs, deux larges mains calleuses. Il plisse les yeux et lui dit :

– Mangiate!

Ce qui veut dire : « Mangez ! » Au pluriel. Alors qui est la deuxième personne à laquelle il s'adresse ? Elle sait que penser à cette deuxième personne va la faire mourir. Elle ne veut ni la voir ni l'entendre. Elle appelle à son secours le petit soldat émeraude, qui ne répond pas. Elle presse ses poings sur ses yeux et sur ses oreilles pour échapper aux démons de ses souvenirs, mais cela ne sert à rien. La menace vient de l'intérieur. La deuxième voix est celle d'un enfant et elle prononce deux mots :

– *Gabrielle, viens…*

Puis c'est celle, plus mûre, d'une jeune fille et les deux mêmes mots :

– *Gabrielle, viens !*

À nouveau celle de l'enfant, plus jeune encore, qui sait à peine parler :

– *A-bielle, viens…*

Son cœur cogne si fort maintenant qu'elle redoute qu'il se fende. La voix change avec l'âge, mais c'est toujours la même personne qui dit les deux mêmes mots. Ces deux mots collés l'un à l'autre sont ceux qu'elle a le plus entendus de toute sa vie, des milliers de fois peut-être. Ils l'ont agacée, exaspérée, réconfortée, attendrie. Ils font partie d'elle autant que ses bras ou ses jambes. Gabrielle, viens…

Maintenant, elle est comme sortie d'un profond sommeil. Elle lutte encore pour que les visages et les voix restent dans les profondeurs de sa conscience et ne remontent pas pour la tourmenter. Mais pourquoi la tourmenteraient-ils puisqu'ils appartiennent à des personnes aimées ? La réponse l'épouvante. Car s'ils appartiennent à des personnes aimées, ces visages et ces voix appartiennent surtout à des personnes... comment dit-on déjà ? à des personnes PERDUES.

C'est comme un coup de bâton dans le ventre. Elle se casse en deux.

Anne... ma sœur... Où es-tu ?

Mon père... ma mère... pépé... où êtes-vous ?

Au moment où elle les retrouve, elle les perd. Les retrouvailles et le deuil se font en même temps.

Où suis-je ?

Le reste de la nuit se passe dans cette insupportable révélation : elle est pire que morte.

On l'a arrachée à sa vie sans lui donner en échange ce qui lui était dû : le repos de son âme. Elle se sent trop petite pour habiter autant de souffrance. Ses pleurs sont une longue plainte.

Le judas s'ouvre.

– Tais-toi ! ordonne la voix du garde.

Elle se tait.

Avec le petit jour, elle parvient à ordonner ses pensées et à les étoffer afin qu'elles cessent de n'être que pure souffrance. Elle les habille de chair. Oui, on l'a enlevée. Oui, elle s'appelle

Gabrielle Collodi. Se rappeler son nom la bouleverse. Ses tremblements s'apaisent. C'est comme
si elle était nue dans le froid et qu'on venait
de poser sur elle la chaude couverture de son
nom. Je m'appelle Gabrielle Collodi. Les larmes
coulent sur ses joues. Abondantes et salées. Si
l'Homme était là, il les lécherait. Et comment
s'appelait cet autre homme avec qui elle s'est...
comment dit-on ? mariée. Ça, elle ne le retrouve
pas. Trop difficile. Et il avait trop peu d'importance. Et puis il est mort, ça elle s'en souvient
maintenant. C'est l'Homme et ses hommes qui
l'ont tué. Pourquoi ? Ah oui, parce que Jens – il
s'appelait Jens, ça lui revient – ne voulait pas la
lui remettre comme prévu. Chaque souvenir en
entraîne cinq autres. Des souvenirs de l'autre
vie. Elle revoit le mariage maintenant. Le visage
ému de son père, celui rayonnant de sa mère, les
voitures. Elle entend les rires, les klaxons. Il lui
semble que c'était tout à l'heure, et que c'était il
y a mille ans...

On lui glisse son repas par la trappe qui se
trouve en bas de la porte. Elle n'a aucune faim.
Elle est écœurée. Les muscles de ses bras et de ses
cuisses se contractent en crampes douloureuses.
Le petit soldat émeraude lui manque terriblement. Cependant, elle va chercher son plateau et
s'oblige à manger. « Mangiate ! » Elle aura besoin
de forces. Pour quoi faire ? Elle ne le sait pas
encore.

À dix-sept heures précises, l'Homme entre dans la chambre. Dans l'état où elle se trouve, elle ne veut surtout pas avoir à lui parler, ni à le regarder. Elle fait semblant de dormir. Non pas cachée sous son drap, tête enfouie, mais au contraire allongée sur le dos, abandonnée. Elle s'y est préparée depuis une heure et maintenant elle est tellement dans son rôle de dormeuse que même l'Homme s'y trompe. Il évite de faire du bruit. Elle perçoit tout de même le tintement du verre sur la table basse, et celui de la soucoupe dans laquelle il dépose le petit soldat vert. L'Homme s'approche du lit. Elle le connaît si bien que, sans ouvrir les yeux, elle le voit. Il est grand, mince et lisse. Il a beaucoup de distinction avec ses cheveux gris peignés en arrière et sur lesquels il passe toujours sa main droite. «Ma mère l'adorerait», s'est-elle dit souvent. Il est brutal aussi, mais ça il ne le porte pas sur lui. Il faut l'avoir éprouvé. Elle l'a éprouvé quelques fois.

Il reste un moment à l'observer. Puis il place le dos de sa main à quelques millimètres de ses lèvres entrouvertes pour sentir la tiédeur du filet d'air qui s'en échappe. Elle se garde bien de respirer plus fort. Elle ne veut pas se trahir. Elle continue d'expirer avec douceur et régularité. Il se penche. Elle ne bronche pas. Il pose son autre main sur le haut de sa poitrine pour sentir la tendre poussée des poumons sous ses doigts. Elle s'en amuse presque. «Tu as beau t'être lassé un peu du reste de moi, pense-t-elle, tu restes fasciné par ça, hein? Par ma respiration. Tu en es soufflé, c'est le cas de le dire!» Elle s'inquiète soudain. Et s'il lui prenait de rester avec elle ce soir justement? Elle sait qu'elle ne le supporterait pas. Sans le secours du petit soldat émeraude, elle ne supporterait pas ce thorax plat, presque creux contre elle, ce corps sec, privé du mouvement qui est la vie même. Elle en ressent tout le dégoût. La morbidité.

Mais la main se détache d'elle, et les pas s'éloignent. La porte s'ouvre et se referme. L'Homme s'en est allé. Elle l'a possédé. Elle ouvre les yeux, presque étonnée de sa facile victoire. Mais il reste une autre bataille à livrer, et qu'elle n'est pas sûre de gagner, celle-là. Le plus tôt sera le mieux.

La perle incandescente, posée dans la soucoupe, l'attire comme un aimant. Elle descend du lit, s'avance lentement vers elle et la prend dans ses doigts. Elle connaît l'enjeu.

Si elle l'avale, la souffrance qui tord ses membres s'évanouira en quelques minutes. Ce simple geste comblera le manque insupportable des siens, retrouvés et aussitôt reperdus. La perle semble le savoir aussi. Elle lui fait un charme éhonté avec ses reflets verts : «Prends-moi et tu replongeras dans cette grande mer tiède d'où tu n'aurais pas dû sortir, prends-moi et tu goûteras à nouveau la grande paix.»

« Oui, mais, si je t'avale, répond-elle à la perle, j'avale en même temps l'unique chance que je possède sur un milliard de chances de retrouver les miens, au-delà de ma souffrance. »

Elle s'oblige à ne plus réfléchir. Quelque chose la pousse, qui est plus fort qu'elle-même. Elle serre la perle émeraude dans son poing. Elle cherche autour d'elle où la dissimuler, où la jeter, mais la fenêtre est condamnée, et la pièce si propre et si vide qu'il est impossible d'y cacher quoi que ce soit, même un petit objet. Dans ses vêtements ? Dans son lit ? Non. Si elle la garde, elle l'avalera tôt ou tard. Elle ne pourra pas lutter contre la tentation. Alors, elle patiente encore une minute afin d'être certaine que l'Homme est loin, puis elle va à la porte et crie par le judas :

– Toilettes !

Le garde est là en quelques secondes. Il ouvre et s'en va. Il n'a pas le droit de la regarder. Elle est réservée à l'Homme. Elle suit le couloir, se rend aux toilettes et y jette le petit soldat que le tourbillon de l'eau emporte. À peine a-t-elle fait cela qu'elle se maudit. Elle vient de se condamner à la souffrance pour vingt-quatre heures de plus. Et elle ignore ce qu'elle espère en contrepartie. S'enfuir ? Elle n'en a pas la force. Elle était dans deux prisons : l'une chimique et l'autre de murs. Elle a entrouvert les portes de la première. Reste la seconde.

De retour dans sa chambre, elle s'assied sur sa

chaise et y reste immobile. Sur l'écran de ses yeux grands ouverts passent en désordre les images de l'autre monde. Les siens y apparaissent tour à tour, dans les situations les plus quotidiennes. Sa mère a les mains sur les hanches, elle regarde une salade de tomates et dit : « C'est un peu juste pour quatre, non ? » Son père soulève une valise et dit : « J'y crois pas. Ça pèse un âne mort. Qu'est-ce que tu as mis là-dedans ? » Sa sœur recule d'un pas au ding-ding du tramway dans la Grand-Rue de Saint-Étienne et dit simplement : « Hop là ! » Leur naturel, leurs voix creusent en elle un gouffre de manque et de douleur.

À midi, on lui glisse son repas. Elle mange et boit. À quatorze heures, elle appelle :

— Toilettes !

Cette fois, elle ne revient pas directement dans sa chambre. Au bout du couloir il y a une porte blanche, à gauche. Tout est blanc de toute façon. L'Homme lui a dit un jour :

— Tu peux aller à ta guise dans toutes ces pièces. Mais pas dans celle-ci.

Il l'a répété :

— Ne va pas dans celle-ci. Tu n'as rien à y faire.

Elle y va. C'est une pièce blanche et vide, comme les autres, mais il y a un bureau contre le mur, et un ordinateur dessus. Pas de clavier. Aucun bouton. Juste l'écran.

Elle le touche du doigt. « Stock. Route. » Fil. Elle n'y comprend rien. Non ci capisco niente.

Elle tapote au hasard. L'ordinateur lui dit qu'elle fait des erreurs. «Oui, se dit-elle, je fais des erreurs... J'en ai fait une terrible, elle s'appelle Jens, et ma sœur me l'avait dit...» Au bout de vingt erreurs, elle va tourner le dos quand l'écran affiche : «Cosmo a détecté une anomalie dans les ondes que vous émettez. Cosmo vous recommande le mode TR. Désirez-vous poursuivre?» Elle poursuit. Qu'est-ce que le mode TR? L'écran se sature de traits qui partent en folie, se coursent, se rattrapent, se griffent entre eux. «Liaison TR (instable) établie. Vous êtes la première personne.» Elle pressent un événement, la chance sur un milliard. Elle croit entendre des pas dans le couloir, mais non, il n'y a personne. «Entrer longueur d'onde», demande Cosmo. La longueur d'onde de quoi? Elle n'en connaît aucune. Elle n'a aucune mémoire des chiffres. Dans son désarroi, elle s'apprête à taper n'importe quel chiffre au hasard, mais sa mémoire lui envoie un miracle, un cadeau des dieux : «Vous êtes sur NRJ 102.8.» Elle entre cette longueur d'onde. Ça cherche, ça crachote, ça semble aller fouiller dans des lointains cosmiques et, soudain, elle entend la musique. C'est si familier. Ça la chavire. Elle gémit. Encore une fois ce sentiment double de retour et de perte. «Parlez!» ordonne Cosmo. Le microphone incorporé en haut de l'écran clignote et l'appelle : «parlez!» Alors elle avance sa bouche vers lui et souffle :

*– Anne… Anne… c'est moi… c'est Gabrielle…
viens… Campagne… route de Montbrison…*

« *Liaison TR très instable !* » *dit Cosmo.*

On vient dans le couloir.

– Au secours ! dit Gabrielle.

Et elle le répète deux fois :

*– Au secours ! Au secours ! Je suis dans le parc…
le parc avec un cheval… un cheval…*

« *Liaison TR rompue !* » *dit Cosmo.*

*Ensuite, tout s'enchaîne à grande vitesse. Le
garde entre dans la pièce au pas de charge. Il est
grand, athlétique, chauve. Son front proéminent
est borné.*

– Qu'est-ce que tu fais là ?

*Il la saisit par le bras et l'arrache à l'appareil.
Sa poigne est un étau. Il regarde l'écran, il y voit
des signes inconnus de lui et ces mots : «* Liaison
TR rompue !* » Il est idiot mais pas suffisamment
pour ne pas comprendre. Il l'entraîne dans le
couloir, la tenant à distance de lui, au bout de
son long bras, comme si elle le dégoûtait. Il la
jette dans sa chambre et l'insulte avant de refermer la porte :*

– Retourne dans ta loge, truie !

Elle reconnaît le rêve d'Anne. « Oh, ma petite
sœur, pourquoi est-ce que je ne t'ai pas écoutée ? * »*

*À dix-sept heures précises, l'Homme et le garde
entrent dans la chambre. L'Homme a l'air très
contrarié. Il ne la regarde pas dans les yeux, il ne
lui adresse pas un mot. Les deux l'immobilisent et*

lui font avaler de force une perle émeraude, une deuxième, une troisième. Et ils l'abandonnent là. Elle essaie de se faire vomir et n'y arrive pas. Déjà son cerveau s'embrume. Déjà elle se sent mieux. Ses pensées s'alourdissent. Elle a l'impression de glisser dans l'eau tiède d'une mer.

La capturée, assise dans sa chambre propre et blanche, observait la pilule vert émeraude nichée dans la paume de sa main droite et retardait le moment de la jeter dans sa bouche. Elle attendit une minute encore, puis elle souleva le verre d'eau. Il ne s'agissait pas de provoquer les monstres plus que de raison. Elle avait le souvenir confus de s'être laissé prendre une fois. Elle ne se rappelait pas les conséquences de cet accident, mais elle en gardait la terreur sourde et le souvenir d'une grande douleur. Pas question de revivre ce cauchemar.

— Pardonne-moi de t'avoir trompée, dit-elle à la perle émeraude, je ne le ferai plus jamais, je te le promets. C'est toi que j'aime.

Et elle l'avala.

6
*Les cloches
de Torkensen*

Le lieutenant Geemader n'avait pas la compétence pour remplacer Bachelier par un autre
soldat. Il en référa donc à un officier supérieur
qui, après avoir vérifié que Torkensen n'avait
jamais reçu de blâme, l'autorisa à effectuer la
fameuse tournée hebdomadaire.

On l'équipa d'abord du micro-navigateur vocal
qui lui permettrait de ne pas se perdre. Puis on
lui indiqua le chiffre de passe, modifié chaque
jour, qui lui permettrait de s'identifier comme
livreur dans chaque résidence. On lui demanda
de ne l'inscrire nulle part ailleurs que dans sa
tête : cent quatre-vingt-dix-sept. Facile à mémo-
riser puisque c'était tout juste un centimètre de
moins que sa taille. On lui remit pour finir une
petite cantine métallique dans laquelle se trouvait la livraison. Car, si les scientifiques d'ici
parvenaient depuis longtemps à défragmenter
les aliments conçus dans leurs fabriques

alimentaires afin de les reconstituer ailleurs, ils avaient dû se rendre à l'évidence : les plats terrestres, en particulier la quiche lorraine et le boudin aux pommes, étaient absolument réfractaires à la téléportation.

C'est ainsi que le grand Torkensen, flanqué de la précieuse cantine, se retrouva assis dans le bus aérien quittant la base militaire.

– Pense «cheval» et ouvre l'œil ! lui avait recommandé Ashelbi. Mais ne fais pas de zèle ! Si tu ne vois rien, n'insiste pas. Ne va pas te faire remarquer. Tant pis si tu reviens bredouille !

Bran aurait bien sûr préféré se charger lui-même de la tournée, mais il avait promis à Anne de revenir la voir dans le désert blanc de Larena, et puis il n'était pas censé être au courant du secret de Bachelier.

Torkensen lorgna non sans fierté la cantine métallique posée sur le siège, à côté de lui. Elle était munie d'une sangle permettant de la porter à l'épaule. Il se rappela les films terriens qu'on leur avait projetés à la base et dans lesquels le héros transportait au péril de sa vie des microfilms ou des documents ultra-confidentiels. «Mes quiches lorraines valent bien autant, estima-t-il, je suis une sorte de héros finalement.»

Au flash du poste de contrôle, il vérifia qu'il était bien en mode apnée et ajusta son micro-navigateur à son oreille droite.

— Vous descendrez à la prochaine station, lui indiqua sur une seule note une voix reconstituée.

Il lui sembla que quelqu'un était installé dans sa tête.

— Descendez, rappela-t-elle quand il y arriva.

Il sauta à terre. La ville commençait là avec ses premières habitations blanches alignées comme des morceaux de sucre le long de la voie aérienne, mais ce n'est pas là qu'on l'envoyait. Les dirigeants résidaient certainement ailleurs, à l'écart de la population, dans un endroit secret dont seuls quelques initiés avaient la connaissance. Et lui, Torkensen, ferait désormais partie de cette élite, n'en déplaise aux mauvaises langues. Il ne put s'empêcher de sourire en pensant à la tête que feraient certains s'ils savaient. Mais le navigateur le ramena vite à plus de modestie :

— Vous avez oublié votre cantine.

— Oh, mince ! jura-t-il. Mes quiches lorraines !

Par chance, le bus ne s'était pas encore élevé pour poursuivre sa route. Il fonça et parvint *in extremis* à reprendre son bien. «Il faut que je me concentre», se dit-il, mais il avait déjà perdu un peu de sa belle assurance.

— Marchez vers la mobile, reprit le navigateur, et installez-vous à bord.

Comme il n'y en avait qu'une seule, il monta sans crainte de se tromper. Il se faisait l'effet d'une marionnette, d'une grande marionnette manipulée de l'intérieur. À peine était-il assis que le véhicule décolla du sol et fila vers l'est. Cette fois, Torkensen cala la cantine entre ses genoux et mit ses deux mains dessus.

– Toi, je ne te lâche plus, grogna-t-il.

Pendant un quart d'heure environ, la mobile traça tout droit au-dessus du désert blanc. L'après-midi allait vers sa fin. Un voile masquait l'horizon, confondant le ciel et le sable. Le navigateur se taisait. Torkensen tapota sur le récepteur fiché dans son oreille droite. Il y a quelqu'un ? Il n'y avait personne. Il aurait bien aimé qu'on lui parle. Être transporté l'endormait toujours comme un bébé, mais là, il n'était pas question de se laisser aller. Quand on est en mission, on reste vigilant, aux aguets, prêt à réagir au moindre danger.

– Vous êtes arrivé, dit le navigateur. Descendez.

Torkensen se réveilla en sursaut. La mobile était arrêtée et posée au sol devant une résidence protégée par un mur d'enceinte. « Il faut que je me concentre », se répéta-t-il.

– Votre tournée continue à pied, récita le navigateur. N'oubliez pas votre cantine et présentez-vous au portail.

Le portail était un imposant panneau de métal gris.

Torkensen s'avança vers le pilier gauche.

— Baissez-vous! ordonna une inquiétante voix caverneuse sortie du mur.

Un frisson le parcourut. «Je crois que je me suis *fourré dans un drôle de pétrin*», pensa-t-il et il fléchit ses genoux.

— Un peu plus! insista la voix d'outre-tombe.

Il descendit encore sur ses jambes et plaça son visage en face de la caméra intégrée au mur.

— Que voulez-vous?

— J'apporte les… enfin la nourriture que…

— Chiffre de passe?

— Euh…, fit Torkensen et son cœur se mit à cogner fort dans sa poitrine.

Est-ce que c'était un centimètre de *plus* ou de *moins* que sa taille, déjà?

— Chiffre de passe? répéta l'homme. Il vous reste cinq secondes.

— Cent quatre-vingt-dix-sept? bredouilla piteusement Torkensen, et cela ressemblait davantage à une suggestion qu'à une réponse.

Un portillon qu'il n'avait pas repéré coulissa devant lui. Il se glissa dans l'ouverture et se retrouva face à un parc planté d'une dizaine de faux arbres. Quelques réverbères jetaient une lumière glauque sur le vert pâle de la pelouse synthétique. À défaut d'indication, il s'engagea dans l'allée rectiligne qui menait à la résidence. C'était un bâtiment massif fait de marbre et de verre. La partie centrale était basse, et les deux ailes comportaient chacune un étage.

Torkensen ne put s'empêcher de trouver l'ensemble glacial. Il monta les marches de l'escalier et traversa le perron. La porte de verre opaque s'ouvrit sur un homme vêtu de noir et tenant un plateau à deux mains. Sa mine sévère n'encouragea pas Torkensen à engager la conversation. Il posa sa cantine au sol, y prit une portion de quiche pliée dans son film protecteur et la posa sur le plateau. L'homme ne réagit pas. Il le regardait méchamment de bas en haut et semblait attendre quelque chose, mais quoi ?

— C'est de la quiche lorraine…, dit Torkensen, à tout hasard.

L'homme lui adressa un regard méprisant et ne bougea pas d'un centimètre.

— Bien…, dit Torkensen qui commençait à se sentir très mal, et il entreprit de refermer sa cantine pour s'en aller.

C'est alors que la voix caverneuse de l'homme lâcha un lugubre :

— C'est tout ?

Torkensen se troubla. Est-ce qu'on ne lui avait pas tout dit ? Y avait-il un code, un rituel particulier qu'il ignorait et à cause duquel il allait se trahir ?

— Oui… enfin euh… je je…, bégaya-t-il.

— Qu'est-ce qu'on dit ? demanda l'homme avec une lenteur sinistre.

— On dit… je ne sais pas…, bafouilla Torkensen, proche de la terreur.

– On dit «bon appétit»! fit l'homme.

Sa face grossière se fendit d'un sourire qui ressemblait à une grimace et il se mit à cliqueter bruyamment :

– Hick! hick! hick!

Torkensen se força à cliqueter aussi, mais il n'avait plus qu'une envie : s'éclipser au plus vite. Il traversa le parc dans l'autre sens. Le portillon s'ouvrit pour le laisser passer et il fut presque soulagé d'entendre la voix pourtant si peu chaleureuse de son navigateur :

– Prenez à droite. Suivez le mur d'enceinte jusqu'au croisement, puis…

«Bon, se dit Torkensen tout en suivant les consignes, jusque-là je m'en tire plutôt bien, Ashelbi serait fier de moi.» Puis, il se rappela soudain qu'il n'était pas venu ici dans le seul but de livrer des quiches lorraines. Il y avait autre chose. Ah, oui, ça lui revenait : la sœur de la Terrienne… Il devait ouvrir l'œil et penser «cheval». Sous le coup de l'émotion, il n'avait fait ni l'un ni l'autre, mais il se rattraperait pour la suite, c'était juré!

La deuxième résidence ressemblait tellement à la première qu'il eut peur un instant d'y être retourné. Mais le garde n'était pas le même. Quant aux suivantes, séparées les unes des autres par quelques centaines de mètres, elles se révélèrent toutes identiques. Et c'était chaque fois le même rituel : portail, chiffre de passe, parc, escalier, perron, quiche ! Seuls changeaient les gardes et le nombre de portions à laisser, tantôt une, tantôt deux.

Torkensen se laissa guider ainsi de résidence en résidence par son navigateur. Il ouvrit bien l'œil, mais à quoi bon ouvrir l'œil quand il n'y a rien à voir ? Impossible non plus d'entrer dans les habitations ni même de jeter un coup d'œil à l'intérieur. Ashelbi allait être drôlement déçu. À moins que…

Il ne lui restait plus qu'une seule quiche dans sa cantine quand il parvint à la dernière adresse. La résidence ne différait en rien des autres. Le garde, un grand homme chauve aux épaules de déménageur, le dévisagea d'un air suspicieux.

— Et l'autre livreur ?

— Il est malade. Je le remplace, dit Torkensen.

Le garde prit la part de quiche et le congédia sans commentaire. Bon. Il n'avait plus qu'à regagner sa mobile et rentrer à la base pour faire son rapport à Ashelbi. Il n'y aurait pas de quoi pavoiser. Autant le dire, son entreprise était un échec. L'idée était bonne, bien sûr, mais elle n'avait rien donné et puis voilà.

C'est en marchant dans l'allée en direction du portail qu'il la vit.

La statue.

Oui, là-bas, sous les fenêtres de l'aile droite du bâtiment, perchée sur une colonne cylindrique, à peine visible dans la pénombre, une petite statue comme en ont les Terriens.

Torkensen s'immobilisa. Et si la statue…

– Qu'est-ce que tu fais ? demanda le chauve, qui n'avait pas quitté le perron.

– Rien…, bredouilla Torkensen. Je… je m'en vais…

Il eut beau se crever les yeux pendant tout le reste de sa traversée, il ne réussit pas à en voir plus. Tandis qu'il franchissait le portillon, son cœur battait la chamade. Et si cette statue représentait… Plus il se le disait et plus il en était convaincu.

– Votre tournée est finie. Montez dans la mobile, ordonna la voix déprimante du navigateur.

– Non, mon bonhomme, répondit Torkensen. Si tu le permets, je dois encore vérifier quelque chose.

Il hésita. « Ne prends pas de risque, avait recommandé Ashelbi. Tant pis si tu reviens bredouille… » Est-ce que suivre le mur d'enceinte de la résidence d'un haut dirigeant du gouvernement, l'escalader, sauter de l'autre côté, ramper sur la pelouse synthétique et aller voir de plus près une petite statue, c'était prendre un risque ? Euh… oui, bien sûr, c'en était un. Mais bon sang de bon sang, si jamais elle représentait… La curiosité le taraudait. Et la perspective de faire un rapport triomphal à Ashelbi le remplissait par avance d'exaltation.

– Votre tournée est finie, radota le naviga-teur. Montez dans la…

– La ferme! le coupa Torkensen.

Il ôta l'écouteur de son oreille, le jeta sur le siège de la mobile et s'éloigna. Il marcha lente-ment le long du mur d'enceinte, le cerveau bouillonnant. Ce mur n'était pas si haut, et lui était grand… Le parc n'était pas éclairé… Oui, mais s'il était pris quand même? «Qu'est-ce que tu fais encore là? demanderait le garde. – Eh bien, c'est que… j'ai fait tomber mon navi-gateur, je viens le rechercher. – Pourquoi tu n'as pas sonné? – Eh bien parce que… parce que je n'ai pas voulu déranger, voilà, je n'aime pas déranger! – Fiche le camp! – Oui, bien sûr, je m'en vais…»

Qu'est-ce qu'il risquait de plus, hein, fran-chement? Rien du tout!

Se faisant ainsi à lui-même les questions et les réponses, il se retrouva à l'arrière de la pro-priété. Sa décision était prise. Il recula de cinq pas, s'élança, bondit, s'agrippa et se hissa à la force des bras. La résidence était dans l'obscu-rité, maintenant, et baignée de silence. Mais il ne s'agissait pas de poireauter sur ce mur. Il se laissa glisser de l'autre côté, se tordit la cheville à la réception et continua à quatre pattes sur la pelouse synthétique. Déjà il voyait la petite statue, là-bas, à l'angle de l'aile droite du bâti-ment. Il accéléra sa progression de grand insecte malhabile. «Oh, Ashelbi, si tu me voyais, tu serais fier de moi! Ah, non, tu serais furieux? Bon, tant pis. De toute façon, il est trop tard pour revenir en arrière.»

Il n'eut pas à ramper jusqu'à la statue pour voir ce qu'elle représentait. À trois mètres d'elle, il le vit très bien. Elle se détachait sur le ciel pâle, dans tous ses contours, nette et précise.

Le petit cheval de bronze, cabré sur ses postérieurs, la crinière en désordre, semblait en colère. On aurait dit qu'il voulait s'arracher de son socle, s'envoler vers le ciel et… rentrer chez lui.

Le garde suivit le couloir en tenant le plateau à bout de bras, aussi loin que possible de lui. C'était un homme brutal. Son os frontal s'avançait en saillie au-dessus d'une sombre caverne au fond de laquelle brillaient deux yeux enfoncés, noirs et fixes. On ne pouvait pas être plus «garde» que ce garde-là. Tout son être était conçu pour la surveillance : sa haute taille, son œil d'aigle, ses oreilles dégagées par la calvitie.

Il grimaça. La simple vue de la portion de quiche lorraine, même enveloppée dans son film, lui donnait la nausée. Il n'avait pas été formé pour effectuer ces tâches dégoûtantes.

Il s'accroupit, ouvrit la trappe aménagée au bas de la porte, poussa le plateau à l'intérieur. Il écouta, mais aucun bruit ne lui parvint. La

Terrienne devait dormir. Elle passait son temps à ça. Ou bien à regarder le parc, assise sur sa chaise. Il la voyait de loin, parfois, à travers les rideaux de tulle, quand il allait au portail.

On l'avait affecté à cette résidence un an plus tôt, en précisant que c'était un poste à responsabilité, qu'il était un garde d'élite, qu'il devait sa nomination à cette excellence, que son nouveau maître était un homme important. Pendant le premier mois, il s'était étonné que cet homme important vive seul dans cette grande maison, sans compatible. Les seules visites étaient celles d'autres dirigeants, des gens de pouvoir, mais tous se comportaient comme des inférieurs en sa présence. Tous s'inclinaient en prenant congé. Lui ne s'inclinait devant personne. Au contraire il se tenait très droit. Il parlait toujours en passant sa longue main sur ses cheveux lissés en arrière.

Le garde referma la trappe, heureux d'en avoir fini. Une fois par semaine, il devait apporter à la Terrienne ces horreurs dont elle se régalait. Elle les engloutissait goulûment, comme… une truie, oui, comme une truie ! C'était le mot pour désigner les Terriennes, mais ceux qui l'employaient ignoraient un détail d'importance : ces créatures-là n'existaient pas seulement dans les fables, elles existaient *vraiment*, avec leur dégoûtante respiration, leur poitrine gonflée d'air, leurs seins, leur sueur… Il le savait bien, lui, qu'elles existaient, puisqu'il en avait une, là, juste de l'autre côté de la cloison. En prêtant l'oreille, il l'aurait presque entendue respirer.

Quand elle était arrivée, on l'avait consignée dans cette chambre, au premier étage de l'aile droite de la résidence, et elle n'en était plus jamais sortie. Seul le maître y avait accès. Le garde avait reçu l'ordre de se taire sur cette présence. Il ne devait l'évoquer nulle part, jamais, et devant personne. Ce serait une faute majeure, lui avait-on dit.

Il s'était longtemps demandé ce que son maître pouvait trouver à ce genre de créature. Jusqu'au jour où il l'avait surprise devant l'ordinateur. Cela remontait à un mois environ. Elle n'avait rien à faire là. Il n'avait pas le droit de la toucher, mais il avait bien fallu qu'il la ramène dans sa chambre. Elle était en chemise de nuit. Il l'avait tenue par le bras, loin de lui, comme la quiche. Il avait surtout peur d'être atteint par son souffle et d'en être infecté. La peau de la Terrienne était moite et de l'eau coulait de ses yeux. Il l'avait jetée par terre et insultée avec le mot qui convient, mais en même temps il avait ressenti de l'attirance pour elle.

Il avait rapporté l'incident le soir même au maître et il l'avait aidé à la tenir pour qu'elle avale ses médicaments. Là encore, il l'avait approchée, touchée, et il avait ressenti le même trouble.

Depuis, il évitait de la revoir et même, autant que possible, de penser à elle.

De retour dans sa loge, il consulta par réflexe les écrans de contrôle et vit un voyant rouge qui clignotait. Une caméra venait de détecter un mouvement à l'arrière du mur d'enceinte. Il s'assit pour regarder plus à l'aise.

S'il avait eu le moindre sens de l'humour, il aurait sans doute ri en voyant le grand livreur de quiches grimper à califourchon sur le mur, se tordre une cheville en sautant et gambader à quatre pattes sur la pelouse. Seulement il en était totalement dépourvu et il suivit avec sérieux l'étrange manège de Torkensen. Il le vit atteindre la statue, la contempler puis diriger son regard vers la fenêtre éclairée de la Terrienne. Tiens tiens. Cela ne l'étonna qu'à moitié. Son instinct de garde l'avait alerté dès la première seconde : ce garçon-là n'était pas un livreur ordinaire.

Il retarda son intervention au maximum. Autant en savoir le plus possible sur les intentions de l'intrus. Mais, quand celui-ci reprit sa marche de quadrupède en direction du mur, il pressa un bouton qui déclencha d'un coup toutes les lumières du parc.

Torkensen, pris comme un lapin dans les phares d'une voiture, se redressa. Il était inutile de se cacher, désormais. Il fonça vers le mur, bondit, s'agrippa et tâcha de se hisser. Quand il sentit la poigne du garde se refermer sur sa cheville, il sut qu'il avait fait une grosse bêtise.

Le garde le tira vers le bas, le fit tomber, puis le traîna derrière lui comme on traînerait par une patte la dépouille d'un gibier, sauf que Torkensen était vivant et qu'il se débattait de toutes ses forces. Le garde n'en tint pas compte. Sa force physique était impressionnante. Il le tira de la même façon brutale dans l'escalier de marbre. Les coudes, les genoux, le crâne de Torkensen heurtèrent toutes les marches. Une fois dans la maison, le garde le jeta au sol dans une petite pièce vide qu'il ferma à clé.

Il ne lui avait toujours pas adressé un seul mot.

Torkensen, meurtri de la tête aux pieds, resta un moment sans oser bouger, persuadé que son corps se disloquerait au premier mouvement, les membres d'un côté, le tronc de l'autre, la tête roulant un peu plus loin. Son poignet droit était tellement contusionné qu'il n'en avait plus l'usage. De la main gauche, il tira son messageur de sa poche. Il fallait prévenir. D'urgence ! Le numéro qu'il voulait composer figurait dans le répertoire. Il n'eut qu'à presser une touche et il commença à écrire. Mais le garde était déjà de retour. Dès qu'il vit le messageur dans les doigts de son prisonnier, il bondit pour le lui arracher. Torkensen n'était pas arrivé au bout de sa phrase. Tant pis. Il pressa la touche «Envoyer». Le garde fit voler l'appareil, puis il souleva Torkensen en le prenant par le devant de sa veste, le cloua contre le mur et le frappa.

Le poing, armé de loin, atteignit son oreille gauche en un coup unique. Torkensen, qui adorait les films terriens et les connaissait mieux que n'importe quel autre hybride, entendit alors quelque chose qu'il avait souvent apprécié à cette occasion : les cloches! Elles sonnèrent fort et longtemps. D'abord une grosse : *DONG!* *DONG! DONG!* Puis une petite : *dong! dong!* Puis à nouveau la grosse : *DONG!* Il trouva cela très joli.

Pendant ce temps, le garde consultait la liste des messages envoyés par Torkensen. Le dernier datait de moins de vingt secondes et il était formulé ainsi : «*Ashelbi trouvé cheval mais suis pris tu ferais bien de n…*»

7
Du blanc
et du rouge

Anne scruta encore une fois le désert en direction de Larena. Il était dix-huit heures et elle était seule depuis la veille. « Je reviendrai », avait dit Bran. Elle lui faisait confiance, mais comme c'était long ! La batterie presque épuisée de son iPod ajoutait à son désarroi. Elle l'avait économisée autant que possible en se privant de musique, et maintenant elle devenait presque folle à force de silence.

Elle avait passé une nuit chaotique, se réveillant toutes les heures et se demandant à chaque fois : « Où suis-je ? » Ses rêves étaient faits de coups de poing à la tête et de chutes vertigineuses dans le vide. Le petit jour gris l'avait à peine rassurée. Autour d'elle, le vide absolu, l'absence de tout bruit, de tout objet auquel accrocher son regard, l'immobilité de l'air, tout cela lui donnait la sensation que le temps s'était arrêté, pire, que la vie s'était arrêtée et qu'elle ne reprendrait plus jamais son cours. Seule l'aiguille de sa montre restait en mouvement et disait : il est dix heures vingt, il est midi et quart, il est quinze heures, mais cela n'avait pas de sens. Sans le pointillé de ses pas dans le sable, elle aurait pu penser à un rêve un peu plus long que les autres, mais ils étaient là, comme un témoignage de la réalité. Elle était venue par ce chemin-là, et Bran aussi. C'est par là qu'il était reparti. Et c'est par là qu'il reviendrait. Peut-être.

Quand elle distingua le point dansant d'une silhouette, au loin, il lui vint à l'esprit que ce n'était pas lui. Que c'était un autre homme. Et que cet homme la frapperait, puisqu'il ne pourrait pas la jeter par la fenêtre d'un dixième étage. L'angoisse dura jusqu'à ce qu'il lui fasse un signe amical de la main et qu'elle le reconnaisse. Elle éprouva alors l'envie soudaine et violente de se lancer à sa rencontre et se jeter dans ses bras. «Calme-toi, se raisonna-t-elle, tu es seulement rassurée parce que ce n'est pas quelqu'un qui te veut du mal. Ce garçon est un hybride, ne l'oublie pas. Jamais il ne pourra te suivre sur Terre, et tu ne resteras pas ici, toi. Alors quoi ? Qu'est-ce que tu t'imagines ?»

Elle se contenta de se lever. Le bonheur qu'elle venait d'éprouver à le revoir se teinta de mélancolie.

– Alors ? demanda-t-il quand il fut à bonne distance. Tu ne t'es pas trop ennuyée ?

– Ça va, dit-elle.

Ce n'était pas vraiment un mensonge. Ce qu'elle avait éprouvé était au-delà de l'ennui.

– Tiens, je t'ai apporté à boire et à manger.

– Je n'ai pas faim, juste soif. Donne-moi de l'eau, s'il te plaît.

Ils s'agenouillèrent face à face, comme la veille. Tandis qu'elle buvait, il lui sourit de ce sourire lumineux qui l'avait séduite sur Terre, un an plus tôt. «L'âme de ce garçon passe par là, pensa-t-elle, par son sourire. La comparaison est nulle, je sais, mais c'est comme un soleil ; je le regarde et ça me fait du bien.»

– Tu as des informations à propos de Gabrielle.

– Non, bien sûr que non. Tu crois que ça peut se faire aussi vite ?

Il lui rapporta le plan de Torkensen. Elle l'écouta avec attention jusqu'au bout. L'épisode de Bachelier ingurgitant sa part de quiche la fit à peine rire.

– Excuse-moi, dit-elle quand il eut fini, je n'ai vu Torkensen que deux minutes, dans le hall de l'hôtel Titan, mais j'ai du mal à l'imaginer en espion. L'efficacité et lui, ça fait deux, non ? Il a l'air tellement maladroit, il…

– Je te rappelle qu'il t'a sans doute sauvé la vie, la coupa-t-il.

— Oui, c'est vrai. Excuse-moi. Et tu n'as pas de nouvelles ?

— Non. J'en aurai ce soir, à son retour. Je lui ai recommandé de ne m'envoyer aucun message pendant sa tournée. C'est trop dangereux.

— Et tu lui fais confiance ?

Il hésita quelques secondes.

— J'ai le choix ?

Son sourire avait disparu. Il sembla soudain conscient du peu de chance qu'il avait d'apprendre quoi que ce soit par son ami.

Elle devina ses pensées.

— Et si ça ne donne rien ? Qu'est-ce qu'on fait ? J'attends ici que vous trouviez un autre plan ? Autant te le dire tout de suite, je ne passe pas une seconde nuit dans cet endroit. Je n'ai pas envie de devenir dingue.

— Je te comprends, mais je ne vois pas d'autre possibilité pour ce soir. Tu as ta musique…

— Non, ma batterie est pratiquement vide. Je me garde une ou deux minutes d'écoute pour quand j'en aurai vraiment besoin.

— Fais-moi voir ça. Je vais essayer de la recharger avec celle de mon messageur. Elles sont peut-être compatibles. Une chance sur cent, mais on ne sait jamais.

Elle fouilla son sac, en tira son iPod, le lui donna.

« Et nous, Bran, ne put-elle s'empêcher de se dire en le regardant s'affairer sur les deux appareils, et nous, tu n'as pas l'impression que nous le sommes, compatibles…? Moi, il me semble bien que oui.»

Il délogea les deux petites batteries rondes de leur niche, les mit au contact l'une de l'autre et les garda ainsi. Leurs regards se rencontrèrent et ils eurent la même pensée irrationnelle : «si ça marche entre nos batteries, ça marcherait aussi entre nous… Logique, non?» Il y eut un court moment de gêne plutôt agréable.

– Il faut les tenir longtemps comme ça? demanda-t-elle.

– Je ne sais pas. Je ressens de la chaleur dans mes doigts. J'ai l'impression que l'énergie passe.

– C'est bien, murmura-t-elle, surprise elle-même de voir à quel point ça la rendait heureuse.

Ils patientèrent en silence. Mais ce n'était pas le silence mort auquel elle avait été confrontée toute la nuit et toute la journée. Celui-ci était confortable et paisible. Rassurant.

– Voilà, dit-il enfin. Essaie.

Elle alluma le iPod. L'écran indiqua aussitôt que la batterie était en charge maximale.

– Bravo, commenta-t-elle. C'est idiot, mais ça compte beaucoup pour moi. Je me sens revivre.

– Tu n'aurais pas un petit rock, dessus? rigola-t-il. On aurait fêté ça.

Elle n'eut pas le temps de lui répondre. Le messageur de Bran, qu'il venait de remettre dans sa poche, vibra. Il le consulta d'un coup d'œil.

– Non ! Oh, non ! C'est pas vrai !

– Qu'est-ce qu'il y a ?

Il lui tendit l'appareil et elle découvrit le texte.

– C'est Torkensen ?

– À ton avis ?

Il se prit la tête dans les mains, accablé.

– Il se fait prendre et en plus il m'envoie ce message ! Avec mon nom par-dessus le marché ! Oh, non, j'y crois pas ! Torkensen, qu'est-ce que tu as fait !

– Tu ne peux plus rentrer à la base ? demanda-t-elle.

– C'est bien pire que ça. D'ici trois minutes, ils m'auront localisé, et dans cinq ils vont lancer la traque. Je suis foutu ! Torkensen ! Oh, Torkensen ! Comme j'aimerais t'étrangler !

– Éteins ton messageur ! Ils ne pourront pas te retrouver.

– Ce serait trop simple. Il ne s'agit pas de mon messageur. Chacun de nous possède un identifiant permanent, une micropastille inaliénable, avec un code unique. On nous l'attribue à notre naissance, en même temps que notre nom. Avec ça, ils peuvent retrouver n'importe qui n'importe où.

– Jette-la ! Enterre-la dans le sable et fichons le camp d'ici !

Il la considéra d'un air faussement amusé.

– Anne… tu crois qu'ils la mettent dans notre poche ?

– Je n'en sais rien. Où la mettent-ils ?

– Ça dépend. Parfois, elle est juste sous la peau et on peut la toucher à travers, d'autres fois, elle est logée beaucoup plus profondément et alors tu ne sauras jamais où elle se trouve. Elle peut être enfouie n'importe où dans ton organisme. Lorsque tu meurs, ils coupent la connexion et c'est fini. Tu es libre…

– Tu es libre et… mort.

– Oui.

Elle frissonna.

– Et toi, tu sais où se trouve ta pastille ?

– Je n'en suis pas sûr. Il m'est arrivé de sentir un petit corps dur sous mon aisselle gauche, mais ce n'est peut-être pas ça.

Il consulta sa montre. Trois minutes déjà que le message de Torkensen avait été envoyé. Chaque seconde comptait désormais.

– Que feront-ils de toi, s'ils te retrouvent ? demanda Anne.

Il ne répondit pas. Son visage se durcit.

– Tu as des ciseaux ?

– Pardon ?

– Est-ce que tu as des ciseaux ? Toutes les Terriennes ont des ciseaux dans leur sac.

Anne le regarda, incrédule.

– Oui, j'en ai. Qu'est-ce que tu veux faire avec ?

251

— Moi, rien. C'est toi qui vas faire quelque chose avec. Tu vas essayer de m'enlever ce truc-là.

Sans attendre la réponse, il ôta sa tunique et la chemise qu'il portait dessous. Il s'allongea sur le dos puis étendit son bras gauche au-dessus de sa tête. Une fois de plus, ce n'était pas le moment, elle le trouva décidément bien fait. Et à son goût. Il n'était pas tout à fait glabre. Un duvet doré frisottait sur sa poitrine et sous ses aisselles. « Il est comme un Terrien », se dit-elle.

De sa main libre, il chercha l'endroit précis où se situait la pastille.

— Touche, c'est là.

D'abord, elle ne sentit rien, alors elle enfonça ses doigts plus loin dans la chair.

— Oui, je sens un obstacle, mais c'est profond. Je vais te faire mal.

— Il faut surtout que tu fasses vite. C'est une question de minutes maintenant. Tant que j'aurai cette chose-là à l'intérieur de moi, ils sauront exactement où me trouver. Et s'ils me trouvent… Je l'enlèverais bien moi-même, mais là où elle est placée, je n'y arriverai pas. Vas-y! Ne te pose pas de questions!

Anne grimaça et baissa la tête.

— Je t'en prie! Débarrasse-moi de ça! l'implora-t-il.

En prenant les ciseaux, elle se rappela à quoi

elle avait voulu les utiliser la veille : couper les cheveux d'Étienne Virgil. Il lui sembla que cela datait de plusieurs mois.

– Attends. Je ne veux pas provoquer une infection.

Elle prit dans son sac un petit briquet fantaisie Homer Simpson. C'était un cadeau de Benoît, son copain d'avant l'été, et la seule chose qui lui restait de cette aventure ratée. « Tu permets ? » lui demanda-t-elle en pensée. « Pas de souci ! » répondit Benoît. Elle passa la pointe des ciseaux dans la flamme puis l'essuya avec un mouchoir en papier.

– Dépêche-toi…, s'impatienta Bran.

Elle s'agenouilla contre lui, se pencha, et pratiqua une incision nette dans la peau. Un filet de sang vermeil s'écoula dans le sable.

– C'est bien, dit-il, et il détourna le regard. Fais vite.

Franchir l'épiderme était le plus facile, la suite l'était beaucoup moins. Chaque fois qu'elle sectionnait un peu de chair vive pour progresser dans la plaie, Bran se contractait, et quand il laissa échapper un gémissement, elle se sentit coupable et maladroite.

– Excuse-moi, je ne suis pas infirmière.

– Ne t'occupe pas de moi, dit-il. Dépêche-toi, c'est tout ce que je te demande. Et évite de pleurer, avec les larmes tu n'y verras plus rien. Fais vite.

Il avait raison. Elle se concentra sur ses gestes et continua à travailler de son mieux. La récompense vint rapidement. Le bout de ses ciseaux buta sur le petit corps dur.

— Ça y est ! Je touche la pastille !

— C'est bien. Sors-la, maintenant. Dépêche-toi !

Elle s'y employa, mais la pastille se noyait dans le sang, glissait, tournait au bout des ciseaux, s'enfuyait.

— C'est pas vrai ! pesta Anne.

Elle fouilla à nouveau dans son sac et en sortit une pince à épiler qu'elle passa à son tour sur la flamme du briquet Homer Simpson. « Il faut l'aseptiser aussi », pensa-t-elle. « C'est clair », commenta Benoît. Elle se remit à l'ouvrage et finit par capturer la pastille entre les deux branches de la pince.

— Je l'ai ! lança-t-elle, triomphante.

Il était temps. Bran n'était plus très loin de l'évanouissement. Son sang avait dessiné une délicate étoile rouge sur le sable. Il se redressa sur le coude, très pâle.

— Montre-la-moi. Je veux la voir avant qu'on l'enterre.

Il jeta un bref coup d'œil sur le petit objet sanguinolent qu'Anne tenait au bout de sa pince, puis il commença à creuser. Elle l'aida. À tour de rôle, ils plongèrent leurs mains dans le trou et ils n'arrêtèrent que lorsqu'ils purent y engager leur bras jusqu'à l'épaule. Alors Anne y jeta la pastille et ils comblèrent le trou avec du sable qu'ils tassèrent de leurs pieds.

— Voilà, dit Bran. Je suis libre. Et je ne suis pas mort…

Son sang rougissait son côté gauche jusqu'à la hanche. Anne prit une dizaine de mouchoirs en papier qu'elle plia en deux et lui plaça sous l'aisselle.

— À défaut d'autre chose, ça fera une compresse, dit-elle. Tiens ton bras bien collé.

Il avait déjà repris un peu de couleur. Elle l'aida à enfiler sa chemise sans passer la manche gauche. L'occasion pour elle de mesurer une fois de plus le plaisir qu'elle avait à le toucher, à poser ses doigts sur sa peau.

— Il faut filer d'ici, fit-il en jetant la tunique sur son épaule. Je ne suis pas sûr du tout que quarante centimètres de sable les empêchent de détecter une pastille.

Marchant sur leurs propres traces, ils partirent en direction de Larena. Après vingt mètres, Bran s'arrêta, se retourna et regarda la petite étoile rouge, sur le sable.

— Qu'est-ce qu'il y a ? demanda Anne.

— Rien, répondit-il. Rien. Je voulais juste voir ce qu'il restait du soldat Ashelbi.

— Tu es triste ?

— Je ne sais pas. C'est vingt ans de ma vie que je laisse. Mais je suis libre, maintenant.

– Tu as peur de ce qui t'attend ?

– Je n'ai pas peur.

Il la prit par le bras et l'entraîna.

La station de Larena était déserte comme toujours, et le bus qui arriva était vide de passagers. Si l'alerte avait été donnée, ils n'avaient pas eu le temps de venir jusqu'ici et, quand ils viendraient, ils ne trouveraient plus que cela : une tache de sang à demi absorbée par le sable. Les deux jeunes gens s'assirent côte à côte. Bran tenait son messageur dans sa main droite et le considérait, perplexe.

– Ils peuvent me localiser au moindre message, mais il faut absolument que j'en envoie un dernier.

– À Torkensen ?

– Non. Torkensen est grillé. À Bachelier. Il n'y a plus que lui qui puisse nous aider à retrouver ta sœur. Si Torkensen a vu le cheval, Bachelier l'a vu aussi.

Il commença à rédiger le texte. Anne le vit hésiter, corriger, tout effacer, recommencer. Il lui tendit finalement l'appareil.

– Tiens, si tu trouves la fin…

Sur l'écran était écrit : *Bachelier, sois sans faute demain à 16 heures au terminus nord ligne 2, et n'en parle à personne, sinon.*

– Sinon quoi ? demanda-t-elle.

– Justement. Je ne sais pas de quoi le menacer. Il est détestable mais il n'est pas idiot. Il sait que je ne peux rien faire contre lui dans la situation où je me trouve. Et il ne prendra pas le risque de venir s'il n'y est pas forcé.

Elle réfléchit quelques secondes, compléta le texte et lui rendit l'appareil.

– Ça va, comme ça ?

sinon je révèle tout à propos de ce que tu sais… » lut-il. Il fronça les sourcils.

– À propos de ce que tu sais ? C'est-à-dire ?

– Je n'en sais rien, et toi non plus. Mais lui le sait, tu peux me croire.

– Non, Anne. On voit que tu ne connais pas Bachelier. Il a systématiquement les meilleures notes de la promotion. Il est irréprochable. C'est le seul soldat de la base à n'avoir pas reçu un seul blâme en douze ans de formation.

– Ne sois pas naïf, Bran. Tout le monde a quelque chose à se reprocher, surtout quelqu'un de perfectionniste comme lui. On lance l'hameçon au petit bonheur la chance, c'est vrai, mais je parie que ton Bachelier va mordre et qu'il se présentera au rendez-vous. Allez, envoie le message !

Bran hésita un peu puis pressa la touche Envoyer.

Le bus atteignait déjà la station suivante. Un couple avec un enfant attendait sur le quai. Anne écarta des doigts la tunique de Bran et vit que le sang rougissait le dessous de la manche vide.

– Il faut soigner ça rapidement, dit-elle, sinon on va se faire repérer.

Le bus ralentit, se posa et les portes coulissèrent en silence. Les trois personnes, sans doute deux compatibles et leur adopté, montèrent et prirent place à l'avant. Le bus décolla et repartit. Les deux adultes, côte à côte, ne firent cas de rien, mais l'enfant, assis derrière eux, se retourna et dévisagea Anne sans aucune gêne. Il pouvait avoir sept ou huit ans. Ses cheveux courts et raides, sa bouche sévère, l'absence d'expression de ses yeux lui déplurent. Elle détourna le regard mais, quand elle revint à lui, il la fixait toujours. Avait-il détecté chez elle quelque chose de différent ? Elle s'appliqua à respirer calmement, mais plus elle y pensait et plus son souffle se précipitait. Sur Terre, elle aurait fait une grimace à ce garnement pour l'effaroucher ou bien elle se serait désintéressée de lui, mais ici elle n'osait pas. Son malaise allait grandissant et elle fut soulagée quand Bran se leva, à la station suivante.

– Viens. On descend.

Depuis le quai, elle vit le garçon qui se tordait la tête vers elle tandis que le bus s'éloignait.

– Il me regarde comme une extraterrestre ! fit-elle.

– Non, corrigea-t-il, il te regarde comme une terrestre. Et moi je saigne de plus en plus. Il

258

faut qu'on se montre le moins possible, tous les deux. C'est fini, les bus !

L'endroit ressemblait à une banlieue endormie, avec ses habitations blanches, basses et dispersées. Un canal coulait tout près de là et son eau paresseuse semblait presque immobile. Le soir descendait doucement sur ce paysage insipide. Ils franchirent le pont et se mirent en marche.

— Est-ce que tu sais où tu vas ? s'inquiéta Anne.

— Pas vraiment, répondit Bran. Mais j'ai l'impression que mes pieds le savent, qu'ils connaissent le chemin.

— Qu'est-ce que ça veut dire ?

— Je ne sais pas. Ils vont tout seuls. C'est étrange. J'ai eu la même sensation tout à l'heure en composant mon message pour Bachelier. Mes doigts ont écrit « *terminus ligne 2* » avant que ma tête ait eu le temps de le penser.

— On a tous quelque chose en soi d'un animal, dit-elle, toi c'est sans doute le saumon. Alors allons-y, remontons la rivière.

— Je ne comprends pas ce que tu dis.

— C'est pas grave. Je suis contente de voir que tu ne sais pas tout. Je te l'expliquerai quand il y aura un peu moins d'urgence, d'accord ?

Chacun s'accommoda ainsi du mystère de l'autre et ils continuèrent à cheminer le long des larges rues sans trottoir, entre les habitations aux façades blêmes. Bran s'arrêta une fois seulement, il chercha autour de lui, mais cela ne dura pas longtemps.

– Il ne faut pas que je réfléchisse, sinon je vais me perdre…

Elle le suivit sans poser d'autre question. M. Virgil était mort. Torkensen était pris. Gabrielle plus hors d'atteinte que jamais. Bran meurtri et recherché s'en remettait à ses pieds. Alors quelle question y avait-il à poser ? Elle vit avec clarté que son entreprise était folle. En quelques mètres, le doute et l'angoisse l'accablèrent. En plus de ne pas retrouver Gabrielle, elle allait se perdre à son tour, maintenant. Elle allait disparaître comme sa sœur, et laisser son père et sa mère dans la désespérance. Elle ne pourrait plus jamais rentrer sur Terre.

Terre…

C'était un joli nom. Court et facile à dire.

Et c'était chez elle.

À cet instant, elle aurait voulu se précipiter à la gare de Lorfalen, sauter dans le premier train pour Campagne et courir ensuite jusqu'à cette rue où se trouvait le passage, derrière l'hôtel Légende. Seulement, il y avait Bran. Bran qui avait exigé qu'elle creuse dans son corps pour le délivrer de sa tyrannie. Bran qui avait dit : « Je n'ai pas peur. »

Alors elle se tut et marcha.

Après un quart d'heure environ, ils arrivèrent

devant une maison isolée à bonne distance des autres, mais presque semblable avec sa terrasse triste et ses fenêtres aux rideaux tirés. Bran s'immobilisa devant.

– C'est là.

– C'est là quoi?

– J'ai habité ici. Ma chambre était là, à gauche, au rez-de-chaussée. Ça me revient.

La femme qui leur ouvrit pouvait avoir la cinquantaine. Elle était maigre et sévère dans sa tunique bleu pâle. La seule fantaisie résidait dans le désordre de ses cheveux qui lui faisaient comme une houppette blonde au sommet du crâne. Son œil interrogateur les toisa à tour de rôle.

– C'est pour quoi?

Elle avait la voix désincarnée des gens d'ici. Et leur sécheresse. Anne fit un pas en retrait.

– Je m'appelle Ashelbi, dit Bran. Tu te souviens de moi?

Quelque chose frémit sur le visage dur de la femme. Elle fronça les sourcils tandis que sa mémoire se mettait en marche.

– Ashelbi…, répéta-t-elle, pensive.

Elle désigna Anne du menton.

– Et elle?

– C'est une amie, dit-il.

Elle hésita quelques secondes encore puis, comme une mobile tournait à l'angle de la rue, elle ouvrit plus grand la porte et s'écarta.

— Entrez.

C'était une pièce aux murs nus, sans meubles sauf une table basse en verre et une banquette très ferme sur laquelle ils s'assirent. La femme resta un moment debout en face d'eux, à les observer. Elle prit note sans émotion apparente de tout ce que ses visiteurs ne pouvaient dissimuler : Anne, sa respiration et Bran sa blessure. De la pièce voisine, celle que Bran avait désignée comme sa chambre d'autrefois, parvenait un bourdonnement irrégulier. Anne reconnut ce bruit que font les enfants qui poussent sur le sol une voiture imaginaire ou dans les airs un avion de papier : *bvvvvvvvvv…* Il s'interrompait juste de temps en temps pour reprendre son souffle : *bvvvvvvv… bvvvvvvv…* Elle en eut la chair de poule. « Un petit Terrien ! » pensa-t-elle d'abord, puis elle se corrigea : « Un petit hybride. Comme Bran. »

La femme ignorait Anne à présent. Elle n'avait d'yeux que pour Bran. Il n'y avait pas d'affection dans son regard. À son air buté, on aurait pu penser que des paroles méchantes ou agressives attendaient dans sa gorge et qu'elle les lâcherait dès qu'elle ouvrirait la bouche. Mais ce fut autre chose.

— Je t'aimais beaucoup, Ashelbi, dit-elle. Tu étais un bon garçon.

8
Le honteux secret du soldat Bachelier

C'est amusant. Ce que dit cette femme ne va pas avec le ton qu'elle y met. Les paroles sont douces et la manière sèche. Nous sommes assis là, tous les deux, en face d'elle. Moi je lorgne sans cesse la tache qui gagne sous la chemise de Bran et qui lui rougit le côté. Il faut arrêter cette hémorragie. Ça m'importe d'autant plus que c'est moi qui l'ai provoquée.

– Qu'est-ce que tu as fait ? lui demande enfin la femme.

– Je me suis blessé, répond Bran.

– Viens.

Elle l'entraîne dans la pièce voisine, la salle de bains sans doute. Je fais mine de me lever pour les accompagner, mais elle m'arrête de la main. Je me rassois et j'attends. Dans la chambre, dont la porte est entrouverte, l'enfant invisible fait la guerre avec ses avions, ses tanks ou ses bateaux : *kshhhhhhh… pan… bvvvvvvvvv…*

C'est drôle. Son timbre frêle convient mal à ses intentions guerrières. Je suis attendrie. J'aimerais voir sa bouille. Pendant ses brefs silences, j'entends la voix autoritaire de la femme qui est en train de soigner Bran :

— Lève un peu ton bras... oui comme ça... ne bouge plus...

Et un peu plus tard :

— Essaie cette chemise, elle devrait t'aller...

Quand Bran réapparaît, il porte une chemise propre et me sourit. Je me dis que tout est bien, enfin que c'est mieux qu'il y a un quart d'heure.

La femme revient avec une théière cylindrique et deux gobelets en verre qu'elle pose sur la table basse.

— Servez-vous et buvez. C'est chaud.

C'est un thé sans sucre. Et sans saveur. Oui, ça se rapproche de l'eau chaude. Elle ne boit pas avec nous. Elle continue de regarder Bran.

— Comment as-tu retrouvé la maison ?

— Je ne sais pas. On est descendus du bus, sur la ligne 7, celle de Larena, et mes pieds m'ont amené ici tout seuls.

Elle sourit pour la première fois. C'est bref, mais son sourire fait, l'espace d'une seconde, comme un écho de vie à la houppette située quinze centimètres plus haut.

— Pas étonnant. On a fait ce trajet au moins deux fois par semaine pendant des années, tous les deux.

– Qu'est-ce qu'on allait faire là-bas ?

– Monter sur le pont et regarder le canal. Tu ne t'en es jamais lassé. Tu n'avais pas le droit de rire, ni de crier, ni de pleurer, ni même de courir pendant toute la promenade. C'était la condition. Mais tu aimais tellement aller là-bas que tu restais très sage pour qu'on puisse y retourner. On se tenait par la main. On parlait bas. Quand on revenait, je te demandais : « Où est notre maison ? » Et tu répondais : « Terminus nord ligne 2. » Tu t'en souviens ?

– Ma tête non. Mais mes pieds apparemment oui.

Elle répète :

– Tu étais un bon garçon.

Je me sens presque de trop. Je me dis que le saumon a retrouvé sa rivière et qu'il l'a bien remontée.

– J'avais quel âge ? demande Bran.

– On m'amène les enfants à cinq ans et on me les reprend à huit pour les mettre à la base.

– Et avant, j'étais où ?

– Dans un établissement spécial pour les bébés hybrides.

– Et l'enfant que tu gardes en ce moment ?

– Wahilal ? Il a six ans. Mais je ne peux pas faire la promenade avec lui. Il est trop bruyant. Tu l'entends ?

Comme pour illustrer les propos de la femme, l'enfant déclenche une attaque spectaculaire :

zzzzzzzzz… kshhhhhhhhhhh…! Bran et moi rions. La femme cliquette brièvement. Puis elle se tourne vers moi.

– Comment t'appelles-tu?

– Je m'appelle Anne.

– J'ai vu beaucoup d'hybrides, mais jamais de Terrienne. C'est la première fois. Je suis…

La suite ne vient pas. Elle se trouble, cherche le mot.

Je lui propose :

– Intimidée?

– Non, répond-elle, non, je suis… enchantée.

La nuit est tombée. Une lampe descend du plafond et sa lumière blanche réunit autour de la table basse les quatre créatures si différentes que nous sommes. Nous mangeons en silence une sorte de gâteau de semoule compact. Nous buvons de l'eau «rapide». Il y a là Mme Becke-lynck, c'est son nom, habitante de ce monde, mais initiée; Bran Ashelbi, hybride, mais qui vient de se libérer de son esclavage; Wahilal, petit hybride insouciant, mais qui apprendra bientôt ce qu'il est; et moi, Anne Collodi, Terrienne. Quelle étrange assemblée!

Je ne peux pas détacher mes yeux de Wahilal. Au-delà de ses cheveux bouclés, de son iris noir, de ses doigts fins et de ses menues épaules, j'imagine la capturée qui l'a mis au monde, une femme venue de chez moi, de Terre. C'est elle qui devrait être à côté de lui, maintenant, pour lui dispenser l'amour, les rires et les tartines de Nutella qui lui reviennent. Au lieu de quoi elle a disparu à jamais dans la nuit d'Estrellas, et lui, ignorant de tout, reste ici, comme un prisonnier du néant, privé même du simple plaisir d'aller rêver au bord du canal. Ma gorge se serre chaque fois que nos regards se croisent.

Bran explique à Mme Beckelynck sa mission sur Terre, notre rencontre là-bas, ce que je fais ici, et notre projet de retrouver Gabrielle. Elle n'y va pas par quatre chemins :

– Vous n'avez aucune chance. Tout ce que vous gagnerez si vous persistez, c'est le voyage pour Estrellas. Dormez ici ce soir mais, demain matin, je vous chasse. Vous prendrez le train pour Campagne et vous rentrerez sur Terre. Ensuite restez là-bas tous les deux et ne revenez plus jamais.

Je murmure :

– Et ma sœur ?

– Oublie ta sœur. Elle n'existe plus. Aucune capturée n'est jamais repartie d'ici.

Bran dormira sur la banquette de la pièce principale, et moi par terre, sur une couverture, dans la chambre de Wahilal. Il me montre ses jouets, bien rangés sur des étagères. Ce sont des véhicules militaires en plastique. C'est avec ça qu'il mène sa petite guerre. Je lui demande :

– Tu es bien, ici, avec Mme Beckelynck ?

Il ne semble pas comprendre. C'est une question qu'il ne se pose pas. Je lui fais remarquer que je respire, comme lui, et je souffle sur sa main pour le lui montrer. Ça ne l'impressionne pas plus que ça. Il n'a pas envie de me parler.

Dans la nuit, je l'entends respirer dans son sommeil, et même, à plusieurs reprises, bredouiller des phrases confuses. Qu'est-ce qui peut bien alimenter ses rêves ? Le monde dans lequel il évolue est si vide.

Au réveil, je rejoins Bran sur la banquette. Nous ne disons pas un mot. Il me prend dans ses bras, en veillant à ne pas rouvrir sa blessure. Je suis bien contre lui. Je m'endors d'un sommeil profond.

Au matin, Mme Beckelynck nous dit de partir, que c'est trop dangereux pour elle de nous héberger plus longtemps. Bran lui parle de notre rendez-vous avec Bachelier dans l'après-midi et elle accepte de nous garder jusque-là, à condition que nous ne sortions pas de la maison. Nous passons la matinée à bavarder tous les trois, tandis que Wahilal joue sur un écran. J'en apprends beaucoup sur Mme Beckelynck : qu'elle dépend de l'armée, comme Bran, qu'elle n'a pas le droit d'avoir un compatible, qu'elle a été formatée pour s'occuper de petits hybrides, qu'elle essaie de ne pas s'attacher à eux, qu'un jour récent elle s'est assise là, dans cette pièce, et que c'est Wahilal qui lui a sauvé la vie en lui donnant des coups de pied dans les jambes. Sans lui, elle ne serait pas revenue. Elle pense que la prochaine fois, elle ne s'en tirera pas si bien. Elle envisage de le signaler à ses supérieurs parce qu'elle a peur que ça recommence et que l'enfant à sa charge se retrouve tout seul avec une demi-morte. Elle raconte tout cela sans manières. Elle explique. Ce sont des faits. La seule chose sensible que je lui ai entendu dire, c'était à Bran : «Je t'aimais beaucoup, tu étais un bon garçon.»

Je l'interroge sur les capturées, mais elle sait peu de choses. J'ai la confirmation que c'est un terrible tabou et que même les initiés ignorent presque tout de ce trafic. Ou bien peut-être ne veut-elle rien dire qui m'inciterait à persister dans ma recherche. J'insiste :

– Madame Beckelynck, quand les capturées sont-elles envoyées à Estrellas?

Elle me regarde durement. «Quelle question!» semble-t-elle penser. Je la répète et elle daigne répondre :

– Après qu'elles ont eu un enfant.

Un pli de dégoût déforme fugitivement sa bouche au moment où elle prononce ces mots. Je repense à Mme Stormiwell qui avait eu la même réaction.

– Si le bébé est un garçon, reprend-elle, on le garde pour en faire un soldat hybride. Si c'est une fille, il part pour Estrellas avec sa mère.

Nous nous taisons pendant quelques instants. Chacun se fait ses images : la mère, son bébé fille, le train de la mort… Mes yeux se brouillent de larmes, ceux de Bran sont baissés, ceux de Mme Beckelynck sont secs.

– Y a-t-il une autre raison pour laquelle on envoie une capturée à Estrellas ?

– Oui. On l'envoie là-bas quand son maître se lasse d'elle.

Elle laisse passer trois secondes et ajoute la phrase de trop :

– À moins qu'un autre en veuille.

«À moins que quelqu'un d'autre veuille de Gabrielle !» C'est la phrase la plus révoltante et la plus dégoûtante que j'aie jamais entendue de ma vie. Quelqu'un veut-il encore de ma sœur. Non ? Oui ? Vraiment ? Pas de regret ? J'ai mon comptant d'horreurs. Ça déborde. Je suis près d'éclater en sanglots.

L'aisselle de Bran saigne encore un peu. Il faudrait des points de suture, mais le médecin comprendrait au premier coup d'œil ce qui a occasionné la blessure et il alerterait les autorités. Mme Beckelynck change le pansement et attache carrément le bras de Bran à son torse afin qu'il ne puisse plus le décoller jusqu'à la cicatrisation. J'irai au rendez-vous toute seule. Je me sens de taille à faire parler Bachelier.

S'il vient…

Le terminus nord de la ligne 2 est à deux cents mètres de la maison de Mme Beckelynck. Je suis contente de sortir enfin.

J'arrive à la station à moins vingt et j'attends. Un bus aérien vient se poser. Je me tiens à l'écart, par prudence, mais personne ne monte ni ne descend. À seize heures pile, un nouveau bus arrive et je tressaille ; l'unique passager qui l'occupe est Bachelier. Je le reconnais sans peine grâce à la description de Bran : petite taille, visage aigu, nez de fouineur. Il est venu ! Le poisson a mordu à l'hameçon ! Il est pâle, mais c'est peut-être un souvenir de la quiche lorraine avalée sans antinausée. Il saute à terre, note vaguement ma présence et cherche autour de lui. Je marche dans sa direction.

– Bonjour. Tu es Bachelier, je suppose.

Il me regarde en biais, la surprise lui plisse le front, il ne répond pas. Je m'approche à distance de dialogue, mais pas plus. Je n'ai aucune envie de le voir décamper. Ça y est, il m'a identifiée comme une Terrienne. Je le vois au pas qu'il fait en arrière. Il a peur d'être infecté par moi, par mon souffle, mes microbes. Bran me l'a bien dit : Bachelier rêve de partir en mission sur Terre et même d'en diriger une, mais il est le moins terrien de toute la promotion et il n'est pas près d'être sélectionné. D'emblée je déteste ce garçon.

– Je suis une amie d'Ashelbi. J'ai besoin de

renseignements à propos d'une Terrienne, une capturée. Elle est rousse. Est-ce que tu l'as vue au cours de tes livraisons ?

Son regard fuyant s'arrête un instant sur moi. Il pensait son secret bien gardé, et voilà qu'une étrangère, pire, une Terrienne, est au courant de sa tournée hebdomadaire.

— Où est Ashelbi ? demande-t-il. C'est avec lui que j'avais rendez-vous.

Il est en apnée basse. Il ne respire pas. Sa voix est métallique, proche de celle des gens d'ici. Elle n'est pas la voix hybride de Torkensen ou de Bran.

— Ashelbi est là où il est. Ça ne te regarde pas. Et tu ferais mieux de répondre aux questions au lieu d'en poser. J'en sais beaucoup à ton sujet, alors tu n'es pas en position de force, tu vois ce que je veux dire…

Jusque-là, c'est facile. Après tout, s'il est venu, c'est qu'il a vraiment quelque chose à se reprocher. Mais mon petit bluff ne suffit pas à le troubler. Je l'intrigue sans doute, mais je ne l'impressionne pas. Il continue à regarder ailleurs, à la recherche de Bran, c'est-à-dire d'un interlocuteur digne de lui. Ça m'agace beaucoup. Je déteste qu'on me fasse le coup du mépris. Avant même d'y avoir réfléchi, je lui assène :

— Je sais ce que tu as fait.

Je n'ai jamais joué au poker, mais je suppose

que ça se passe comme ça : il s'agit de faire croire à l'autre qu'on a des armes alors qu'on n'en a pas.

— Ah, vraiment ? fait-il. Et qu'est-ce que j'ai fait ? Je peux savoir ?

Son air moqueur m'exaspère. Et me déstabilise. Que répondre ? Je n'en ai aucune idée, moi, de ce qu'il a fait ! Mais je sais ce qui est en jeu : le salut de ma sœur ! Maintenant que Torkensen est pris, Bachelier constitue le seul lien possible avec elle. Je hais cette partie de cache-cache avec ce garçon détestable, mais je dois la gagner à tout prix. Mon désarroi ne dure qu'une fraction de seconde. La colère le remplace et m'envahit. Je la maîtrise, cette rage, je l'enfouis très loin, au fond de mon ventre, puis je la transforme. Je prends mon air le plus surpris, le plus incrédule, le plus amusé, et j'improvise cette réponse qui me vient de je ne sais où, et dont je ne me serais jamais crue capable :

— Tu veux vraiment l'entendre ? À voix haute ? Tu as vraiment envie d'entendre de ma bouche ce que tu as fait ?

Et dans le silence qui suit, j'ajoute ces six mots dont j'ignore complètement le sens, mais que mon instinct me pousse à dire. En les prononçant, je me maudis moi-même : tu vas trop loin ! Tu prends trop de risques ! Tu vas tout perdre ! Mais ils sortent de ma bouche malgré moi. Je les murmure, tout juste assez haut pour qu'il les perçoive :

— Je sais qui tu es, Bachelier.

Tremblement de terre. C'est ce qui s'appelle mettre dans le mille. Il se décompose, il se défait. Chacun de nous a sa blessure secrète. Chez Bachelier, elle n'est pas dans ce qu'il a *fait*, mais dans ce qu'il *est*. Je ne sais pas comment j'en ai eu l'intuition. Je l'ai inventé et… c'est vrai. Mais la partie est loin d'être terminée. Je marche dorénavant sur un fil tendu au-dessus du vide et la moindre maladresse me fera tomber.

— Comment le sais-tu ? demande-t-il.

Il a blêmi. Ses lèvres tremblent. Tiens, je le préfère comme ça.

— Qu'importe comment je le sais. Mais ne t'inquiète pas, on est très peu. Et il ne tient qu'à toi de faire en sorte qu'on ne soit pas plus nombreux. Est-ce que tu as vu cette capturée ? Réponds-moi !

Il est pitoyable. Il baisse les yeux, déglutit, hésite. Son secret est-il à ce point honteux que sa simple évocation le mette dans cet état ? On dirait qu'il a huit ans, soudain. Sa morgue et son dédain sont bien loin.

— Si je te donne des informations, tu te tairas ? bredouille-t-il.

— Bien sûr que je me tairai ! Qu'est-ce que j'en ai à faire, moi ? C'est ton problème, pas le mien ! Je veux juste que tu me dises si tu as vu cette capturée rousse.

C'est étrange de parler avec assurance de quelque chose dont on ignore tout. Je me découvre un talent de comédienne qui m'effraie presque.

– La rousse ? demande-t-il. Celle du cheval ?

Mon cœur bondit.

– Oui, celle du cheval !

– Elle est partie hier soir. C'est à cause de Torkensen.

Mon cœur s'arrête.

– Elle est partie pour où ?

– Pour… là-bas.

– Pour Estrellas ?

Il hoche la tête. Oui, elle est partie hier soir pour Estrellas.

– Comment le sais-tu ?

– Eh bien, par mon… par lui…

J'ai envie de hurler : « Par ton quoi ? Qui, lui ? » Mais comme je suis censée le savoir, la question reste coincée dans ma gorge ! C'est un dialogue absurde, un dialogue de fous.

– Comment est-elle partie ?

– Par le train de nuit, sans doute. Il y a un départ chaque soir.

– Il part d'où, ce train ?

– Pas de la gare principale. D'une autre gare. Une gare spéciale. Je sais pas où elle est. Mais je peux me renseigner, à condition que tu me jures de ne rien dire. Si tu parles, tout le monde verra que... que c'est vrai... qu'on se ressemble... on sera ridicules... et il ne pourra plus... enseigner... et moi je devrai quitter la base parce que...

De quoi parle ce garçon ? De qui ? C'est de l'hébreu pour moi. Mais en réalité, je m'en fous. Ce qui m'intéresse, c'est Gabrielle et personne d'autre. Jamais je n'ai senti ma grande sœur si proche et si lointaine. Je suis privée d'elle depuis un an, et ce garçon qui ne la connaît pas, qui s'en fiche, l'a vue des dizaines de fois peut-être.

— Comment va-t-elle ? Dis-le-moi !

Je pourrais lui sauter dessus, le secouer, enfoncer ma main dans son gosier pour en extirper les mots.

— Elle va... je sais pas. Elle restait toujours dans la même chambre. Je l'apercevais derrière le rideau de sa fenêtre quand je traversais le parc. Un jour, le rideau était tiré et j'ai vu sa chevelure rousse. Je peux pas t'en dire plus.

— Tu ne l'as jamais vue de près ?

— Non. Je remettais ma livraison au garde et je m'en allais.

— Est-ce qu'elle est malade ?

— Je sais pas...

— Est-ce qu'elle parle ?

— Je sais pas...

– Est-ce qu'elle marche ?

– Je sais pas…

– Tu ne sais rien ! Je pourrais te tuer ! Qui la gardait ? Qui était son maître ?

– Je sais pas… je peux pas… j'ai pas le droit…

Un bus arrive et se pose à la station. Je pousse Bachelier dans le dos.

– Va-t'en !

Il s'éloigne piteusement, se retourne après quelques mètres :

– Tu ne diras rien ? Tu l'as juré !

Je hausse les épaules et à cet instant précis le doute s'immisce dans son esprit. En quelques secondes, il y fait son chemin et devient certitude. Les yeux de Bachelier s'écarquillent.

– Si ça se trouve, tu savais rien du tout… C'est ça, hein ? Tu savais rien ! Tu as fait semblant ! Tu m'as possédé…

Je ne me donne pas la peine de lui répondre. Il pointe le doigt vers moi.

– Tu bluffes depuis le début, hein ? Dis-le !

Je me tais. Je n'ai rien à lui expliquer. Il ne me quitte pas des yeux en montant à bord. Il est furieux. Il me hait.

Je le vois s'asseoir et, tandis que le bus se met en mouvement, je lis sur ses lèvres, à travers la vitre, le mot qu'il articule avec application : « Truie ! »

J'attends que le bus ait disparu pour partir à mon tour. Je ne tiens pas à indiquer à Bachelier où habite Mme Beckelynck. Je cours jusqu'à la maison. Tant pis si je m'essouffle. Il n'y a personne dans les parages. Dès qu'il me voit, Bran comprend que quelque chose de grave est arrivé. Je me jette dans ses bras et je pleure.

— Bran... serre-moi... j'ai peur... ils ont emmené Gabrielle à Estrellas.

En s'y mettant à deux, ils arrivent à me calmer. Wahilal nous regarde sans comprendre. Nous nous asseyons sur la banquette. Mme Beckelynck reste debout et nous fait face avec sa houppette. Elle est d'avis que nous repartions le plus vite possible pour Campagne et pour la Terre. Si nous tenons à notre vie, il n'y a pas d'autre issue. Moi, je veux prendre le train d'Estrellas. Rien ne m'en empêchera. Bran est déchiré.

— On ne revient pas de là-bas, Anne, dit-il. Est-ce que tu peux comprendre ça?

Je m'entête.

— Qui dit qu'on ne peut pas en revenir? Est-ce que quelqu'un a déjà essayé?

Je ne lui rappelle pas sa promesse de ne pas m'abandonner. Elle lui appartient. Il en fera ce qu'il voudra, mais je suis sûre qu'il y pense en cet instant.

Je me tourne vers Mme Beckelynck.

– Est-ce que vous savez d'où part le train pour Estrellas?

– Oui. D'une gare qui se trouve à l'est de la ville. Elle est interdite au public, mais on peut l'atteindre à pied. On va jusqu'au terminus de la ligne 8 et on marche une heure environ, vers l'est.

– Qui monte dans ce train à part ceux qu'on emmène mourir?

– La brigade sanitaire, des infirmiers, des infirmières, des soldats.

Je réfléchis une minute, puis:

– Trouvez-moi une tenue d'infirmière, madame Beckelynck!

Elle me regarde durement et je m'attends à ce qu'elle me réponde: «Et pourquoi est-ce que je ferais ça?» Ou une phrase du même acabit, mais elle me désarçonne une fois de plus:

– Je peux en avoir une avant ce soir, mais il faut que vous me gardiez Wahilal.

Décidément, j'ai du mal à démêler la psychologie compliquée de cette femme.

Bran l'accompagne devant la porte et tous les deux échangent des paroles que je n'entends pas.

Elle est partie. La longue attente commence. À cette heure, il est peut-être déjà trop tard. Quand administrent-ils la piqûre létale aux assis et aux condamnés? Dès leur arrivée? Bran n'en sait rien. Il dit qu'Estrellas reçoit chaque

jour des trains venus de toutes les villes, chargés de centaines de voyageurs, et qu'il y a donc
peut-être un délai. Un délai...

Wahilal est assis au bout de la banquette, la
tête appuyée contre la cloison. Il ne joue pas. Il
est perdu dans ses rêves mystérieux. L'ongle de
son index gratte le tissu de sa tunique.

— Va jouer dans ta chambre, Wahilal, lui dit
Bran. Laisse-nous !

L'enfant fait non de la tête et ne bouge pas.
Nous parlons à voix basse.

— Dis-moi tout ce que tu sais d'Estrellas, Bran.

— Je n'en sais pas grand-chose. C'est la ville
de la mort, et la mort est taboue dans notre
monde. Comme tu le sais, nous n'avons pas de
maladies, et tout est si bien organisé que nous
n'avons presque pas d'accidents non plus. Alors
nous n'avons jamais affaire à la mort. Nous la
repoussons là-bas, à Estrellas, et personne n'en
parle jamais.

Il me dit qu'en réalité ce n'est pas vraiment
une ville, qu'elle n'a pas d'habitants, que seuls
y accèdent les assis, les condamnés et le personnel : infirmiers et soldats. Il essaie encore
de me dissuader, mais sans conviction. Il sait
que rien ne m'arrêtera. Je n'ose pas lui poser
la question qui me travaille : «Si j'y vais, Bran,
est-ce que tu viendras avec moi ?»

La réponse m'est donnée dès le retour de
Mme Beckelynck. Elle ouvre un paquet qu'elle

porte sous son bras et en jette le contenu par terre : une blouse blanche d'infirmière pour moi, et un uniforme bleu nuit de soldat pour Bran. Je comprends ce qu'ils se sont dit tout à l'heure devant la porte.

– Voilà, dit-elle, et l'espace d'une seconde, j'ai l'impression qu'elle va ajouter : « Allez mourir… »

Je dois laisser mon sac de voyage chez elle, et ça me contrarie beaucoup parce que je sais que je ne reviendrai pas ici et qu'il est donc perdu. Mais il n'y a rien d'autre à faire, une infirmière ne se promène pas avec un sac de voyage à l'épaule. Je remplis mes poches de tout ce à quoi je ne peux pas renoncer : mon carnet d'adresses, ma brosse à dents, mon portable avec son chargeur, même s'il ne fonctionne pas, mon iPod, des mouchoirs en papier. Je prends aussi le portefeuille de M. Virgil. Pendant ma nuit de solitude à Larena, j'ai failli l'ouvrir et regarder ce qu'il contenait, mais quelque chose m'en a empêchée, le sentiment de fouiller les poches d'un mort, de profaner.

Les adieux sont loin d'être bouleversants. Mme Beckelynck les abrège. Elle dit « au revoir mademoiselle, au revoir Ashelbi », et elle ouvre la porte. J'essaie d'embrasser Wahilal, mais il me repousse. Il n'a pas l'habitude de ce genre d'effusions.

Au terminal de la ligne 8, nous marchons dans la direction indiquée par Mme Beckelynck. Nous avançons plus d'une heure dans un lugubre désert de rocaille, et je commence à douter quand nous apercevons au loin les lumières jaunes de la gare. Elle ressemble au hangar d'un terrain d'aviation qu'on aurait construit au milieu de nulle part. Nous observons à distance la manœuvre d'un bus aérien qui s'approche au ralenti et se pose. Les portes s'ouvrent. Des soldats en uniforme installent une rampe par laquelle ils font descendre les fauteuils roulants des assis que des infirmiers et des infirmières poussent ensuite jusqu'à l'entrée de la gare.

Bran me répète les consignes :

— Marche droit, n'hésite jamais, aie toujours l'air affairé, ne t'apitoie pas sur les assis, fais attention à ta respiration…

Au moment de nous séparer, je le prends contre moi. Les mots me manquent et je lui lâche un pitoyable :

— Merci de venir avec moi.

Mes yeux se mouillent. Je lui donne un rapide baiser sur la bouche et je me dirige vers la gare. J'entre en adoptant le pas décidé de la personne qui sait très exactement où elle va et quel est son rôle, alors que j'ignore l'un et l'autre. Le train est au sol. Il ne ressemble pas à celui qui nous a amenés à Lorfalen, M. Virgil et moi. Il est plus massif, plus sombre, il n'a pas de vitres. Les soldats et les employés de la brigade sanitaire s'activent à pousser dans les voitures les fauteuils roulants sur lesquels sont assis les voyageurs en partance pour Estrellas. Les malheureux sont hagards. J'évite de regarder leurs visages. Je veux me préserver au maximum des émotions inutiles. Je veux être dure et forte pour Gabrielle. Je vais dans un sens, dans l'autre, je monte dans le train, redescends, longe le quai, reviens, repars, comme si je m'acquittais d'une tâche précise et urgente. J'évite de croiser les regards. À l'occasion, j'aide à pousser, à tirer, à soulever, mais je ne m'attarde jamais nulle part.

Soudain, j'aperçois Bran passer à vive allure au milieu des gens, son bras gauche bien collé à son côté. Il joue la même comédie que moi, montre le même zèle. Nos regards se croisent, et si la situation n'était pas aussi dramatique, sans doute que notre pantomime ridicule nous ferait bien rire.

Il est presque minuit quand le train part enfin. Je n'en pouvais plus de faire semblant. À l'intérieur, tous les assis sont restés sur leurs fauteuils que les infirmiers ont arrimés dans les voitures. Les sièges fixes sont pour le personnel. Je trouve une place tranquille tout à l'avant du train, dans la pénombre. De là, en levant la tête, je vois le ciel, comme entre Campagne et Lorfalen. Le souvenir de M. Virgil me revient et me blesse douloureusement. Je lui demande pardon. Pardon à lui, à ceux qui vont le chercher, l'attendre. Pardon à Loïse qui ne comprendra jamais où s'en est allé son grand-père.

Nous sommes partis depuis une vingtaine de minutes quand quelqu'un vient s'asseoir à ma gauche. Un soldat. Je n'ose pas tourner la tête. Je bloque ma respiration. Je me raidis. Au moment où la peur s'empare de moi, je sens une main chaude qui cherche la mienne et la prend. Bran...

— Ça va ? me souffle-t-il.

— Ça va. Où étais-tu ?

— J'ai remonté tout le train, pour voir... Bachelier a dit que Gabrielle était partie hier, mais on ne sait jamais.

— Et alors ?

— Alors rien. À part les soldats et les infirmiers, il n'y a que des assis.

Le train s'enfonce comme un projectile dans la nuit noire. J'aimerais entendre son bruit : l'air contre les parois, les roues sur les rails, mais non, il fonce dans un silence qui me dégoûte. Je crois que l'angoisse me tuerait si je n'avais pas Bran à mes côtés. Là-bas, au bout du voyage, il y a Gabrielle, vivante encore, peut-être. Si j'ai une chance sur mille de l'arracher à cette épouvante, je le ferai. Mais à quel prix ? Il me semble que je suis en train de faire provision de cauchemars pour le restant de mes jours.

– Au fait, demande Bran, tu as pu savoir ce qu'il avait sur la conscience, Bachelier ?

Je souris. Cette affaire me paraît déjà si lointaine, et tellement dénuée d'importance. Et surtout, je m'en contrefiche. J'essaie quand même de retrouver les paroles exactes du garçon.

– Il a dit qu'il serait ridicule. Et qu'il devrait quitter la base.

Bran réfléchit mais ne voit pas.

– Ça ne m'aide pas vraiment. Rien d'autre ?

– Non. Ah, si ! Il a dit : «Tout le monde verra que c'est vrai, qu'on se ressemble…»

– Qu'on se ressemble ? répète Bran, de plus en plus songeur.

– Oui, et que l'autre ne pourrait plus enseigner.

Cette fois, Bran a tous les éléments, et la soudaine révélation du secret de Bachelier le secoue d'un rire irrésistible.

– Oh, non ! J'y crois pas ! Bachelier ! Le fils de Geemader !

Je le bourre de coups de coude dans les côtes, mais rien n'y fait. Il est plié !

– Oh, non ! Le fils de Geemader ! C'est vrai qu'ils se ressemblent ! Le même cou de pintade ! Le même air d'avoir avalé un peigne ! Oh, non ! Oh, non !

Je regarde, affolée, derrière nous. Quand Bran s'est enfin calmé, il s'excuse d'avoir ri alors que je suis triste, mais je ne lui en veux pas. Au contraire. Je le regarde s'essuyer les yeux. Il ne m'a jamais semblé aussi Terrien qu'en cet instant.

Nous nous taisons, maintenant. Le train poursuit sa course effrénée. Au-dessus de nous, quelques étoiles sont montées dans le ciel. Elles ne scintillent pas. Elles sont comme des yeux morts qui nous regardent et qui nous disent : « Que venez-vous faire en ce lieu, vous qui êtes vivants ? Vivants et amoureux. Vous n'êtes pas à votre place. »

Je baisse les yeux. Je ne veux plus les voir.

– Ce serait bien de dormir un peu, dit Bran.

Il reprend ma main. Nous appuyons nos têtes l'une contre l'autre. Peu à peu s'accorde le chant fragile de nos deux souffles.

TROISIÈME PARTIE
ESTRELLAS

Orphée se rendit aux Enfers pour ramener
sa fiancée Eurydice du royaume des Morts.
Mythologie grecque

1
T'as de beaux yeux,
tu sais...

« ... *ère Jacques... ère Jacques... ormez-vous...* »
Torkensen se réveilla avec cet air-là dans la tête.
Il le balbutia, les lèvres molles :
– *hmm hmm les 'atineuuus... hmm hmm les
'atineuuus...*
Les cloches terrestres déclenchées la veille
par le coup de poing du garde s'étaient tues,
mais la chanson les avait remplacées :
– *ing... eng... ong... hmm hmm hmm...*
Voyant ses genoux pointer vers le haut, juste
devant son nez, il comprit qu'il se trouvait
encore dans ce drôle de fauteuil roulant sur
lequel un infirmier l'avait assis à la résidence
et qui était beaucoup trop petit pour lui. Rien
n'avait jamais été à sa taille depuis qu'il était
né, ni les vêtements, ni les meubles, ni les
personnes. Pourquoi cela aurait-il changé le
jour de sa mort ? Parce qu'il allait mourir, il le

savait bien. Sans doute ce soir même. Le plus étonnant était qu'il s'en fichait un peu.

La pièce où il attendait sans s'impatienter depuis des heures était vide, sauf quelques appareils dont il ignorait l'usage. Une cloison de verre la séparait d'un espace technique équipé d'ordinateurs. Une vitre blanchie à la peinture occupait en partie l'autre mur.

Quelque chose le gênait à la saignée du coude droit. Il releva sa manche et vit un petit pansement. Il le souleva d'un côté et découvrit le trou net et précis dans sa veine. Ah, voilà, ils lui avaient fait une piqûre, ça lui revenait. Eh bien, ils avaient eu mille fois raison! Grâce à elle, il ne souffrait pas du tout des fractures de ses jambes et de ses bras, pas plus que de son entorse au poignet. C'était comme si quelqu'un d'autre avait eu mal à sa place...

– 'onnez les 'atineuuus... 'onnez les 'atineuuus...

De la même façon, il se sentait calme et serein. En sécurité, pour tout dire. Comme si quelqu'un d'autre avait eu peur à sa place. Non, ces gens-là n'étaient pas des brutes. Bien sûr, le garde de la résidence l'avait un peu malmené dans l'escalier, puis frappé à la tempe, mais il n'avait fait que son devoir après tout. Par la suite, et autant qu'il s'en souvienne, tout le monde s'était montré parfaitement correct.

– ing... eng... ong... hmm... hmm... hmm...

La Terrienne rousse était dans son fauteuil,

juste devant le sien, immobile et silencieuse, toujours vêtue de sa seule robe de chambre. Elle lui tournait le dos. Dommage. Ils auraient pu les installer autrement. Qu'ils puissent se voir au moins. Il admira une fois de plus l'abondante chevelure qui dégringolait sur les épaules. Il aurait volontiers plongé ses mains dedans, et même son visage. C'était une belle femme. La deuxième Terrienne qu'il voyait « en vrai », après celle de l'hôtel Titan. Et les deux étaient sœurs ! À son avis, celle-ci aurait très bien pu être l'héroïne d'un film de là-bas, avec sa poitrine ronde, ses jolies jambes, ses yeux verts et ses taches de rousseur sur le nez. Il aurait juste fallu qu'elle ait l'air un peu moins triste.

Ils ne s'étaient pas quittés, elle et lui, depuis qu'on les avait jetés ensemble dans un fourgon aérien, à la résidence, et conduits à la gare. À partir de cet instant, il n'avait fait que s'endormir et se réveiller, s'endormir et se réveiller. Et chantonner *Frère Jacques…*

— *ormez-vous… ormez-vous…*

Parfois il flottait entre ces deux états, le cerveau pâteux, mais ce n'était pas désagréable, au contraire.

Malgré ce brouillard, il avait quand même réussi à répertorier plusieurs lieux différents depuis leur départ : la gare de Lorfalen pour commencer, mais pas la gare principale qu'il connaissait bien, non, l'autre, dont il avait entendu parler quelquefois, celle des trains en partance pour Estrellas. Il s'était étonné de ne pas s'évanouir de terreur en comprenant où on l'emmenait, mais c'était comme ça, il s'en fichait !

Il avait même vécu là un moment particulier, un moment délicieux. Voilà ce qui était arrivé : ils étaient restés, la Terrienne et lui, stationnés pendant quelques minutes dans un local de cette gare, sur leur fauteuil, sans doute dans l'attente d'être installés à bord du train. Ils se faisaient face. Sur le quai, de l'autre côté de la fenêtre, des infirmiers passaient en tous sens, poussant, tirant et soulevant des assis. Brusquement, et pour la première fois, elle avait tourné la tête vers lui et planté ses yeux verts dans les siens.

Quel choc ! Il avait eu l'impression qu'il venait de plonger dans la piscine de la base ! «Eh, Torkensen ! s'était-il dit, tu vas pas tomber amoureux la veille de ta mort !» Et pourquoi pas, après tout ? Au contraire ! Vivre cette expérience-là, au dernier moment, lui aurait bien plu. Seulement, une pensée l'avait soudain chagriné : on allait certainement les séparer dans le train ! Et dans ce cas, il ne la reverrait plus. Oui, il fallait qu'il lui parle avant qu'il ne soit trop tard. Ou qu'il lui chante quelque chose. Au hasard, tiens : *Frère Jacques !*

– … *ing eng ong…*

Non ! Il allait lui dire… euh… La question était justement là : que peut dire un grand hybride nommé Torkensen à une belle Terrienne inconnue, alors que tous les deux s'en vont mourir ensemble à Estrellas ? « Bon voyage, mademoiselle ? » Non, ça n'allait pas. Alors, il avait pensé à ce célèbre film terrien en noir et blanc où l'acteur disait : « T'as de beaux yeux, tu sais… », à quoi l'actrice répondait : « Embrasse-moi… » Il avait donc essayé de prendre la même voix troublante que l'acteur, mais les mots avaient formé une pâte boueuse dans sa gorge et refusé de sortir. Il avait fait une deuxième tentative et abouti à un infâme gargouillis. Alors il s'était contenté de sourire à la Terrienne. De sourire… enfin de tordre sa bouche comme pour un sourire. Est-ce qu'elle avait répondu ? Il n'en était pas sûr. Il avait envie de penser que oui.

On ne les avait pas séparés dans le train, on avait même arrimé leurs fauteuils côte à côte dans un compartiment spécial, loin des assis, sous la surveillance d'un soldat, et ils avaient passé la nuit ainsi, tout proches l'un de l'autre. Parfois, il avait tourné la tête vers elle, mais elle était restée indifférente. N'empêche qu'il avait senti sa présence pendant tout le voyage, sa chaleur, presque.

Ensuite, récapitulons.

– … ère Jacques… ère Jacques…

Ah, oui, il y avait eu l'arrivée à Estrellas, le

quai de la gare d'Estrellas, un fourgon encore, ah, oui, et c'est par la fenêtre de ce fourgon qu'il avait entr'aperçu ce ciel hideux, si noir, si bas. Oh, quelle laideur ! Pour un voyage de noces, merci ! Non, bien sûr, ce n'était pas un voyage de noces, il le savait bien, mais quand même il était... comment dire... il était en charmante compagnie, et ce ciel crasseux ne s'accordait pas avec l'événement, non, pas du tout ! Du coup, il s'était endormi à nouveau, puis réveillé dans un couloir.

– ... *onnez les 'atineuuuus...*

Rendormi.

– ... *ing eng ong...*

Réveillé dans une salle d'attente avec des portes en verre poli. Quel carrousel ! Et, pour finir, cette pièce blanche dans laquelle il se trouvait maintenant. Il y avait eu tous ces changements, mais une chose ne variait pas : son bien-être. Pas plus que la présence à ses côtés de la belle Terrienne. Non, vraiment, jusque-là ça n'allait pas si mal.

Il se faisait cette réflexion quand la porte s'ouvrit sur un infirmier qui poussait un fauteuil roulant. Le jeune garçon assis dessus était un hybride. Son habit d'élève-soldat et ses lèvres entrouvertes par la respiration ne laissaient aucun doute là-dessus. Il ne le connaissait pas. Sans doute venait-il d'une autre base, d'une autre ville. Il lui trouva l'air hébété, avec son teint livide et ce pitoyable filet de salive qui coulait de sa bouche. Mais est-ce qu'il n'avait pas exactement la même tête, lui, Torkensen? Cette considération lui donna à penser. Si c'était le cas, pas étonnant que la Terrienne n'ait pas succombé à son charme sur le quai de la gare d'Estrellas! «T'as d'beaux yeux, tu sais…» «Oui, et toi une drôle de tête…»

Ensuite, tout s'accéléra.

Un homme anguleux, vêtu d'un uniforme d'officier, apparut dans le local technique, de l'autre côté de la cloison de verre. Torkensen lutta contre le sommeil pour l'observer.

– *Hmm hmm ong…*

Il le vit s'asseoir derrière un ordinateur, l'allumer et procéder à une recherche tactile sur l'écran. Une photo de l'hybride apparut, accompagnée d'un nom illisible à cette distance.

– Lève-toi! dit l'infirmier.

Sa voix métallique résonna dans la tête de Torkensen. Pourquoi ce type avait-il besoin de parler si fort?

L'hybride descendit de son fauteuil.

– Déshabille-toi!

Il s'exécuta avec docilité. Ses vêtements tombèrent un à un sur le carrelage. Il resta en caleçon, les bras ballants. Il était maigre et clair de peau. L'infirmier avait maintenant un appareil dans la main, une sorte de disque qu'il promena sur le corps de l'hybride. *Biiiiiip!* fit l'appareil à hauteur de la hanche. Un détecteur. Maintenant, l'infirmier tenait un scalpel de chirurgien. D'où le sortait-il ? Torkensen avait l'impression de manquer des épisodes, parfois. Il se concentra pour assister à la suite. L'infirmier venait de faire une incision de quatre centimètres environ sur la hanche de l'hybride resté debout. La plaie eut à peine le temps de saigner qu'il en avait déjà extrait la pastille d'identité grâce à une pince. «Quelle dextérité!» se dit Torkensen, tout près d'applaudir.

L'infirmier pansa sommairement la blessure, puis il déposa la pastille dans un petit appareil dont il actionna le levier. On entendit le bruit sec d'un objet qui éclate. «Un étau à compression, pensa Torkensen. Tout simple et très efficace!» Il avait toujours cru que les micropastilles étaient indestructibles, eh bien, non! Il jeta un coup d'œil à l'écran de l'ordinateur : les lettres qui formaient le nom de l'hybride s'effondraient les unes après les autres comme des petits édifices de sable dont on aurait sapé la base. Quand il n'en resta plus qu'un tas de poussière, l'officier pressa un bouton qui fit s'ouvrir un passage dans le mur opposé.

– Va! dit simplement l'infirmier.

L'hybride fit trois pas, mais, au moment de franchir le passage, il s'arrêta, hésitant, et il fallut que l'infirmier lui donne une poussée dans le dos pour le faire avancer. Torkensen estima que ce n'était pas bien de faire perdre du temps à ces personnes surchargées de travail. Quand son tour viendrait, il serait plus obéissant.

– … *onnez les 'atineuuus…*

Il sombra de nouveau.

À son réveil, il fut amusé de voir apparaître son visage à lui, en gros plan, sur l'écran de l'ordinateur. Et son nom écrit dessous, en lettres majuscules : TORKENSEN.

– Lève-toi ! dit l'infirmier.

« Pas si fort…, voulut-il répondre, ne parlez pas si fort… » mais rien ne sortit de sa bouche. Il descendit de son fauteuil. Sa jambe gauche cédait sous lui, mais, en compensant sur la droite, il parvenait très bien à tenir debout sans faire d'histoires. La différence de taille entre les deux était spectaculaire, et l'infirmier recula d'un pas.

– Déshabille-toi !

Torkensen ôta tous ses vêtements sauf son caleçon et les jeta sur ceux de l'hybride. Il n'aurait pas aimé être complètement nu devant la Terrienne, et ces gens-là avaient la délicatesse de le comprendre. Il découvrit son genou gauche tuméfié et des hématomes sur tout le reste de son corps, souvenirs du garde qui l'avait traîné sur l'escalier de la résidence. « Tu l'as bien cherché, mon ami », se dit-il à nouveau.

Quand l'infirmier s'approcha avec le détecteur dans la main, Torkensen esquissa un sourire. Il allait vivre un grand moment : connaître enfin l'emplacement de sa pastille ! Où la lui avait-on installée à sa naissance ? Dans le talon ? Sous la clavicule ? Sous le menton ? Il s'était posé cette question pendant toute sa vie. Cela l'intriguait. Certains camarades pouvaient carrément la toucher sous leur peau, d'autres se doutaient de l'endroit sans en être sûrs. Ashelbi, par exemple, avait toujours pensé qu'elle se trouvait sous son aisselle gauche. Lui, Torkensen, n'en avait jamais eu la moindre idée.

L'infirmier commença par la tête et les épaules. Le détecteur se tut. Il resta pareillement silencieux en voyageant sur la poitrine et le dos. Torkensen n'en pouvait plus de curiosité, et lorsque le détecteur émit enfin son signal, il ne put s'empêcher d'éclater de rire. Cela fit comme une bouillie dans sa bouche, à demi cliquetis, à demi rire terrestre.

La pastille se trouvait dans sa fesse droite.

L'infirmier procéda avec rapidité. Il incisa, retira la pastille et referma la plaie en un tournemain, sans provoquer la moindre douleur, sans faire saigner du tout. Torkensen observa comme il déposait ensuite la pastille entre les mâchoires de l'étau. Il entendit la petite explosion, *pott!* et il se tordit le cou pour voir sur l'écran de l'ordinateur disparaître les lettres de son nom. D'abord les voyelles : le O et les deux E, qui s'effritèrent doucement, puis les consonnes une à une : le T, le S, les deux N, jusqu'au grand K qui tomba le dernier.

Torkensen se dit que c'était lui, le grand K, avec ses deux longues jambes et ses deux longs bras, et en le voyant s'effondrer, il ressentit une douleur dans le ventre. Et de la tristesse. C'était la première fois depuis la veille. Peut-être l'effet de la piqûre était-il en train de s'atténuer ?

La porte coulissa dans le mur opposé.

— Va ! dit l'infirmier.

Torkensen boitilla jusqu'à l'entrée où il eut la même hésitation que l'autre hybride, mais il se ressaisit et avança. Avant que le passage ne se referme derrière lui, il se retourna et eut le temps d'attraper le regard vert de la Terrienne plongé dans le sien, intensément. Il éprouva la même belle émotion que sur le quai de la gare de Lorfalen. La même sensation de piscine, de plongeon.

Il avait toujours rêvé d'être sélectionné pour une mission terrestre, comme Ashelbi. Il n'était pas très doué, certes, et le savait bien. De plus, sa taille ne le prédisposait pas à la discrétion, mais on l'aurait peut-être accepté tout de même un jour, qui sait ? À présent, c'était une certitude : il n'irait jamais sur Terre. C'est pourquoi il prit ce regard vert de la Terrienne comme une consolation. Il mourrait en ayant vécu ça, au moins une fois, en vrai. Les images du film lui revinrent. Ah oui, il s'appelait *Le Quai des brumes*. Et l'acteur Jean Gabin. Et l'actrice Michèle Morgan. Il essaya de dire les mots comme Jean Gabin, mais il n'y arriva pas, alors il les dit en pensée : « T'as de beaux yeux, tu sais… » et la Terrienne dut les entendre puisqu'elle lui répondit de la même façon : « Embrasse-moi… » Alors, il l'embrassa. En pensée. De loin.

Il se trouvait maintenant dans un sas étroit éclairé d'une lumière blanche et dont les murs se dressaient comme des falaises à sa droite et à sa gauche. La porte se referma.

– … *ère Jacques… ère Jacques… ormez-vous…*

Tout se brouillait. Il avait mal à la tête.

Il attendit.

Peu à peu, une pensée s'insinua dans son cerveau, une pensée confuse mais qui faisait son chemin : est-ce que… est-ce que par hasard la Terrienne ne serait pas ici… un peu par sa faute, par sa faute à lui, Torkensen ?

La pensée progressa, insistante, et plus elle avançait, plus elle était douloureuse. Est-ce qu'il n'avait pas commis une énorme bêtise à la résidence ? Est-ce qu'en guise d'adieu, il n'avait pas commis la plus énorme bêtise de sa vie ? Il avait pour mission de se renseigner sur la Terrienne, pas de l'envoyer à Estrellas ! Ashelbi devait être furieux. Cette pensée le chagrina. Il détestait qu'Ashelbi soit en colère contre lui.

Que faire ?

Il regarda les murs. Ils étaient nus, sauf des fils électriques placés dans un boîtier, très haut, à l'angle du plafond, afin que personne ne puisse les atteindre. Personne, sauf un garçon de un mètre quatre-vingt-dix-huit qui se dresse sur ses orteils et étire son bras. Il ôta le boîtier transparent qu'il laissa tomber au sol.

– … *ding deng dong…*

Le fil rouge était connecté à un autre fil rouge, le bleu à un fil bleu.

– … *onnez les… atineus… onnez les… atineus…*

Il intervertit la connexion et il fit la même chose avec les fils jaunes et verts.

– … *ère Jacques… ère Jacques… ormez-vous…*

À l'autre bout du sas, une porte s'ouvrit sur la nuit. Il se sentit attiré et fit quelques pas.

– hmm hmm hmm…

Puis il se retrouva dans les ténèbres. Au loin, tout au fond de cette obscurité, rougeoyait une flamme, comme à travers la vitre sale d'un four. Un homme le saisit par le bras droit, sans brutalité. Un autre – comment faisait-il pour y voir ? – lui fit une piqûre au bras gauche. Il n'opposa aucune résistance. Puisque la piqûre de la veille lui avait fait du bien, pourquoi aurait-il refusé celle-ci ?

Les deux hommes l'entraînèrent. Avec leur aide, il marchait mieux.

L'air était surchauffé, mais ce n'était pas désagréable. En avançant, il se demanda s'il avait bien fait d'inverser les fils dans le sas. Peut-être que oui. Peut-être qu'Ashelbi serait fier de lui, finalement. Il n'aimait pas qu'Ashelbi lui fasse des reproches. Ça comptait beaucoup pour lui.

Une autre pensée lui vint alors que la flamme s'approchait. Ou plutôt, une vision. Celle d'une femme mince et presque géante qui lui ressemblait et qui l'attendait là-bas, au bout de la nuit. Elle lui souriait, assise sur le four.

– Viens, ma grande perche, lui dit-elle.

Ma grande perche ! Cela le fit rire parce que c'était dit sans aucune moquerie. Bien au contraire, il n'y avait dans sa voix que de la tendresse.

– Maman ? appela-t-il.

Il sentit le produit se répandre dans ses veines et l'emporter. Un abîme s'ouvrit en lui. Il commença à défaillir. L'un des deux hommes lâcha son bras et se plaça dans son dos pour le recevoir. Il bascula en arrière, comme un arbre, mais il ne tomba pas dans les bras de cet homme. Il tomba dans ceux de la femme-girafe. Elle les referma sur lui. Elle le blottit contre elle et lui murmura :

– Dors, mon grand.

– Oui, maman, répondit-il.

L'infirmier fit avancer le fauteuil de la Terrienne en prenant soin de ne pas la toucher. On l'avait bien sûr protégé de toute contamination, mais il préférait ne prendre aucun risque. Et puis, il éprouvait un mélange de dégoût et d'attirance pour cette créature venue d'ailleurs. Toucher les hybrides ne le gênait pas. Il avait eu l'occasion de le faire souvent. Toucher la peau d'une capturée l'intimidait et lui faisait peur.

Il était inutile de soumettre cette femme au détecteur puisqu'elle ne possédait pas d'identifiant. On pouvait passer directement à l'opération suivante. Le plus tôt serait le mieux.

– Lève-toi ! dit l'infirmier.

La Terrienne ne bougea pas. Elle semblait très loin, hors d'atteinte, indifférente à ce qui se passait autour d'elle. L'infirmier s'en trouva contrarié. Le traitement chimique infligé aux condamnés assurait en principe leur absolue soumission aux ordres. Alors pourquoi celle-ci n'obéissait-elle pas ? Il n'allait quand même pas être obligé de la prendre à pleins bras, pouah ! pour la transporter dans le sas !

Son inquiétude fut de courte durée. Quelque chose clochait avec la porte. L'officier avait beau commander son ouverture en pressant le bouton, celle-ci restait résolument close. C'était un événement rarissime. Comme l'officier n'avait pas la compétence pour réparer ce type de panne, il n'insista pas. Il éteignit son ordinateur et fit signe à l'infirmier qu'on en resterait là pour aujourd'hui, qu'ils s'occuperaient de la Terrienne le lendemain.

2
Le chemin de fumée

Anne Collodi fit deux rêves. Le premier plutôt amusant. Elle était à la pâtisserie *La Muscadine*, juste avant le pont sur la Loire, à Saint-Just, et le patron l'encourageait à entasser des gâteaux sur un plateau. «Allez-y, puisque je vous dis que c'est gratuit. Profitez-en. N'hésitez pas. Un petit macaron peut-être ? – Je dois surveiller mon poids», disait-elle en riant, mais, pour lui faire plaisir, elle prenait encore un stylo et un cahier puisque dans son rêve la boutique venait de se transformer en papeterie.

Le second fut beaucoup plus désagréable. Elle était assise dans le tramway, à Saint-Étienne, comme seule passagère. La ville ressemblait à une ville fantôme du Far West, absolument déserte et recouverte de poussière. Les trottoirs, les rues, les places étaient abandonnés. Le tramway avançait en grinçant le long de la Grand-Rue, sans s'arrêter aux stations. Des toiles d'araignée pendaient au plafond. Le sol était jonché de détritus. Et puis, à hauteur de la place du Peuple, Benoît surgissait brusquement de cette désolation, courait le long de la voie, sautait à bord et la rejoignait en disant : «T'as vu ça! T'as vu ça!» Lui-même était en guenilles, sale et amaigri.

Elle se réveilla soulagée, mais cela ne dura pas longtemps. La conscience du lieu où elle se trouvait, et plus encore de celui vers lequel elle se dirigeait lui contracta douloureusement l'estomac. Bran dormait encore à côté d'elle. Sa respiration était paisible. Elle se garda bien de le réveiller. Autant le laisser encore un peu à l'innocence de son sommeil.

Le train commença à ralentir. On approchait d'Estrellas et le jour allait poindre. Elle se leva pour jeter un coup d'œil par la vitre latérale. À mesure que la vitesse diminuait, le paysage lui apparut. Il ne ressemblait en rien à celui qu'elle avait découvert en arrivant à Lorfalen. Le désert de sable blanc avait laissé la place à une sorte de grenaille sombre parsemée de lugubres rochers. Le ciel noir semblait peint. Elle en eut le frisson et revint s'asseoir près de Bran qui ouvrait justement un œil.

– On arrive.
– Ah! fit-il, et il se retint de bâiller.
– On arrive à Estrellas, précisa-t-elle.

Il hocha la tête.

– Je sais.

Un infirmier passa dans leur dos, s'arrêta un instant, comme s'il allait leur parler, mais il continua sans rien dire.

– Il vaut mieux que je me mette en apnée, estima Bran.

Elle le regarda expulser à fond l'air de ses poumons, creuser sa poitrine, expirer encore puis se bloquer quelques secondes dans l'attente du déclic.

– Voilà, fit-il d'une voix durcie. C'est plus prudent, et je pourrai parler aux gens si nécessaire.

– Je t'aime moins comme ça, commenta Anne. J'ai l'impression que je te perds un peu. Souris-moi, s'il te plaît. Juste pour me rassurer.

Le train était presque à l'arrêt maintenant. Ils reconnurent qu'ils étaient entrés en gare quand la tôle opaque d'un plafond remplaça le ciel. Le convoi se suspendit brièvement dans les airs avant de s'abaisser. Puis les portes glissèrent, découvrant un quai grisâtre et vide. Il y eut alors un moment d'absolu silence, et ce silence trop parfait ressemblait à un hurlement. Ils furent saisis tous les deux par la même angoisse. Aussi longtemps qu'ils étaient à bord, quelque chose les protégeait. À présent ils s'engageaient dans l'inconnu, et cet inconnu était gros de menaces. Un réflexe les jeta l'un contre l'autre.

– Ne me perds jamais de vue, rappela
Bran.

– Fais attention à toi, dit-elle et elle le poussa
doucement dehors.

Comme à Lorfalen, ils avaient jugé plus prudent de se séparer dans la gare. S'ils devaient
être pris, autant ne pas l'être tous les deux.
Elle s'en voulut aussitôt de ne pas lui avoir
demandé des nouvelles de sa blessure. Il n'en
avait plus parlé depuis la veille, si bien qu'elle
l'avait presque oubliée. Elle patienta quelques
secondes avant de descendre à son tour. Le
quai commençait à s'animer du même sinistre
ballet qu'à Lorfalen. Les infirmiers poussaient
les fauteuils sur lesquels les assis ressemblaient
de plus en plus à des ombres : leurs yeux mi-
clos ne voyaient plus, leurs bras et leurs têtes
tombaient, leurs bouches s'ouvraient grandes
en des mimiques grotesques. Anne se rappela
le conseil de Bran : ne pas les regarder, cela
ne servait à rien, sinon à sombrer soi-même
dans le désespoir. Elle se répéta aussi les autres
consignes : se montrer affairée, rester toujours
en mouvement, ne croiser le regard de personne, prendre garde à sa respiration. Et ne
pas le perdre. Se tenir à distance de lui, mais
ne pas le perdre. Il allait faire son possible pour
obtenir des renseignements sur Gabrielle. «Et
sur Torkensen, avait-elle ajouté. C'était ton
meilleur ami, non?»

Une odeur âcre flottait dans cette gare, sans qu'elle puisse l'identifier.

Depuis leur départ, Bran Ashelbi avait la certitude qu'il était déjà trop tard pour Gabrielle et pour Torkensen. Ce à quoi il assistait maintenant sur le quai ajouta encore à son pressentiment. Le déchargement se déroulait avec méthode et rapidité. Pas de bousculades. Pas la moindre hésitation dans les gestes des infirmiers. Ils poussaient les fauteuils droit devant eux puis franchissaient un portillon de contrôle derrière lequel ils disparaissaient en file indienne. Pas d'échanges entre eux. Pas le moindre mot. Ni ordres, ni commentaires. Aucune plainte non plus de la part des assis, ni de protestations. On aurait dit que la parole était bannie de ce lieu.

Mais Bran ne regrettait pas d'être venu. Dès l'instant où Anne l'avait affranchi de sa servitude en lui arrachant sa pastille d'identité, il était devenu une autre personne, chargée d'un autre destin. Et il n'avait désormais plus qu'une seule raison d'être : aller jusqu'au bout de son échappée. Avec elle.

Après quelques minutes, il eut la confirmation qu'il n'y avait ici aucun hybride ni aucune Terrienne. On les tenait à part, forcément. On préservait leur secret jusqu'aux portes de la mort. Il ne servait à rien de poireauter dans cette gare.

Il se dirigea vers ce qui semblait être une sortie, mais ce n'en était pas une. Il buta sur plusieurs issues gardées par des soldats avant de repérer une petite porte latérale munie d'une simple barre de fermeture. Elle s'ouvrit dès qu'il l'abaissa. Avant de sortir, il se retourna et chercha Anne dans la foule. Elle lui adressa un discret signe de tête : « Je suis là, je te rejoins. »

Dehors, ce n'était ni le jour ni la nuit, mais une pénombre crasseuse. L'air poissait. Le sol était de cendres. Et le ciel badigeonné de suie. Repoussant. Et parfaitement immobile, sauf les volutes paresseuses qui montaient plus loin, comme un chemin de fumée, par la cheminée d'un bâtiment, une sorte de grand hangar plat aux murs aveugles. Entre la gare et le bâtiment courait au sol un demi-tube de verre sale, long d'une centaine de mètres, rectiligne et dans lequel, par transparence, il vit passer le macabre cortège des assis. Il avança dans cette direction puis s'arrêta, effrayé. Les silhouettes voûtées sur leurs fauteuils et celles, droites, des infirmiers qui les poussaient dessinaient une frise macabre qui défilait lentement, presque irréelle.

Un bras se posa sur le sien. Anne.

Elle tenait un mouchoir contre sa bouche et toussait doucement mais sans pouvoir s'arrêter.

– J'arrive à peine à respirer. Ça me pique les yeux, la gorge…

Lui aussi se rendit compte que ses yeux brûlaient.

– Tu entends ce bourdonnement qui vient du bâtiment, là-bas ? C'est une soufflerie. Ils expulsent la fumée dans les airs mais, ensuite, comme il n'y a pas de vent, elle s'accumule et fait un couvercle.

Elle approuva sans répondre.

– On emmène les assis dans ce bâtiment, reprit-il, c'est là-bas qu'ils les incinèrent, mais je suis sûr que les Terriens et les hybrides sont ailleurs. Il faudrait trouver où.

Ils cherchèrent autour d'eux et ne virent rien d'autre que ce paysage de fin du monde : sous leurs pieds, la cendre tiède et fumante ; au-dessus de leurs têtes le ciel de suie, accablant, parsemé seulement de particules incandescentes, d'étincelles, comme des étoiles fugaces.

Estrellas…

Les âmes des brûlés sans doute, qui dansaient là-haut.

Pas une personne en vue hors des bâtiments, sauf eux.

Et cet air toxique, presque irrespirable.

– Je peux plus…, gémit Anne. J'étouffe. Je dois rentrer.

– Attends, dit-il.

Elle fit signe que non, que c'était impossible,

et trottina vers la gare, d'où ils venaient. Il la suivit. Par miracle, la porte qu'ils avaient fermée derrière eux s'ouvrit à la première poussée. Ils entrèrent. Le train était encore là. On était loin d'avoir débarqué tous les assis et il régnait toujours une grande animation sur le quai. Anne se tourna face au mur, son mouchoir écrasé contre la bouche, étouffant la toux qui la secouait. Les infirmiers passaient à moins de trois mètres d'eux. Elle tâcha de se faire petite, et Bran de la cacher, mais il fallut de longues minutes angoissantes avant que ses quintes ne s'espacent et s'apaisent. Elle en sortit dégoulinante de sueur, pâle.

— Respire, lui dit-il. Ça va aller.

Ils restèrent ainsi le temps qu'il fallait. Puis Bran s'approcha d'elle.

— Anne, écoute-moi. Je vais demander aux soldats ou aux infirmiers. Je demanderai jusqu'à ce que je tombe sur quelqu'un qui saurait quelque chose. Et si ça ne donne rien, je suivrai les assis. Peut-être que je me trompe et que les hybrides et les Terriennes sont emmenés au même endroit qu'eux. Tu attendras ici pendant que j'essaierai de…

— J'attendrai quoi ? le coupa-t-elle, et elle fit un mouvement de la tête vers le ciel. Que Gabrielle sorte par là-haut ? Non, on n'a plus le temps de rien. Plus une seconde. Je ne connais qu'une seule façon de la retrouver.

– Qu'est-ce que tu veux faire ?

Elle lui prit les mains et les embrassa, sans se soucier d'être vue ni d'attirer l'attention.

– Bran. Tu as fait de ton mieux, mais on n'arrivera à rien comme ça. C'est trop tard. Pardonne-moi et laisse-moi faire. Juste une chose que tu dois savoir : si je dois être battue, je préfère que ce soit par toi.

– Qu'est-ce que ça veut dire ?

Elle ne répondit pas, se sépara de lui, revint :

– Une deuxième chose : je t'aime.

« Voilà, se dit-elle en s'éloignant, c'est la première fois que je dis ces mots. À Benoît je n'ai jamais pu les dire. Ni à personne d'autre. J'avais imaginé un autre décor et d'autres circonstances, mais on ne choisit pas. »

Elle dégageait tant de force qu'il ne fit même pas la tentative de la retenir. Il la vit suivre le quai, s'arrêter, repartir, puis se poster finalement tout près du portillon, là où se pressait le plus de monde. Ensuite tout s'accéléra jusqu'au vertige. Il eut l'impression qu'elle se jetait tête la première dans un gouffre où se brassaient la vie et la mort, et dans lequel elle l'entraînait malgré lui.

Anne déboutonne sa blouse d'infirmière et l'ouvre. Elle se campe au milieu du quai. Elle ne fuit plus les regards, mais les cherche au contraire. Elle gonfle sa poitrine. Enfin ! Elle en avait marre de la rentrer et de pointer les épaules vers l'avant. Elle inspire profondément et elle chante.

Elle chante la première chose qui lui vient. C'est Keane.

— *I don't know your face no more... or feel your touch that I adore...*

Sa voix, d'abord fragile, s'enfle sur le refrain :
— *We might as well... We might as well...*

Elle a l'air égarée, mais la détermination la transcende. Bran est paralysé de stupeur et d'effroi. Il a compris : elle veut être capturée !

Les réactions ne se font pas attendre. Les infirmiers lâchent leurs fauteuils et s'enfuient. Des bras se tendent vers l'apparition. Des cris éclatent, comme des coassements :
— Là ! Là !

Les quelques soldats présents se regardent, désemparés. Sans consignes de leurs chefs, ils ne savent pas ce qu'ils doivent faire. Un assis lui-même tourne la tête et met sur son visage blême la marque d'un ultime étonnement : une Terrienne... C'est une Terrienne...

Bran sait que les gardes vont intervenir. Il ne sait pas d'où, mais ils vont surgir dans les secondes qui viennent. Son regard fouille la gare. Anne aussi les cherche. Elle a l'air d'un oiseau égaré, mais elle continue à chanter :
— *We might as well be living in a different world... we might as well...*

Les voilà qui déboulent! Trois hommes jeunes et athlétiques. Deux sont en uniforme de soldat, le troisième, un grand à la mâchoire carrée, est en civil. Ils se précipitent vers elle. Bran court aussi. Il arrive en même temps qu'eux. L'homme en civil arme son bras droit et serre déjà le poing. « Si je dois être battue, je préfère que ce soit par toi », a dit Anne. L'espace d'un éclair, leurs regards se trouvent.

– Pardon, murmure Bran.

Il devance l'homme et il la frappe. Il frappe la fille qu'il aime. Comme eux, comme une brute, sur le côté de la tête.

Elle crie. Le choc la renverse à terre. Les trois se jettent sur elle et la maîtrisent. Bran est le plus agressif. Plus il sera méchant et plus il sera crédible. Il lui met son genou dans les côtes, pardon... Il lui tord le bras dans le dos, pardon... Il la relève brutalement, pardon... pardon... « Tout ce que je te ferai, les autres ne te le feront pas, pardon... »

Un fauteuil roulant est apparu. On la jette dessus et on l'emporte. Elle est évanouie. C'est l'homme en civil qui mène la marche et guide, mais Bran garde une main sur la barre, pour ne pas perdre le contact avec elle. Ils évitent le portillon et vont à l'opposé de la gare, tout au bout, au pas de charge. Ils pénètrent dans un hangar où les attend un fourgon. Bref conciliabule et on y embarque la prisonnière dans son fauteuil qu'on arrime à une barre verticale. Il n'y a de place que pour deux autres personnes. Bran bouscule les soldats et monte avec l'homme en civil. Une porte coulisse dans le mur du hangar, le fourgon s'élève et la franchit. Les voilà dehors, dans la pénombre, sous le ciel de suie, sous les étoiles fugitives et minuscules. *Estrellas…*

Anne est comme une poupée brisée sur son fauteuil. Bran en est bouleversé mais il l'ignore. Il fait comme si elle lui était indifférente. Leur salut en dépend. Il ne lui jette même pas un coup d'œil. Le doute s'affiche cependant sur le visage de l'homme en civil, assis en face de lui, un pli barre son front lisse.

– Qui es-tu ? demande-t-il d'une voix d'airain.

En une seconde, Bran rassemble tout ce qu'il recèle de force, d'assurance, de certitude. Il y ajoute la folle espérance de s'en sortir, de survivre. Il prend sa voix la moins humaine, la plus dure et dit ce seul mot :

– Nouveau.

Le pli sur le front de l'homme se défait. C'est bon. C'est passé. C'est un miracle mais c'est passé.

Le fourgon contourne le bâtiment d'où s'élève la fumée et navigue plus loin, dans l'air vicié. Il se pose devant une autre construction, aveugle et basse aussi, mais plus petite. Elle possède également sa cheminée, d'où ne sort aucune fumée. On décharge le fauteuil par une rampe. Le dedans du local est aussi blanc et propre que le dehors est noir et repoussant. On suit un couloir. On arrive dans une salle d'attente. L'homme disparaît derrière une porte de verre dépoli.

Ils sont seuls. Anne bouge un bras, le soulève, pose une main tremblante sur sa tempe meurtrie, gémit. Bran souffre de la voir souffrir, mais il ne fait pas un geste vers elle. Il se tient à distance. Si l'homme revient, il doit le retrouver aussi dur et insensible qu'il l'a laissé.

L'homme revient. Il a reçu des ordres sans doute. On repart. Un couloir à nouveau, toujours au pas de course ou presque, puis une pièce blanche et vide, équipée d'appareils inconnus dont une sorte de broyeur avec un levier. Derrière une cloison de verre, plusieurs ordinateurs. Et là, juste devant, un autre fauteuil sur lequel, sur lequel... de dos...

Bran est stupéfait. Depuis Lorfalen, il a fait semblant de croire qu'ils avaient une chance de réussir. Mais il n'était pas dupe. Parce que ces gens-là ne traînent pas, parce qu'ils ne connaissent pas la notion de retard, parce qu'ils détestent l'imprévu, parce qu'ils sont efficaces. Il a joué la comédie de l'espoir pour Anne, pour aller avec elle jusqu'au bout du possible, lui faire admettre ensuite qu'ils avaient buté contre cette limite et l'obliger ainsi à renoncer. Et voilà que là, sur le fauteuil…

Quelque chose a déréglé l'implacable machine. Quelque chose ou quelqu'un… Qui ? Torkensen ? Il l'ignore.

On ne voit de Gabrielle que la chevelure rousse qui recouvre ses épaules et le haut du siège. Anne, qui reprend ses esprits, regarde cette nuque et ne semble pas comprendre. Elle pense peut-être qu'elle rêve.

L'homme parle dans un interphone. Puis il se tourne vers Bran et annonce :

– Ils arrivent.

Bran hoche la tête d'un air entendu : « Oui, bien sûr, je m'en doute, je suis nouveau, mais je sais quand même comment tout ça se passe… » En sortant de la pièce, l'homme, qui n'est pas bavard, lâche un simple :

– Surveille-les.

Est-ce qu'il sait faire une phrase de plus de trois mots ?

La porte s'est refermée. Ils sont seuls à nouveau, mais cette fois réunis : les deux femmes venues de la Terre et lui, Bran. Il se précipite, contourne le fauteuil et découvre le visage de Gabrielle. Il ne l'avait plus revue depuis le mariage et l'enlèvement, un an plus tôt. Elle était souriante et heureuse. Ses yeux pleins de lumière. Elle est hagarde et blême. Ses yeux sont vides. Il sait que le temps est compté. « Ils arrivent. » Qui sont ces «ils»? Ce sont ceux qui viennent faire mourir les deux Terriennes, ni plus ni moins. Il ne pourra pas assister, passif, à leur exécution. Il faudra qu'il se dévoile, qu'il hurle, qu'il se batte pour les défendre. Alors ils le prendront et le brûleront aussi.

Dans cette pièce vont entrer d'ici une minute ceux qui vont les tuer et les brûler. Il cherche autour de lui, mais il n'y a pas d'autre issue que cette porte par laquelle ils sont entrés, et cette autre en face d'eux, dans le mur, mais qu'il est impossible d'ouvrir. Sur le côté pourtant, une fenêtre à châssis fixe, avec sa vitre blanchie. Qu'y a-t-il derrière? L'urgence le survolte. Il la cogne des poings, du coude, mais elle résiste. Il prend de l'élan, se jette, épaule la première. La vitre grince mais ne cède pas. Il arrache le broyeur de son socle, l'empoigne par le levier et s'en sert comme d'un gourdin. La vitre se fissure mais ne rompt pas. Il frappe encore et encore, avec rage. Il ne réussit qu'à faire un trou de quelques centimètres. Son outil n'est pas assez lourd. Il l'abandonne. Il prend Anne sous les bras, l'arrache à son fauteuil et l'assoit par terre, elle gémit, pardon…

Il soulève le pesant fauteuil d'acier au-dessus de sa tête et le lance contre la vitre. Elle explose dans un terrible fracas. Il y a presque le passage pour un homme maintenant. Le fauteuil a rebondi à l'intérieur. Il le brandit et le projette une seconde fois. Le fauteuil tombe de l'autre côté. Cette fois, l'ouverture est faite. Il voit le sol de cendres, la pénombre. L'extérieur.

Quand il se retourne, Anne est debout, piquée devant sa sœur. Elle la désigne et murmure, hébétée :

— Regarde, c'est Gabrielle…

Il ne lui répond pas. Il n'a pas le temps. Il la saisit à la taille, l'oblige à enjamber la vitre brisée et la propulse dehors sans ménagement, pardon… Au tour de Gabrielle maintenant.

— Lève-toi ! lui ordonne-t-il.

Elle lui sourit paisiblement. Autour d'elle le monde explose, mais elle a l'air d'attendre sa tisane. Elle ne bouge pas le petit doigt. Elle est inerte. Il la prend à bras-le-corps, la décolle de son fauteuil et la jette par l'ouverture, à la suite d'Anne. Puis il y bascule le fauteuil. Puis il y passe lui-même. Il n'en revient pas que les tueurs ne soient pas encore arrivés, avec ce fracas d'enfer qu'il déchaîne.

Anne se tient toujours la tête, mais elle reprend ses esprits.

— Qu'est-ce que tu fais ? demande-t-elle. Qu'est-ce que tu fais, Bran ?

— Aide-moi ! gueule-t-il.

Ils soulèvent Gabrielle et la rassoient en vrac sur son fauteuil.

— C'est Gabrielle…, balbutie Anne, et malgré

la chaleur, elle tremble de tout son corps. Elle la touche, la caresse.

– Je sais ! dit Bran. Aide-moi !

Ils poussent le fauteuil dont les roues s'enfoncent dans la cendre.

À leur droite, la petite cheminée par laquelle ils ne partiront peut-être pas, finalement.

À gauche, la grande qui fume et qui emplit le ciel de sa sombre épouvante.

Derrière eux, la gare, dans laquelle un nouveau train arrive, ils le voient y entrer, ponctuel et silencieux.

Alors, ils s'en vont droit devant, là-bas, dans le noir, le vide, le rien.

Anne tousse déjà. Et Gabrielle aussi, plus faiblement. Bran est épargné grâce à son apnée. Il scrute le ciel de suie pour essayer d'y entrevoir une clarté, quelque part, vers où se diriger, vers où emmener les deux Terriennes, là où elles pourront mieux respirer, mais la chape est dense, épaisse, sans trouée.

Ils trébuchent, cahotent, chaloupent au hasard dans la pénombre. Bran s'arc-boute et pousse le fauteuil. Une heure peut-être, ou davantage. Ils ne sentent pas la fatigue.

– J'ai l'impression qu'on tourne en rond, dit Anne, suffocante.

– Non, répond Bran.

Mais il n'est sûr de rien. Il a lui aussi la hantise

de se retrouver soudain au pied des deux cheminées, d'être revenu au cœur de leur enfer. Il suit son instinct. Par là. Par là…

Ils avancent longtemps comme des fantômes sales et perdus.

Au bout d'une éternité cependant, il semble à Bran que l'air est un peu moins épais, que ses yeux brûlent moins. Anne a presque cessé de tousser. Gabrielle dort sur son fauteuil, semble-t-il. Au-dessus d'eux, la fumée se dissipe, le couvercle de suie s'ouvre par endroits, laissant apparaître des lambeaux de ciel pâle.

Les cendres dans lesquelles ils piétinent depuis des heures se pétrifient peu à peu et deviennent une croûte cassante et sonore.

Ils s'arrêtent pour la première fois. L'angoisse d'être repris a desserré son étau. Et le sentiment de liberté frise aux contours de leurs pensées.

Anne est inondée de sueur, chancelante. Elle va devant le fauteuil et s'agenouille face à Gabrielle. Bran la rejoint, s'agenouille aussi.

– Gabrielle, tu m'entends ? Tu me reconnais ?

La capturée les regarde comme s'ils étaient des meubles.

– Je suis Anne… Parle-moi.

Les beaux yeux verts sont vides.

– Gabrielle, où es-tu ? Reviens…

Elle voudrait se jeter dans ses bras et l'étreindre,

mais elle craint de l'effaroucher. Il faut l'apprivoiser d'abord. Elle pose son front sur les genoux de sa sœur et retient ses larmes.

— Regarde, dit Bran. On dirait qu'elle a quelque chose dans sa main.

Anne lève les yeux.

— Qu'est-ce que tu as dans ta main, Gabrielle?

La capturée se rétracte et ramène sa main contre son ventre.

— Montre-moi. Je ne veux pas te le prendre. Je veux juste voir.

La capturée desserre lentement ses doigts. Dans sa paume, il y a une dizaine de petites perles vertes.

— Ce sont tes médicaments?

La capturée sourit. Elle pince une perle entre son pouce et son index et la fait glisser dans sa bouche.

Anne et Bran prennent le temps de se regarder. Ils ressemblent à des charbonniers hagards. Leur peau est noire, leurs cheveux crasseux et collés par la sueur. Ils prennent conscience d'eux-mêmes et de leur état. Ils ont soif. Ils sont à bout de forces. Bran ôte sa veste souillée de soldat et la jette au sol. Dessous, il porte la chemise blanche donnée par Mme Beckelynck. Tout le côté gauche est imbibé de sang, jusqu'à la hanche. La blessure s'est rouverte. Anne ôte sa blouse d'infirmière devenue grise et la jette au sol. Dans une des poches, elle a trouvé quelques mouchoirs en papier. Elle en fait une compresse que Bran glisse sous son aisselle. En dix secondes, les mouchoirs sont rouges.

— Il faut trouver de l'aide, dit Anne.

De l'aide ? Devant eux, à l'infini, la plaine grise et le ciel plombé. Une planète morte.

Bran considère le fauteuil. Il a beaucoup peiné pour le faire avancer dans les derniers kilomètres. Il se plante devant Gabrielle.

— Descends de ce truc. Tu vas marcher.

À leur stupéfaction, Gabrielle obtempère sans hésiter. Elle se pousse sur ses bras, descend du fauteuil et attend l'ordre suivant.

Ils repartent. La direction est facile à trouver. Il suffit de tourner le dos à l'horreur et au noir. Anne a pris le bras de Gabrielle. Les deux sœurs marchent côte à côte. La plus grande porte une robe de chambre crasseuse et va pieds nus. Ses longs cheveux roux sont empoussiérés. L'autre est en jean, chemisette et chaussures de sport. Un portefeuille d'homme dépasse de sa poche arrière.

Bran marche derrière elles. Au bout de quelques minutes, il se retourne et s'arrête.

— Qu'est-ce qu'il y a ? demande Anne.

— Rien, continue. Je vous rattrape.

Là-bas, Estrellas est plongée dans sa nuit. Mais au-dessus du pesant couvercle, on dirait que la fumée s'effiloche, se défait et se recompose en figures spectrales. Bran y voit deux immenses bras qui s'élèvent dans le ciel, qui s'agitent et lui font un signe d'amitié, il voit un long visage souriant et une bouche tordue qui lui crie :

— Bonne chance, Ashelbi !

— Adieu, Torkensen, répond-il à voix basse, adieu.

3
L'éternel
retour

Premier jour

Drôle de sentiment : je me sens à la fois perdue et sauvée. Sauvée parce que je tiens le bras de ma sœur Gabrielle, que nous marchons ensemble et que chacun de nos pas nous éloigne d'Estrellas. Sauvée aussi parce que Bran est là et qu'avec lui tout semble possible.

Perdue parce que nous sommes assoiffés, à bout de forces et que devant nous s'étend à l'infini cette croûte noire et dégoûtante, cette vallée de la Mort sans soleil. On dirait que la terre a brûlé, ici, voilà des siècles, puis refroidi et qu'elle s'est figée. Les seuls reliefs sont des rochers noirs qui semblent goudronnés.

Nous nous taisons. Gabrielle n'a toujours pas fait entendre le son de sa voix. Parfois je lui demande : « ça va ? ». Mais elle ne répond pas. Elle garde ses doigts serrés sur ses médicaments comme s'ils étaient la chose la plus précieuse au monde, bien plus précieuse que moi par exemple.

Bran marche seul devant, et nous derrière. C'est le soir. Nous nous arrêtons entre deux rochers. Gabrielle a les pieds abîmés mais elle semble ne pas éprouver la douleur. Elle s'allonge et se recroqueville sur elle-même pour dormir. Bran et moi nous mettons à l'écart.

Nous nous serrons l'un contre l'autre. Nous nous embrassons. Nous sommes sales, nous n'avons plus rien, plus de sacs, rien à manger ni à boire, nous n'avons plus que nous-mêmes, mais une force irrésistible nous pousse, un réflexe de vie dans cet univers de mort, l'envie de repousser plus loin encore ces ténèbres auxquelles nous venons d'échapper. Rien au monde ne pourrait nous en empêcher à cet instant. Nous n'ôtons pas nos vêtements, nous les écartons, les retroussons. Et nous faisons ce que font depuis quelques millions d'années déjà les êtres humains qui s'aiment. Avec l'illusion pourtant que nous sommes en train de l'inventer.

Deuxième jour

Gabrielle, qui marche derrière nous, s'immobilise et pousse un cri de désespoir :
– Non ! Oh, non !
Elle le répète :

– Oh, non !

Je m'arrête et je la rejoins.

– Qu'est-ce que tu as ?

Elle fouille les poches de sa robe de chambre. Elle est fébrile, affolée. Elle regarde les paumes de ses mains, comme si quelque chose pouvait se cacher dans leur platitude. Sa mâchoire tremble. Bien sûr, je suis inquiète de la voir ainsi, mais au moins un son est sorti de sa gorge, elle réagit à quelque chose et je ne peux pas m'empêcher de considérer ça comme une bonne nouvelle.

– C'est pas grave, Gabrielle, tu as perdu tes médicaments. On va…

Je n'ai pas le temps d'achever ma phrase, elle est repartie dans l'autre sens. Elle cherche, cassée en deux, elle s'agenouille pour explorer les failles de la croûte, elle brasse la poussière noire, elle se remet en marche.

– Attends, Gabrielle, tu ne les retrouveras jamais. Reviens !

Il faut la suivre jusqu'aux rochers près desquels nous avons dormi, mais là non plus pas de petites perles vertes.

Dès cet instant, tout se complique. Elle se met à geindre, à pleurer, à ne plus vouloir avancer. Nous la tenons entre nous, chacun par un bras, et nous l'entraînons. Elle se plaint :

– Mon bras, j'ai mal, mes pieds…

Je commence à lui parler :

– Ça va aller, Gabrielle, courage ! Avance !

J'ai envie de lui dire : «On va bientôt arriver», mais le mensonge ne passe pas mes lèvres.

Le paysage est immuable : sol crevassé, rocaille et poussière, rochers lugubres, ciel éteint. Les pieds de Gabrielle se fendent et saignent. Elle s'arrête et refuse d'aller plus loin. Sans rien dire, Bran se courbe, la bascule sur son épaule droite, la soulève et l'emporte. Il marche ainsi pendant les trois heures qui suivent, avec la force et la persévérance d'une bête de somme. Je le suis et n'ose pas me plaindre. Pourtant, mon corps n'est plus que souffrance. Le pire, c'est la soif. Mes lèvres se craquellent. Ma gorge est comme un bloc compact et douloureux.

Le soir, nous nous arrêtons à nouveau près d'un rocher. Je reste avec Gabrielle qui n'en finit plus de gémir. Elle est en manque de son médicament. Elle pétrit ses bras et ses jambes. Elle pleure.

Nous sommes allongées par terre, pitoyables, comme des naufragées. Je la prends dans mes bras et je la serre. Nous restons ainsi quelques minutes. Puis elle se dégage et il se passe ceci : elle me voit…

Ses yeux verts ne sont plus seulement deux beaux lacs froids. Elle me voit. Elle me reconnaît. Et elle murmure le mot que j'attendais en secret depuis Estrellas :

– Anne…

Si j'avais encore des larmes, elles couleraient comme une rivière à cet instant, comme un fleuve, comme la Loire, mais je n'en ai plus. Je suis sèche.

J'ai passé la nuit d'avant dans les bras de l'homme que j'aime. Je passe celle-ci dans ceux de ma sœur retrouvée. Et nous sommes tous les trois en danger de mort. Je suis ballottée par des vagues de bonheur et d'autres de désespoir. Je ne sais plus les démêler.

Troisième jour

Nous marchons. Bran porte encore Gabrielle sur son épaule. J'ignore où il trouve cette force, avec le ventre vide depuis trois jours, et sa blessure. Au milieu de la matinée, la réponse m'est donnée : il ne l'a plus, la force. Il trébuche, tombe et ne se relève pas. Gabrielle crie. Les deux sont au sol, en désordre, et je les rejoins.

— Bran, ça va ?

— Non, dit-il. C'est fini pour moi.

Je me rends compte que son visage est creusé et d'une pâleur effrayante. Il est allé au-delà de ce qu'il pouvait faire. Nous restons là, tous les trois, à l'endroit où ils sont tombés. Plusieurs heures. Jusqu'à ce que je comprenne : ils ne se relèveront plus. Ni Bran qui est comme un pantin brisé. Ni Gabrielle qui se tord et gémit. Et moi, je ne pourrai pas les abandonner là.

Mes mains tremblent, je suis maladroite, mais je réussis à sortir mon iPod et à mettre un écouteur sur l'oreille de Gabrielle, et l'autre sur la mienne, comme autrefois… Ce geste familier dans ce lieu si hostile me fait du bien et du mal. Écoute, Gabrielle, je choisis le titre que tu préfères : *We might as well…* c'est la chanson que je t'ai chantée à la gare d'Estrellas pour me faire prendre et te retrouver… *We might as well…* Et maintenant, nous l'écoutons toutes les deux, un écouteur chacune, comme autrefois, tu te souviens ?

La musique l'apaise. Quand c'est à nouveau le silence, elle me dit :

— Parle-moi…

Et j'entends : « Parle-moi, sinon je meurs. »

— De quoi veux-tu que je te parle ?

— De chez nous. Dis-moi ce qu'il y a là-bas.

Ma bouche est sèche. Alors je chuchote pour économiser la salive que je n'ai plus, et je dis tout ce qui me passe par la tête.

— Chez nous, il y a… il y a des chats qui font leur toilette au soleil sur le bord des fenêtres… il y a des affiches déchirées aux murs des maisons… il y a des papiers de Carambar par terre… des odeurs de lilas dans la rue en dessous de chez nous…

— Continue…

— il y a… des magazines dans les magasins… des bicyclettes abandonnées avec la roue avant qui manque… il y a des gens qui crient «c'est pas fini, ce boucan?»… des feuilles d'automne couleur de rouille… il y a maman qui secoue un tapis par la fenêtre de la chambre…

– Continue…

– il y a la pluie qui rebondit sur les pavés… des enfants qui disent «d'accord, j'arrive!»… des crayons à papier avec la petite gomme au bout… il y a des flans au caramel qu'on retourne dans l'assiette et le caramel coule dessus… il y a la veste de pépé Marcello accrochée dans le couloir…

Je me tais. Deux larmes, mes dernières, s'extirpent de mes yeux et restent collées en haut de mes joues. Mais Gabrielle ne me lâche pas!

– Parle-moi, Anne. Qu'est-ce qu'on faisait toutes les deux?

– On faisait… je sais pas… ah oui, un soir, tu avais douze ans et moi cinq, les parents nous ont laissées seules à la maison… c'était la première fois… on regardait la télé, assises sur le canapé… et puis on a entendu la chasse d'eau dans la salle de bains… il y avait quelqu'un dans la maison… quelqu'un en plus de nous deux… il allait nous attaquer… et on était sans défense… on a eu tellement peur… on s'est blotties l'une contre l'autre… Tu te rappelles ce que c'était, hein, Gabrielle, tu te rappelles?

Un sourire illumine son visage dévasté. Elle chuchote:

– Oui, c'était le chat…

– Oui, Gabrielle, c'était Duke. Il était entré par la fenêtre… il avait sauté sur le réservoir et déclenché la chasse…

– Duke…, répète-t-elle en riant.

Puis elle ferme les yeux et on dirait qu'elle est morte.

J'essaie de lui parler encore, mais je ne peux plus. J'ai un rocher dans la gorge. Je pense à Orphée revenant des Enfers et qui ne doit pas se retourner sur Eurydice, ne pas la regarder, sous peine de la perdre. Il se retourne et il la perd. Moi, je devais parler et parler encore pour tenir Gabrielle en vie. Je me tais et elle va mourir.

Bran est effondré au sol, face contre terre. Il n'est pas mort puisqu'un filet de sang coule encore de son côté gauche et se mélange à la poussière. Cela fait une petite mare de boue brune. Le sang ne coule plus quand on est mort, non ? Je vais à quatre pattes jusqu'à lui. Le désespoir m'accable. Pardon, mon amour, de t'avoir entraîné dans ce malheur. Pardon. Je reste longtemps blottie contre lui. Puis je reviens à Gabrielle et je m'abandonne.

Silence. Pendant des heures, le silence.

Ce n'est pas un bruit. C'est beaucoup moins que cela. C'est *l'idée* d'un bruit. Quelque part entre ce qu'on imagine et ce qui est vraiment.

Un crissement infime. Je mets longtemps avant d'admettre qu'il existe, ce bruit. Il vient du bas, du côté de mes jambes. Un animal ? Depuis trois jours nous n'avons pas vu un seul être vivant dans ce décor de fin du monde, et moi je suis plus silencieuse qu'une chose. Alors ? Est-ce que ça vient de l'intérieur de moi ? Ma main fonctionne encore assez pour chercher. Elle va jusqu'à la poche de mon jean et fouille. Elle bute sur un objet. Qu'est-ce que c'est, déjà ? Ah, oui, la petite boîte d'allumettes dont je ne me suis jamais séparée. J'ai presque tout perdu, mais elle, je l'ai gardée. Je l'approche de mes yeux. Mes ongles sont noirs, mes mains dégoûtantes. Je la colle à mon oreille. Ça gratte dedans.

Le scarabée.

Il bouge.

Il est vivant.

Mes doigts tremblent et s'entrechoquent contre la boîte. Je parviens à la faire glisser, à l'ouvrir. Le gros insecte tente d'escalader le bord. Son bronze étincelant ne s'est pas terni. Au contraire, il s'est embelli de reflets dorés qui n'y étaient pas avant. Il est plus beau encore. Et il est en vie. Il a gratté les parois de la boîte et je l'ai entendu.

Il vient me dire l'éternel retour, le soleil qui échappe aux ombres de la nuit, chaque matin, et qui remonte dans le ciel.

Il vient me dire : «Ne te laisse pas mourir.»

Je renverse la boîte. Il hésite un instant puis active ses pattes et s'en va dans la poussière, massif et obstiné. Il enjambe une petite faille, franchit une bosse et s'éloigne.

Quand je le perds de vue, je me lève. C'est déjà le soir. Je suis debout dans le crépuscule crasseux. À mes pieds, Gabrielle et Bran reposent, inertes. De la poche de Bran a glissé son messageur. Je m'agenouille et le prends. Je cherche la chanson du numéro de Mme Stormiwell, la petite danse apprise pour le retenir. Oui, ça me revient : on va de deux en deux : 1, 3, 5… on fait un pas en arrière : 4… et on va encore de deux en deux : 6, 8, 10… J'écris quatre ou cinq mots et je n'ai plus la force. J'y vois mal. Les lettres se brouillent. J'appuie sur «Envoyer». J'attends la réponse qui ne vient pas. J'attends une heure peut-être.

Je remets le messageur dans la poche de Bran. Je me redresse. Je regarde Gabrielle et Bran tour à tour, longuement, avec amour. Je leur dis à tous les deux que je les aime. Puis je leur dis au revoir, et je m'en vais.

Mes jambes me tiennent. Je pars dans la même direction que le scarabée vert, mais très vite je ne sais plus m'orienter. Il n'y a pas de points cardinaux ni de repères d'aucune sorte. Rien que cette désolation de noir et de suie. Et ce silence repoussant. Je continue à avancer pour me donner l'illusion que je vais quelque part, mais je sais bien que c'est à l'intérieur de moi-même que je m'enfonce. Jusqu'où ? Jusque là où je ne serai plus ?

Vient la nuit.

Quand je ne peux plus, je me couche par terre. Je n'ai mal nulle part. C'est juste une prodigieuse fatigue.

Je ne pense rien. Seulement que je suis couchée par terre, dans le sale. Et que tout est fini sans doute. Je n'ai plus la force d'être triste.

Passe une vie. Ou une mort, je ne sais pas.

Je sombre.

4
Ferlendur

Après avoir enlacé Anne une dernière fois, une semaine plus tôt, au bord du lac de Campagne, Mme Stormiwell était rentrée chez elle à petits pas douloureux. Sa hanche la faisait souffrir mais, plus encore que sa hanche, le sentiment d'avoir commis une faute. Le remords la taraudait encore quand elle arriva au pied de la tour où elle vivait, cette tour qu'Anne avait vue de sa chambre, le soir de son premier passage. Pour un peu elle aurait fait demi-tour, couru jusqu'à la gare et rattrapé la jeune Terrienne : « Revenez, mademoiselle ! Ne montez pas dans ce train ! N'allez pas à Lorfalen ! »

Elle entra à regret dans l'ascenseur, qui l'identifia aussitôt grâce à son œil électronique.

— Bonsoir, Stormiwell, dit-il de sa ridicule voix recomposée.

Elle eut l'impression qu'il y mettait une nuance de suspicion ou d'ironie, et qu'il allait ajouter : « Où étiez-vous donc si tard ? Avec qui vous

trouviez-vous ? » Mais il n'en fit rien et la pro-
pulsa sans autre commentaire jusqu'à son septième étage.

L'appartement était silencieux. Elle accrocha
son manteau dans l'entrée, resta un moment au
milieu du salon, indécise. Rareté en ce monde,
la pièce était décorée de toutes sortes de pierres,
petites ou grosses, disposées sur des étagères ;
certaines transparentes comme du verre, d'autres
colorées d'ocre, de rose et même de rouge vif.
Mme Stormiwell se sentait bien incapable de
dormir. Elle tira un verre d'eau au distributeur
mural, regarda par la baie l'enseigne pâle de
l'hôtel Légende, non loin de là, et les lumières
des quelques fenêtres encore éclairées.

Elle entra dans la chambre de Mikélis, son
adopté. Il dormait les bras en croix, bouche
close. S'il avait été un petit Terrien, on l'aurait
dit évanoui. Elle caressa doucement le bout
d'épaule ronde qui dépassait du pyjama. L'enfant ne bougea pas. Elle regagna sa chambre.
La veilleuse permettait tout juste de distinguer
les murs et les contours du lit.

Ferlendur ne dormait pas, mais il attendit
qu'elle fût allongée à côté de lui pour parler :

– Où étais-tu, madame Stormiwell ?

Il l'appelait ainsi parfois, à cause du badge
qu'elle portait sur son uniforme, à l'hôtel. Cela
les amusait.

– Où étais-tu ? Tu l'as revue, c'est ça ?

Elle ne savait pas lui mentir.

– Oui, je l'ai revue. Mais rassure-toi, c'est fini. Elle est partie pour Lorfalen. Je ne la reverrai plus.

Ils se faisaient face, chacun couché sur le côté, et chuchotaient comme si les murs avaient eu des oreilles. Il avança sa main et passa ses doigts sur les blessures encore fraîches autour de la bouche et sur la pommette tuméfiée.

– Tu me fais tellement peur… Un jour, il t'arrivera malheur, et qu'est-ce que je ferai sans toi ?

– Pardonne-moi, dit-elle. C'est fini…

Il lui adressa un sourire triste qui signifiait : « J'aimerais bien te croire… »

La passion de sa compatible pour les choses terriennes l'avait amusé autrefois, puis bientôt tracassé. Aujourd'hui, il en était malade d'inquiétude. Elle était sous surveillance, il le savait bien. Elle aurait dû se tenir sur ses gardes, ne plus se mêler de rien. Seulement, elle avait ça dans la peau et chaque passage de Terrienne, à l'hôtel Légende, la tourneboulait. Cela n'arrivait que deux fois l'an environ, mais elle en restait bouleversée pendant des semaines. Elle racontait sans cesse l'événement et lui en rapportait les moindres détails : celle-ci était petite et brune, elle respirait par le nez, on voyait palpiter ses narines ; cette autre avait des cheveux blonds et davantage de formes, le mouvement de sa poitrine était ample, puissant. Cette autre encore avait pleuré et le liquide était sorti de ses yeux…

Et puis, il était arrivé cette chose inouïe : une jeune fille était passée toute seule, sans chasseur. Elle s'était avancée, telle une apparition, dans le hall de l'hôtel, son sac de voyage à la main. Elle semblait si jeune, si candide, si vulnérable. Comment ne pas être terrifiée pour elle ? Comment ne pas voler à son secours ?

Alors, au mépris de tous les risques courus, elle l'avait rejointe dans sa chambre, prévenue, conseillée. Elle l'avait retrouvée la semaine suivante, malgré les conseils de prudence de Ferlendur. On l'avait durement châtiée pour cette faute, jetée par la fenêtre du cinquième étage, presque tuée. Malgré cela elle avait revu la Terrienne une troisième fois…

— Et si elle revient, tu voudras la revoir encore, n'est-ce pas ? Tu ne pourras pas t'en empêcher ?

Elle cacha son visage dans ses mains.

— Je ne sais pas… je ne sais pas… Tu m'en veux, hein ?

Il l'embrassa sur les cheveux.

— Je ne t'en veux jamais de rien, madame Stormiwell.

Les spécialistes chargés d'assortir les couples étaient avant tout des informaticiens. Leur rôle consistait à soumettre chaque individu d'âge adulte à une analyse médicale et psychologique complète. Le processus était simple et rapide. Au cours de votre vingtième année, vous receviez une convocation. Vous y alliez. On ne vous posait aucune question. Vous n'aviez même pas à vous déshabiller. Vous vous allongiez dans une boîte qui ressemblait à un cercueil de verre. On vous demandait simplement de vous y tenir parfaitement immobile quelques secondes. Vous subissiez un bombardement de rayons divers, après quoi vous pouviez rentrer chez vous.

Les données ainsi recueillies exprimaient la somme de ce que vous étiez, aussi bien dans votre organisme que dans vos pensées. Elles révélaient vos goûts personnels et vos préférences, jusque dans les menus détails de votre vie quotidienne : quelle voix vous incommode chez les autres ? Les aiguës ? Les graves ? À partir de quelle fréquence exactement ? À quelle vitesse doit-on marcher à vos côtés pour que vous ne trouviez ça ni trop rapide ni trop lent ? Y a-t-il des comportements qui vous agacent ? Qu'est-ce qui vous fait cliqueter ? Qu'est-ce qui ne vous fait pas cliqueter du tout ?

Une fois ces milliers de paramètres enregistrés, il suffisait de lancer la recherche et l'ordinateur central déterminait avec une sûreté infaillible la personne compatible, choisie parmi des millions, avec laquelle vous alliez pouvoir cohabiter une vie entière, sans heurts, sans contrariétés, sans conflits. Il n'était nullement question d'affection et encore moins d'amour. Juste de complémentarité et de fonctionnement.

Lors de son analyse, subie dans un laboratoire de Campagne, Mme Stormiwell avait sans le savoir attiré sur elle l'attention des psychologues. Son profil était tout à fait extraordinaire et on avait porté sur son dossier des indications comme : «issue d'hybride; fascination pour la mythologie terrienne; émotivité au-dessus de la normale…» On avait adressé ce rapport aux services de sécurité, à la suite de quoi, et sans qu'elle le sache non plus, elle avait échappé de très peu à Estrellas.

Finalement, on s'était contenté de la placer sous surveillance, à vie, et de l'apparier à un original comme elle : Ferlendur.

Il n'était pas issu d'hybride, lui, mais sa sensibilité particulière le rendait capable d'éprouver de la peur, de la pitié, de l'affection, bref toutes ces étrangetés terriennes. Elle n'oublia jamais ce jour où elle vit cet homme massif et paisible descendre du train, à la gare de Campagne, et marcher vers elle. Il venait d'Amietha. On ne peut pas dire qu'il était beau avec ses cheveux en arrondi sur son front, sa tête longue et ses mains comme des battoirs, mais il avait un bon sourire et elle le trouva tout de suite à son goût.

– Bonjour, avait-il dit tout simplement, je m'appelle Ferlendur et je suis ton compatible.

— Bonjour, avait-elle répondu. Je m'appelle Stormiwell et je suis ta compatible.

Ils avaient pris le bus aérien et fait tout le trajet côte à côte en silence, mais chacun des deux se disant déjà que l'autre avait l'air bien. Et cela les rendait heureux par avance.

Par la suite, ils avaient inventé, sans imiter aucun modèle, une façon d'être ensemble : des petites attentions, des mots affectueux, des gestes tendres, toutes ces choses que les Terriens connaissent. Enfin, connaissent parfois. Ils ne se donnaient jamais la main dans la rue, parce que cela ne se faisait pas, mais, dès qu'ils étaient seuls, ils s'embrassaient, se câlinaient, se taquinaient, se dorlotaient, à peine conscients qu'ils étaient en cela des étrangers à leur propre espèce. Des marginaux en quelque sorte.

— Je ne t'en ai jamais voulu de rien, madame Stormiwell, reprit Ferlendur. Je ne t'en ai jamais voulu de rien depuis vingt ans que nous sommes ensemble. Dors.

Il caressa encore le visage blessé, les cheveux courts.

— Merci, dit-elle tout bas. Je tâcherai de te donner moins de soucis à l'avenir. Je vais essayer… Qu'est-ce que je ferais sans toi, moi aussi ?

Ils ne reparlèrent plus d'Anne, ni le lendemain, ni les jours qui suivirent, mais une semaine plus tard il arriva ceci : Mme Stormiwell fut réveillée au milieu de la nuit par le bref bourdonnement de son deuxième messageur, posé au pied du lit. Dans la seconde, son esprit fut en alerte. Elle tendit le bras et saisit l'appareil. L'écran s'éclaira, et le nom de l'expéditeur apparut : Ashelbi.

Elle nota que le message avait été envoyé une heure plus tôt. Elle l'avait manqué. Il s'agissait d'un rappel. Ashelbi ? Ce nom lui était inconnu. Elle pressa une touche et le texte apparut. Il se composait de quatre mots seulement : « enfuis estrellas merci adieu ».

Son cœur se mit à battre la chamade et les questions se ruèrent dans son cerveau. Anne ! Que faisait-elle à Estrellas ? Comment s'était-elle enfuie de là ? Où était-elle maintenant ? « Enfuis » était au pluriel. Qui étaient les autres ? Sa sœur ? Elle l'avait retrouvée, alors ? Et cet Ashelbi à qui appartenait le messageur ? C'était Bran peut-être... Le mot qui la déchirait et qu'elle ne pouvait accepter était le dernier : « adieu ».

Elle resta un instant désemparée, les yeux rivés sur le texte, comme pour en extirper davantage de sens. Le message datait d'une heure. Il n'était peut-être pas trop tard. Elle pressa la touche « Répondre », écrivit : « où êtes-vous ? » puis pressa la touche « Envoyer ». Et elle attendit.

Le messageur resta muet dans sa main. Elle eut beau l'éteindre, le rallumer, le tapoter, le secouer, envoyer son message une deuxième fois, une troisième fois : «où êtes-vous ? où êtes-vous ?», elle n'eut de réponse que cet insupportable silence.

– Qu'est-ce qui se passe ? demanda Ferlendur, réveillé à son tour.

– Je viens de recevoir un message…

– De qui ?

– D'Anne.

– Où est-elle ?

Au lieu de lui répondre, elle reposa le messageur au sol et prit dans ses mains celles de son compatible.

– Ferlendur ?

– Oui.

– Est-ce que tu tiens un peu à moi ?

– Si je tiens à toi ? Quelle question !

– C'est une chose difficile que je vais te demander. Écoute-moi…

Avant même d'entendre la requête de sa compagne, il savait déjà qu'il ne saurait pas refuser, qu'il était pris.

Moins de quinze minutes plus tard, Ferlendur montait dans son véhicule, une grande mobile multiplace équipée à l'arrière d'un compartiment pour le transport des minéraux. Son travail de géologue l'amenait souvent dans des contrées lointaines et désolées, comme le désert de sable blanc de Larena ou bien à proximité d'Estrellas. Il s'y rendait le plus souvent avec deux ou trois collègues. Il leur arrivait même, lors de certaines missions, d'y séjourner quelque temps mais, cette nuit-là, pour la première fois, il y partait en solitaire. Et son butin, si jamais il parvenait à s'en saisir, ne se constituerait pas de roches mais d'êtres humains.

– Tu connais la région ! l'encouragea Mme Stormiwell. Tu les trouveras ! J'en suis sûre !

Il promit de faire de son mieux.

Avant de démarrer, il prit soin de mettre hors fonction tous les émetteurs et récepteurs qui pouvaient permettre de localiser sa mobile pendant son voyage : le système de radio dans son ensemble, le pilotage automatique, le navigateur, l'ordinateur de bord relié au laboratoire, l'éclairage de l'habitacle. Un à un les voyants s'éteignirent et, lorsqu'il ne resta plus que les appareils indispensables à la propulsion, il embrassa Mme Stormiwell et se mit en route.

La ville dormait. Par prudence, il prit les axes les moins empruntés et se retrouva bientôt dans les faubourgs. Il était presque minuit quand il mit le cap sur l'est, muni de sa seule boussole de poche. Estrellas formait un triangle avec Campagne et Lorfalen. La distance à parcourir était immense. Il augmenta progressivement l'allure de la mobile. Le véhicule oscilla un temps, à la recherche de son équilibre, puis il se stabilisa. Désormais, il traçait comme une balle sortie d'un fusil. Un faible sifflement agaçait le silence. Ferlendur pensa qu'il atteindrait peut-être son but au petit jour.

Filer seul dans la nuit, sans ses instruments habituels, sans ses collègues, lui procurait autant d'inquiétude que d'exaltation. Le pilotage manuel lui interdisait de dormir. Il se concentra sur sa navigation, la boussole dans une main, la manette de direction dans l'autre, ne s'interrompant que pour picorer dans les provisions préparées par Mme Stormiwell et pour boire de l'eau.

Aux premières lueurs rosâtres de l'aube, il ralentit l'allure afin de mieux observer où il se trouvait et ne fut pas peu fier de lui : droit devant, plein est, le ciel d'Estrellas étirait son voile sinistre. Il manœuvra à vitesse réduite quelques minutes encore et lorsque au lieu d'avancer dans la lumière du jour il vit qu'il entrait dans le noir, il s'arrêta tout à fait et prit le temps de réfléchir.

Pénétrer dans cet enfer était inutile et dangereux. L'air vicié risquait d'endommager la mobile et il s'imaginait très mal en panne dans cet endroit hostile. D'autre part, si Anne et ses compagnons avaient marché droit devant eux pour s'enfuir, ils se trouvaient sans doute maintenant quelque part à la périphérie. À condition qu'ils aient eu la force d'y arriver, bien sûr.

Il entreprit de circuler à faible allure, le plus serré possible, à la limite de la pénombre, et d'ouvrir l'œil.

Il décrivit un premier et large cercle autour d'Estrellas, s'arrêtant parfois pour scruter la surface croûteuse du sol, à la recherche de silhouettes debout, ou bien de formes humaines couchées à terre. Cela lui prit deux heures environ, et il ne trouva rien. Quand il fut de retour à son point de départ, il douta du succès de sa mission. Autant chercher un caillou blanc dans les sables de Larena ! Mais l'idée de rentrer bredouille et de devoir avouer son échec à Mme Stormiwell lui était très désagréable. Il ferait un deuxième tour, cette fois un peu plus à l'intérieur.

Il était environ à mi-parcours quand il fut récompensé de sa persévérance.

Il distingua la forme à l'œil nu, à la limite de sa capacité de vision. Pour un peu il la manquait. C'était trop arrondi pour être un rocher, pas assez anguleux, pas assez minéral. Il stoppa immédiatement la mobile, la posa au sol et colla son optique sur son nez. Il lui fallut quelques secondes pour retrouver l'objet, et son cœur sauta dans sa poitrine. Il l'avait ! Un être humain était couché là, dans la poussière, face contre terre. Il se munit d'une gourde d'eau, sauta du véhicule et courut.

Un long visage un peu chevalin est penché sur moi. L'homme m'a assise, il me tient calée contre lui et il me fait boire. L'eau qui coule entre mes lèvres me rend à la vie. Elle est la chose la plus délicieuse que j'aie jamais connue. L'étau de ma gorge se desserre. L'homme ne me fait pas peur. Plus rien ne me fait peur depuis Estrellas. J'ai plutôt envie de rire à cause de la coupe au bol de ce type et de ses gros yeux écarquillés qui me regardent avec l'air de dire : « Quelle étrange créature ! »

La créature, c'est moi. Des souvenirs de films me reviennent. Dans une situation comme celle-ci, on a le choix entre deux questions : « Où suis-je ? » ou « Qui êtes-vous ? » Je choisis : « Qui êtes-vous ? » L'homme n'est ni un Terrien, ni un hybride. Je l'entends à sa voix métallique, mais il n'a pas dans le regard cette froideur de miroir qui m'a glacée chez ceux de son espèce.

– Je m'appelle Ferlendur, répond-il avec docilité, et je suis le compatible de Mme Stormiwell.

Je me mets à rire. Enfin, je ne sais pas si je ris vraiment, avec le bruit qui va avec et tout ça, mais je ris à l'intérieur de moi, comme Mme Stormiwell pleure sans larmes. Je la revois, ma gentille complice de respiration, et ma grande admiratrice. Elle volette en cliquetant devant la fenêtre de l'hôtel Légende. Des ailes lui ont poussé, de jolies ailes aux plumes bigarrées. Elle virevolte et dessine des figures gracieuses, elle exécute même un looping et, quand elle revient face à moi, elle me sourit de toute sa bouille ronde.

Ensuite, l'image de Mme Stormiwell se dissipe, mais celle de Ferlendur persiste. Sa longue tête ovale et ses petits cheveux en arrondi sur le front. C'est une vraie personne, lui. Il me soulève dans ses bras puissants, me porte jusqu'à son véhicule et me dépose avec délicatesse sur un des sièges arrière.

— Ça va, mademoiselle ? demande-t-il.

À cet instant, je sais que je suis sauvée. J'acquiesce.

Ça va.

— Heureusement que vous êtes arrivée jusque-là, ajoute-t-il, cinquante mètres de moins et je ne vous trouvais jamais.

— C'est grâce au scarabée…

— Pardon ?

Je n'ai pas la force de lui expliquer. Juste celle de dire :

— Il y en a deux autres, là-bas. Il faut aller les chercher.

5
Le piège

Les deux autres étaient vivants. Ferlendur s'appliqua d'abord à les hydrater, longuement, à petites gorgées. Il éprouva beaucoup d'émotion à faire couler l'eau entre leurs lèvres dures, crevassées, à leur redonner la vie. Ensuite, il les souleva et les disposa de son mieux sur les couchettes de son véhicule, les deux sœurs côte à côte et le garçon derrière. Puis il démarra sans attendre.

Le plus mal en point de ses passagers était incontestablement le jeune hybride, qui avait perdu beaucoup de sang. Sa pâleur était inquiétante. La Terrienne rousse semblait la moins affaiblie, mais elle gémissait continuellement en pétrissant ses avant-bras. Anne dormait d'un sommeil trop lourd.

De temps en temps, il se retournait, autant pour veiller sur eux que pour les admirer. Deux Terriennes et un hybride! La fréquentation de Mme Stormiwell l'avait familiarisé avec ces créatures merveilleuses, et il était bien sûr convaincu

351

de leur existence, mais il s'était jusqu'alors contenté de les évoquer. Or, voilà qu'il venait d'en rencontrer trois d'un coup. Mieux que ça, il les avait touchées, tenues contre lui, portées. Il résista à la tentation d'envoyer un message à Mme Stormiwell, même sur le deuxième messageur de la petite dame. Elle était à son travail, à l'hôtel Légende, et on n'était jamais assez prudent, et puis il aurait le plaisir de lui faire la surprise. Ce cadeau valait à lui seul tous les minéraux qu'il lui avait rapportés depuis vingt ans et qu'elle exposait avec amour sur les étagères du salon.

Il voyagea toute la journée mais, à l'approche de Campagne, il ralentit afin d'entrer dans la ville à la faveur de la nuit. Si on le prenait avec des passagers de cette sorte, il s'exposait aux pires ennuis et peut-être même au châtiment suprême : finir en fumée dans le ciel noir d'Estrellas. Il posa sa mobile à son emplacement réservé, dans le parking proche de la tour, et recouvrit de tissu les trois corps inertes, comme s'il s'était agi de roches.

— Bonsoir, Ferlendur, lui dit l'ascenseur.

Il eut l'impression que la voix sonnait faux, qu'elle sous-entendait quelque chose : « Ditesmoi, Ferlendur, où étiez-vous donc aujourd'hui ? Quelle sorte de minéraux transportez-vous dans votre mobile ? »

Mme Stormiwell était sur le seuil quand il

arriva sur le palier du septième étage. Elle le tira à l'intérieur et referma la porte sur eux.

– Alors ?

– Alors, je les ai. Ils sont tous les trois dans la mobile : Anne, sa sœur et le jeune hybride.

Elle ferma les yeux, s'avança vers lui et posa sa tête contre sa poitrine.

– Merci, Ferlendur. Tu es un amour de compatible.

Quand Mme Stormiwell découvrit les trois survivants couverts de crasse et de suie, elle dut mettre la main sur sa bouche pour ne pas crier. Elle se précipita sur Anne, à quatre pattes sur le siège de la mobile.

– Oh, mademoiselle, pardonnez-moi de vous avoir envoyée à Lorfalen. Je n'aurais pas dû…

– Si tu ne l'avais pas fait, remarqua Ferlendur, elle n'aurait pas retrouvé sa sœur.

Anne se montra capable de marcher depuis la mobile jusqu'à la tour. Il suffisait de la soutenir sous les aisselles et de l'encourager. De nombreuses fenêtres étaient éclairées, mais aucune silhouette n'apparut nulle part et ils réussirent leur traversée sans attirer l'attention. Dans la seconde précédant l'ouverture de l'ascenseur, ils eurent quand même une bouffée d'angoisse : et s'ils se trouvaient nez à nez avec un résident de la tour ? Par chance, l'ascenseur était vide.

— Bonsoir, Ferlendur, fit la voix, imperturbable, bonsoir, Storm…

— Boucle-la ! souffla la petite dame et elle plaqua sa main sur le capteur.

Ils montèrent et installèrent Anne dans leur propre lit sans se préoccuper de la saleté. Elle s'y rendormit aussitôt.

Ensuite vint le tour de Gabrielle. Ils procédèrent de la même façon, sauf qu'ils la portèrent plus qu'elle ne marcha. Une poussière noire tombait de ses cheveux. Ses pieds nus étaient en sang, mais elle ne se plaignait que des bras et des jambes.

— Bons…, eut le temps de dire l'ascenseur avant que Ferlendur ne le fasse taire d'un coup de poing agacé.

Ils allongèrent Gabrielle près de sa sœur. Mme Stormiwell alla chercher un gant de toilette et entreprit de lui laver le visage.

— Ça vous fait du bien, l'eau fraîche, mademoiselle ?

— Oui, gémit Gabrielle, mais j'ai mal aux bras. Je voudrais mon médicament…

Ferlendur redescendit seul au parking pour ramener Bran. Il l'enveloppa dans une bâche et le jeta sur son épaule. Il traversa en trottinant l'espace à découvert qui les séparait de l'entrée. L'ascenseur attendait sagement au rez-de-chaussée. Il y entra, chargé de son fardeau.

— Bonsoir, Ferlendur, fit l'insupportable voix.

— Ta gueule, grogna Ferlendur qui pouvait être beaucoup moins poli que sa compatible.

Ils allongèrent le jeune hybride sur la banquette du salon, lui ôtèrent sa chemise. En découvrant la petite plaie qu'il avait sous le bras, ils n'eurent aucun doute sur son origine. Mme Stormiwell la nettoya, la pansa.

— L'hémorragie est arrêtée, dit-elle. Je pense qu'il est hors de danger. Il faut juste qu'il mange, boive et se repose.

— C'est quoi? fit alors une petite voix derrière eux.

Ils se retournèrent d'un même mouvement et virent Mikélis, en pyjama, debout à la porte de sa chambre. Il observait le blessé à demi nu, dégoûtant de crasse, échevelé et encore taché de sang qui se trouvait échoué sur la banquette du salon. À ce spectacle, un petit Terrien aurait sans doute hurlé de terreur. Mikélis, lui, se contenta de cette question : «C'est quoi?» avec sur le visage tout l'étonnement dont il était capable, c'est-à-dire peu.

— C'est…, hésita Ferlendur, très embarrassé. C'est…

— C'est pour Terrafest, dit Mme Stormiwell. Qu'est-ce que tu en penses? Comment trouves-tu notre Terrien?

— Très bien, fit l'enfant et il retourna se coucher.

— Quel réflexe! admira Ferlendur. Comment fais-tu ça?

– Chacun son rôle, le taquina-t-elle, toi c'est les bras et moi la tête…

Le lendemain était jour de congé pour Mme Stormiwell. Elle put s'occuper à son aise de ses protégés et elle le fit avec ferveur. Elle était en train de vivre les heures les plus exceptionnelles de sa vie et elle le savait.

Bran Ashelbi, en bon hybride, reprit des forces à grande vitesse. Dès le lendemain, après une nuit de repos, une douche, un repas substantiel et avec une tunique propre de Ferlendur sur le dos, il était pour ainsi dire redevenu le Bran d'avant.

Anne mit davantage de temps à surmonter son épuisement. Elle dormit une partie de la journée, ne se réveillant que pour manger, boire, et dire son impatience à regagner la Terre.

– Il faudrait qu'on passe aujourd'hui, dit-elle plusieurs fois à Bran. Je voudrais rentrer le plus vite possible…

– Tu tiens à peine debout, lui répondait-il. On passera demain. Repose-toi.

Mme Stormiwell était du même avis. Il n'y avait pas d'urgence. Par bribes, Anne lui raconta ce qu'elle avait vécu depuis leur séparation : la venue de M. Virgil, le voyage à Lorfalen, le désert blanc de Larena, Torkensen, le cauchemar d'Estrellas et leur fuite. La petite dame ponctuait son récit de «Oh, mon Dieu!» horrifiés.

Gabrielle demeurait recluse dans sa souffrance. Le manque la travaillait. Il fallut la contraindre pour qu'elle accepte de se lever.

Une fois lavées, shampouinées et habillées de frais, les deux sœurs apparurent dans toute leur différence : l'une petite, brune et juvénile, l'autre plus grande, rousse et femme. Mme Stormiwell les observa avec fascination.

– Je pensais que les sœurs terriennes se ressemblaient davantage, fit-elle remarquer.

Mikélis considérait les trois intrus sans curiosité excessive.

– C'est pour Terrafest ? demandait-il.

– Oui, lui répondait Mme Stormiwell, mais n'en parle à personne, c'est une surprise.

– Même pas à la dame qui me garde ?

– Surtout pas à la dame qui te garde !

Les rescapés d'Estrellas passèrent encore la nuit suivante dans l'appartement. Leurs sauveteurs dormirent sur un matelas, dans le salon, et disparurent dès le matin pour se rendre à leur travail, elle à l'hôtel Légende, lui à son laboratoire de géologue. Mme Stormiwell leur fit promettre de ne pas se montrer à la fenêtre et encore moins de sortir. Elle emmena Mikélis chez la voisine, deux étages plus haut, et les laissa seuls.

Ce fut une journée étrange, au cours de laquelle les trois jeunes gens se parlèrent très peu. Ils flottaient dans une sorte de suspension. Sans doute leur fallait-il ce temps pour s'arracher tout à fait à leur cauchemar. Pour reprendre leurs esprits après la tourmente. Ou peut-être était-ce déjà le pressentiment de ce qui les attendait?

Le soir, ils se réunirent pour dîner dans le salon. Manquaient seulement Gabrielle, qui écoutait de la musique, recroquevillée dans son lit, et Mikélis, déjà couché.

— Un repas terrien! avait annoncé joyeusement Mme Stormiwell, tous ensemble autour de la table, et rien que des bonnes choses avec du goût, enfin presque!

Mais, à présent, sa gaieté semblait partie.

— J'ai des nouvelles, dit-elle, le front soucieux.

Bran et Anne l'interrogèrent du regard.

— Oui. Des informations secrètes, par une amie du réseau. Ce sont des personnes comme moi, des personnes qui s'intéressent à la Terre, à vous…

— Et qui y croient…, ajouta Anne.

Mme Stormiwell cliqueta doucement.

— Oui, qui y croient. Elle me prévient d'un événement… Elle a appris que…

— Dis-leur, l'encouragea Ferlendur.

Elle secoua la tête, embarrassée.

— Dites-nous, madame Stormiwell…

– Eh bien voilà, ils vont sans doute fermer le passage.

Anne eut l'impression qu'on venait de lui donner un coup de poing dans le ventre. L'émotion la souleva de sa chaise.

– Quand? Quand vont-ils refermer le passage?

– Dans les jours qui viennent. Dans les heures peut-être.

– Mais… depuis quand le savez-vous?

– Depuis dix minutes.

– Et vous ne le disiez pas?

– Je… je viens de vous le dire…, bégaya la petite femme, peu habituée à être rudoyée ainsi.

– Pardon…, s'excusa Anne et elle posa sa main sur le bras de Mme Stormiwell. Je suis injuste avec vous, mais c'est épouvantable, vous comprenez? Pourquoi ferment-ils le passage? C'est à cause de nous?

– Ce n'est pas impossible, intervint Ferlendur. Je vais essayer de vous expliquer.

Anne se rassit, tremblante.

– Jusqu'à présent ne passaient que les capturées. Elles passaient avec des chasseurs, qui sont des gens de notre monde, et elles ne repartaient jamais. Vous êtes la première Terrienne à être venue seule. Vous avez pu le faire parce que votre sœur vous a appelée d'ici. C'est elle qui a établi le lien. Vous êtes repassée dans l'autre sens. Puis revenue. Deux fois. Et le vieux monsieur est passé à son tour, parce que vous l'avez appelé. C'est comme si vous aviez ouvert une brèche. Une brèche immatérielle.

– J'ai ouvert une brèche immatérielle ?

– Oui. La frontière entre votre Terre et notre monde n'est pas une frontière physique. C'est une frontière d'une autre sorte, dans une autre dimension, et vous l'avez détraquée. Ils doivent se demander jusqu'où cela ira si les Terriens s'initient les uns les autres et la franchissent à leur guise.

– Ils ont surtout peur que leur trafic avec les capturées soit révélé, commenta Bran.

– Je me fiche d'avoir détraqué cette frontière, lança Anne. Je n'y comprends rien. Je suis seulement venue chercher ma sœur. Je l'ai et je veux m'en aller, maintenant. Monsieur Ferlendur, emmenez-nous au passage, je vous en prie ! Vite !

– Je ne peux pas, mademoiselle. Mes collègues sont partis avec la mobile pour une mission et ils ne rentreront pas avant demain.

– Mais demain, il sera trop tard !

Un horrible pressentiment s'empara d'elle. Elle bondit de sa chaise, se précipita dans la chambre où se trouvait sa sœur.

– Gabrielle ! Réveille-toi ! On part !

La jeune femme était blottie sous sa couverture, tout habillée.

– J'ai mal, gémit-elle. Je veux mes médicaments.

– Tu en auras sur Terre ! Viens, je t'en supplie !

Elle la prit à bras-le-corps, l'obligea à se lever, à se chausser, et l'entraîna avec elle dans le salon.

– Bran, viens, toi aussi ! Vite !

Rien ni personne ne pouvait plus la freiner. Bran se sentit aussi impuissant à la raisonner qu'à Estrellas quand elle s'était jetée volontairement dans les griffes des gardes. Mais il se dit qu'elle avait eu raison là-bas, qu'elle aurait donc peut-être raison ici, qu'il y avait en elle une force et une certitude particulières dans ces moments-là, qu'on ne pouvait pas lutter contre elle. Il rassembla les quelques objets qui lui appartenaient et les fourra dans les poches de sa tunique.

Mme Stormiwell assista, désemparée, à la tornade de leur départ. À peine réussit-elle à répéter plusieurs fois :

– C'est Terrafest. Vous passerez inaperçus…

Mais Anne l'écoutait à peine. Elle l'étreignit avec fougue, presque violemment.

– Adieu, madame Stormiwell.

Elle embrassa aussi Ferlendur qui se laissa faire, un peu gauche, ses cheveux plus en rond que jamais sur son large front.

– Adieu, monsieur Ferlendur.

Quelques secondes plus tard, ils étaient dans l'ascenseur qui, ne les connaissant pas, se tut.

Tous les deux soutenaient Gabrielle, tassée entre eux comme un animal blessé.

— C'est quoi, Terrafest? demanda Anne, tandis qu'ils descendaient.

— C'est une fête annuelle, expliqua Bran. La seule. C'est comme Halloween sur Terre. Sauf qu'ici, les monstres, c'est vous. Les gens se déguisent, se salissent et font du bruit. Ils vous imitent, quoi...

— Ah, bon, je suis sale et je fais du bruit?

Elle n'avait pas l'air de plaisanter. Elle était surtout furieuse qu'ils ne soient pas partis la veille, comme elle l'aurait voulu. Mais le moment n'était pas à la querelle.

L'ascenseur s'arrêta au deuxième étage et la porte s'ouvrit pour laisser monter deux jeunes filles d'une quinzaine d'années. La première s'était barbouillé le visage de traînées terreuses et elle tenait contre son ventre un tambour et ses baguettes. L'autre arborait une perruque ébouriffée surmontée d'un petit chapeau rond. Les deux avaient glissé sous leur veste un rembourrage de tissu qui leur faisait des faux seins trop volumineux pour leur corpulence. Elles jetèrent à peine un regard aux deux Terriennes, jugeant sans doute leur propre déguisement bien supérieur. Le sérieux de leur expression n'allait pas avec leur tenue excentrique. Elles ne cliquetaient même pas. Elles ne semblaient pas s'amuser.

Ils marchèrent en direction de la station de bus.

– Vite ! Vite ! ne cessait de répéter Anne.

Elle prit tout de même le temps de s'arrêter, de se retourner. Au septième étage de la tour, derrière la baie, deux silhouettes se tenaient immobiles. Elle agita la main. Là-haut, les mains s'agitèrent aussi. Elle n'avait jamais aimé les adieux, préférant les expédier, surtout quand ils faisaient mal, mais ces adieux-là méritaient mieux. Est-ce qu'elle avait seulement dit merci ? Elle ne s'en souvenait pas. Il lui sembla que non et les larmes lui vinrent aux yeux. « Je suis nulle… Adieu, madame Stormiwell, adieu, ma bonne fée, sans vous je serais morte. » Ils marchèrent. Elle se retourna encore. Les deux silhouettes avaient disparu. La baie n'était plus qu'un carré vide parmi les autres.

La plupart des passagers du bus étaient déguisés pour Terrafest, des enfants et des adultes mélangés. Certains tapotaient leur tambour comme s'ils avaient eu peur de le crever, d'autres faisaient tourner leur crécelle, sans entrain. Selon l'idée qu'ils se faisaient de la Terre et des Terriens, ils arboraient des vêtements déchirés et salis, des perruques grotesques, des cicatrices ou des boutons peints sur le visage et les bras. Certains cachaient même dans leurs mains des petites poches d'air qu'ils actionnaient près de leur bouche pour simuler la respiration. L'un d'eux, un adolescent assis près de Gabrielle, en faisait sa spécialité. Il projeta de l'air vers elle, à plusieurs reprises, en ouvrant la bouche comme un poisson hors de l'eau. Elle le supporta un moment puis, quand elle en eut assez, elle se tourna vers lui et lui souffla dessus, avec énergie : fffouh ! laissant le garçon médusé.

– Arrête ! la gronda Anne.

– Je m'en fous ! riposta Gabrielle.

Ils descendirent à proximité de l'hôtel Légende. De là, il restait moins d'un kilomètre à parcourir avant le passage. À condition qu'il y ait encore un passage…

La fête mettait un peu d'animation dans les rues, mais l'ambiance demeurait pitoyable. Les tambours poussifs, les crécelles fatiguées, la mine maussade des gens malgré leurs déguisements, les grands espaces vides entre eux, tout cela engendrait davantage de mélancolie que de gaieté. C'était le début d'une fête et cela ressemblait à la fin.

– Si jamais on s'en sort, marmonna Anne, je jure de ne plus jamais rater les journées de la Fourme, à Montbrison. C'est quand même autre chose…

– Qu'est-ce que tu dis ? demanda Bran.

– Je dis qu'il faut qu'on accélère.

Elle se demandait de quelle façon le passage

serait fermé, s'il l'était. Est-ce qu'il n'y aurait tout simplement… plus rien. C'est-à-dire plus que la rue normale de la ville normale qui continuerait normalement ? En ce cas, elle s'apprêtait à vivre un moment d'absolu désespoir.

— Bran, comment peuvent-ils s'y prendre pour fermer le passage ? Est-ce que tu le sais ?

— Non. Je suppose qu'il faudrait procéder à des manipulations mentales sur tous les initiés, sur tous ceux qui sont déjà passés, sur toi, sur moi. Ou bien nous éliminer tous, afin que le lien soit rompu et qu'on ne puisse ni passer, ni appeler quelqu'un qui passerait à son tour. Ça me semble impossible. Je crois plutôt qu'ils vont essayer de brouiller la zone où se situe le passage.

— La brouiller comment ?

— Je ne sais pas. La détraquer. Empêcher que nos corps s'y glissent.

Elle ne répondit pas. Cela la dépassait. Elle reconnut le panneau «Hôtel Légende 500 mètres» qu'elle avait vu la première fois, un siècle plus tôt. Ils obliquèrent vers la gauche. La rue lui parut inchangée et cela la rassura un peu. Quelques centaines de mètres encore et ce serait peut-être le passage, ce rapide et délicieux glissement vers le petit jour, vers la Terre… Elle serra le bras de Gabrielle dont la tête tombait vers l'avant et dont le pas devenait de plus en plus incertain.

– On y est bientôt. Courage.

Ils marchèrent entre les immeubles de verre et de métal. Les piétons se firent rares puis disparurent tout à fait. Seuls quelques bus aériens circulaient encore au ralenti au-dessus de la chaussée noire et lisse. Plus loin, les immeubles laissèrent la place à des maisons individuelles, toutes semblables et dans lesquelles la vie était absente. Enfin, il n'y eut plus rien. Plus rien qu'eux qui marchaient, se tenant par le bras, dans cette rue vide, déshumanisée, presque abstraite.

– C'est là ! dit Anne qui était déjà passée deux fois dans ce sens. C'est là, après cette maison !

– Oui, approuva Bran. Je me souviens.

Inconsciemment, ils pressèrent encore le pas, jusqu'à courir. Gabrielle, entre eux, se plaignit :

– Pas si vite. J'ai mal.

Ils ne l'écoutèrent pas. Tous deux étaient pris de la même rage.

La Terre était proche. Anne la pressentait sur sa peau, dans ses yeux, ses narines. Elle la désirait si intensément qu'elle éprouvait déjà la sensation de l'air sur son visage, qu'elle percevait l'odeur de l'herbe, celle de l'asphalte, le bruissement d'un ruisseau, le chant d'une mésange, la pétarade d'un moteur, tout ce qui faisait l'épaisseur de la vie terrestre et son inépuisable fantaisie. Mais plus elle progressait et plus elle comprenait que tout cela n'existait que dans son cerveau affolé, dans ses souvenirs. En réalité, la rue se poursuivait à l'identique. Ils revirent même quelques passants déguisés en Terriens, un bus aérien, une mobile. Comme si le passage espéré se dérobait devant eux. Comme si la promesse de Terre, la Terre promise, s'éloignait.

L'idée de rester à jamais prisonnière de ce côté-ci lui donna un haut-le-cœur. C'était pire qu'une condamnation à mort, c'était une condamnation à vie. Elle se retint de hurler.

– Doucement ! dit soudain Bran, et il cessa de courir, au grand soulagement de Gabrielle qui titubait, hors d'haleine. Doucement !

– Non ! protesta Anne. Il faut continuer !

Mais cette fois, la conviction était du côté de Bran.

– Inutile de courir, reprit-il. Ça ne sert à rien. Le passage est dans nos têtes…

Anne mit quelques secondes à comprendre ce qu'il voulait dire par là, puis elle sut qu'il avait raison. Leur salut ne dépendait pas des mètres parcourus ni des quelques secondes perdues ou gagnées. Leur course ne servirait à rien qu'à les épuiser. Ferlendur l'avait bien dit, la frontière à franchir n'était pas matérielle.

Elle se rappela s'être évanouie, une fois. Elle avait douze ans peut-être et elle était tombée sur le dos, dans le gymnase du collège. Le choc lui avait fait perdre souffle et conscience, et en revenant à elle, elle avait perçu la présence des gens qui s'affairaient autour d'elle : le professeur de sport, ses amies, l'infirmière. Cela résonnait comme lorsqu'on est sous l'eau. Pendant quelques courtes secondes, elle s'était sentie flotter à égale distance entre deux mondes, celui impalpable et vide où elle venait de sombrer, et l'autre, bruyant et coloré, d'où l'appelaient des voix familières. Elle s'était tenue en équilibre entre les deux, prête à basculer d'un côté ou de l'autre, et libre de choisir celui qu'elle voulait rejoindre. C'était la même chose à présent. Mais suffisait-il de vouloir ?

Au lieu de s'entêter à marcher vers cet inaccessible mirage de la Terre, ils s'arrêtèrent tout à fait et se resserrèrent en un bloc compact, tournant le dos à ce qui les entourait, leurs trois fronts réunis. Ils fermèrent les yeux, ramenés à eux-mêmes, et restèrent ainsi. Peu à peu, ils reprirent leur souffle.

C'est alors que Gabrielle, tout en continuant à gémir, se mit à fredonner. Sa voix était faible, presque brisée. Son chant se confondait avec sa plainte, mais Anne y distingua un mot :

– *la feuille…*

Puis un autre :

– *d'automne…*

– *emportée par le vent…*, continua-t-elle.

– *en ronde monotone…*, reprit Gabrielle.

– *tombe en tourbillonnant…*, dirent-elles
toutes les deux.

Une chanson de vieux aurait dit Anne autrefois. Une comptine de leur mère, qui la tenait
elle-même de sa grand-mère sans doute, mais,
en cet instant et en ce lieu, elle en fut bouleversée. Toutes deux continuèrent :

– *colchiques dans les prés…*
– *fleurissent… fleurissent…*
– *colchiques dans les prés…*
– *c'est la fin de l'été…*, acheva Bran, mêlant
sa voix aux leurs.

Décidément, il la stupéfiait. Elle eut cette
pensée fugitive : « Si nous nous en sortons, je
l'inscrirai de force à *Qui veut gagner des millions* et il fera notre fortune. » Les strophes suivantes vinrent facilement. Ils les murmurèrent
dans le petit espace brûlant que délimitaient
leurs trois visages, leurs trois bouches :

– *châtaignes dans les bois…*
– *se fendent se fendent…*
– *châtaignes dans les bois…*
– *se fendent sous les pas…*
C'était comme une prière.
– *nuages dans le ciel…*
– *s'étirent s'étirent…*
– *nuages dans le ciel…*
– *s'étirent comme une aile…*, conclut Anne et
elle ouvrit les yeux.

Elle vit alors que les deux décors se

superposaient à présent. Celui d'ici et celui de là-bas. Comme si on avait projeté sur un écran démesuré et en trois dimensions les images de deux films à la fois, chacun prenant le dessus à tour de rôle. S'y enchevêtraient les façades rectilignes des immeubles d'ici et les rangées vertes des peupliers de là-bas, le ciel mort d'ici et celui tourmenté de là-bas, la chaussée lisse d'ici et la prairie de là-bas, le silence d'ici et les bruissements de là-bas. Elle se savait au cœur d'un combat dont l'issue déterminerait tout ce qui lui restait à vivre.

Puis elle vit le fossé.

À moins de six mètres d'elle. Un simple fossé. Le fossé ordinaire d'un bord de petite route ordinaire. Profond de trente centimètres environ et au fond duquel stagnait un peu d'eau boueuse. Son image était franche et bien définie. Il était fait de terre et d'herbes hautes surmontées d'une espèce de petite barbe. Il avait la consistance de la réalité, ses couleurs, son odeur… Elle eut la certitude qu'il n'était pas une illusion, qu'elle pourrait le toucher. Bran aussi l'avait vu. Ils se consultèrent du regard puis, d'une même impulsion, ils saisirent Gabrielle par le bras et s'élancèrent.

La distance était plus grande qu'ils ne l'avaient pensé. Le fossé se déroba devant eux, cédant la place à la dure chaussée. Puis réapparut. Puis s'éloigna. Tantôt il se dissipait, tantôt il reprenait de la consistance. Tantôt il était proche, tantôt il était inaccessible. C'était un jeu insupportable.

– Non ! hurla Anne. C'est pas vrai !

Ils coururent pour leur vie. Ils y étaient presque lorsque, derrière eux, l'espace se déchira en un prodigieux grincement. L'air vibra, se tordit. Quelque chose qu'ils ne virent pas essaya de les rattraper, une mâchoire peut-être qui tentait de les mordre, une gigantesque bouche, ou bien des bras.

Ou bien l'enfer.

Le passage se fermait.

Ils plongèrent dans le fossé comme on plonge dans la mer.

6
Des pains
au chocolat

Je suis liée à Gabrielle comme à une siamoise. Je l'emporte, je l'arrache à l'épouvante. Bran est de l'autre côté et il met dans sa course la même frénésie que moi. Gabrielle, entre nous, décolle. Nous nous jetons tête la première dans le fossé. Je devrais détester ça, mais je le fais pourtant.

Me voici vautrée dans l'herbe haute et trempée de rosée. J'ai envie de l'arracher avec les dents, de la manger. Sa fraîcheur me ressuscite. Ma tête clapote dans l'eau boueuse. Je pourrais en boire.

Je suis de retour sur Terre et je n'arrive pas à y croire.

Les sensations déferlent. Des oiseaux piaillent, chantent, sifflent à tue-tête dans les arbres voisins, les fourrés, les taillis. Merci les oiseaux. Merci de votre accueil ! Je jure d'apprendre tous vos noms et de vous reconnaître à l'avenir, mésanges, pinsons, martins-pêcheurs. Je jure de ne plus jamais vous appeler «les oiseaux» en général. Et vous aussi, les arbres…

Je rampe hors du fossé. Je me lève. Un vent léger caresse mes joues. Le ciel est habité de longs nuages paresseux. Tout me semble épais, gorgé de vie. La rouille d'une vieille plaque métallique clouée sur le bois d'une cabane enchante mes yeux. Dessus il est écrit : «Jean-Paul Chalard Mécanicien Réparations en tous genres». Autrefois, je l'aurais ignorée. Là, elle me ferait presque pleurer d'attendrissement. Oh, Jean-Paul Chalard, je ne te connais pas, mais je jure de t'apporter jusqu'à ma mort tout ce qui doit être réparé chez moi : mes voitures, mes ordis, mes grille-pain et même mon cœur en cas de chagrin.

Bran extirpe Gabrielle du fossé. Elle regarde autour d'elle, hagarde. Elle est passée sur cette route un an plus tôt, au côté de Jens. C'était le petit jour. Elle revient au petit jour aussi, mais elle n'est plus la même personne. Nous la prenons entre nous et nous marchons en direction de la départementale 8. Nous arrivons au croisement, «Campagne 3,5». Le panneau est toujours là. Jusqu'à quand ? Sans doute disparaîtra-t-il dès que nous aurons quitté cet endroit. Je pense à M. Virgil qui m'a déposée deux fois ici et qui maintenant… Je donnerais mes jambes pour qu'il soit avec nous.

Que faire, maintenant? Où aller? Que dire? À qui? Ce que nous venons de vivre, Gabrielle et moi, ne peut être raconté à personne. Je ne veux pas que nous soyons prises pour des folles. Folles à lier. Toutes les deux. J'ai déjà ma stratégie.

Une voiture arrive. C'est une petite Renault grise. Elle vient de Montbrison et roule vers Saint-Étienne. Je tends le pouce. Elle s'arrête. Le gars a l'air très jeune, moins de vingt ans. Il a la tête rasée et porte un survêtement noir avec une capuche.

— Où vous allez?

— On va à Saint-Étienne.

— C'est bon. Montez.

Je m'assieds devant. Bran et Gabrielle derrière. L'odeur de vieux cuir et de tabac manque de me faire tourner de l'œil. Le gars ne jette même pas un regard sur les tuniques sales qui nous servent de vêtements. Le dialogue est irréel.

— Vous étiez en boîte?

De quoi parle-t-il? Ah, oui, je comprends : on est dimanche matin. Je n'ai pas tenu le compte des jours, là-bas, mais ça doit être à peu près ça. Il y a une semaine que je suis partie. Ça me semble un siècle.

— Non. On sort... d'une fête.

Il rit.

— Ah, je vois. C'était bien?

— C'était spécial. Et toi, où tu vas?

– Je vais aider un copain qui déménage, à Saint-Étienne. Il va juste en face, de l'autre côté de sa cour, à vingt mètres. Pas besoin de camion. Mais faudra quand même descendre les meubles par l'escalier. Quatre étages ! Et en remonter deux ! Mais on est toute une bande. Ça va aller.

Il ouvre une boîte métallique qui contient trois cigarettes mal roulées.

– Ça vous dérange si je fume ?

– Non.

Il ouvre en grand sa vitre et continue :

– Normalement, il a dû préparer les cartons et démonter les meubles, le copain, mais je le connais, il est encore à roupiller à cette heure. On va le sortir du lit ! Je le sais parce que je l'ai déjà déménagé deux fois et que les deux fois…

Je l'écoute pérorer et j'éprouve un vertige. Peut-être la fumée de sa cigarette, ou la fatigue… Ou plutôt le mystère du passage. Ce qu'il me dit sonne incroyablement familier à mon oreille, et pourtant ça me semble provenir d'un monde distant de quatre millions d'années-lumière. Je me retourne. Derrière il y a ma sœur Gabrielle, hébétée, presque transparente de pâleur, qui regarde défiler le paysage, se demandant sans doute quel nouveau rêve elle est en train de rêver. Je prends enfin vraiment conscience qu'elle est revenue, que je l'ai ramenée, qu'elle est là. On devrait sonner les cloches, tirer des feux d'artifice, danser, hurler, pleurer de joie. Au lieu de ça, on traverse la campagne endormie du petit jour. Le soleil hésite à se lever derrière la rangée de peupliers, à l'est. Nous roulons sur la D8 en respectant sagement la limitation de vitesse et un type que je ne connais pas me raconte des histoires de déménagement.

Bran me sourit et pose la main sur mon épaule, mais il a le même air égaré que Gabrielle. Je pense à ce qu'il est en train de vivre : il laisse derrière lui le monde qui était le sien, et il entre dans le mien. Et ce gars qui parle de déménagement ! À quel point Bran fait-il cela pour moi ? Et à quel point pour lui-même, lui qui est plus terrien qu'un Terrien ? Je ne le sais pas encore. Je le saurai bientôt sans doute.

Dans la traversée de Sury, je trouve ce que je cherche.

— Arrête-toi ! S'il te plaît, arrête-toi !

Le garçon, étonné, se gare sur le bas-côté, près de la station-service.

— Qu'est-ce qui t'arrive ?

— Rien. Je veux juste téléphoner.

— J'ai un portable, si tu veux…

— Non, je préfère appeler d'une cabine.

Je descends et j'ouvre la portière de Gabrielle.

— Gabrielle, viens.

Elle est dans une phase où elle souffre moins. Elle me suit docilement jusqu'à la cabine en se serrant dans ses propres bras, comme pour garder précieusement en elle ce répit, cette absence passagère de douleur, l'empêcher de s'enfuir. Il n'y a pas un chat aux alentours. C'est bien.

— Écoute-moi, Gabrielle. Tu me fais confiance, hein ? Je t'ai ramenée de là-bas, alors tu dois m'obéir, d'accord ?

— D'accord.

Elle me fait de la peine avec sa petite voix d'enfant. Est-ce qu'un jour elle redeviendra forte ? Est-ce qu'elle redeviendra ma grande sœur ?

— Je vais faire le numéro du portable de papa et tu lui parleras.

— D'accord.

— Tu te souviens de son numéro ?

— Non.

— Ça ne fait rien. C'est moi qui vais le faire. Mais si on te demande, tu diras que tu t'en souvenais. D'accord ?

— D'accord.

— Ne lui dis pas que je suis avec toi. Surtout pas. Dis-lui que tu es seule et qu'il doit venir te chercher.

— Et il viendra me chercher ?

Ma gorge se serre. J'ai l'impression de parler à une fillette de six ans.

— Oui, il viendra te chercher.

Je lui explique où elle est, ce qu'elle doit dire et surtout ce qu'elle ne doit pas dire. Je le lui fais répéter. Répéter encore. Ça dure plusieurs minutes. Je lui fais promettre de bien le dire comme ça et pas autrement. Puis j'introduis ma carte de téléphone. Je compose le numéro de mon père et je passe l'écouteur à Gabrielle. Pendant que ça sonne, je sors de la cabine et je m'éloigne de quelques mètres pour ne pas trahir ma présence. Dans la Twingo, Bran nous regarde depuis l'arrière, le front contre la vitre. Devant, le gars a mis du rap à la radio, il tapote son volant et se demande ce que nous fabriquons.

Enfin, je vois les lèvres de Gabrielle qui s'activent. Elle parle à notre père. Je sais déjà que cette image restera gravée pour toujours dans ma mémoire : Gabrielle revenue qui parle à notre père dans cette cabine téléphonique et moi qui la regarde. Il lui pose sans doute des questions. J'espère qu'elle répond bien, qu'elle ne se trompe pas. Enfin, elle hoche la tête, à plusieurs reprises. Il doit lui dire : «Je viens, j'arrive, ne bouge surtout pas…» Et elle lui répond : «Oui d'accord, d'accord, oui, d'accord…» Elle raccroche. Je fonce vers elle.

— Alors ?

— Il vient me chercher.

— Tu es contente ?

Elle hoche encore la tête et dit :

— J'ai froid.

— Reste dans la cabine. Il sera là dans moins d'un quart d'heure.

Nous ne sommes plus que trois dans la voiture. C'est impoli, mais je suis passée derrière, avec Bran, et j'ai pris ses mains dans les miennes. Ça ne dissuade pas notre garçon au crâne rasé qui poursuit son monologue sans se soucier qu'on l'écoute ou non. Il y a des gens comme ça. Il est question de bières, d'aquariums, de flics.

À Saint-Étienne, il nous laisse place Fourneyron et nous marchons en direction du studio. Les rues sont désertes et ça nous arrange bien. Une boulangerie vient d'ouvrir. Je devrais être plus prudente, aller d'abord me changer, mais c'est plus fort que moi. Il me reste une quinzaine d'euros dans mon porte-monnaie. J'entre avec Bran. L'odeur de pain chaud me bouleverse. Je prends une baguette, deux croissants. Et deux pains au chocolat dont je sens la tiédeur à travers le papier.

Je tourne la petite clé plate dans la serrure du studio et la porte s'ouvre. Je suis émerveillée de voir comme tout cela fonctionne : la boulangerie, la clé, la cafetière électrique… Ma colocataire est absente. Ça aussi, ça m'arrange bien. Nous nous asseyons dans la minuscule cuisine. J'ai posé mon portable devant moi, sur la table, et j'attends l'appel de mon père. Je sais qu'il ne me préviendra qu'une fois Gabrielle récupérée et en sécurité à la maison.

Nous mangeons en silence, comme un vieux

couple. Mais ce n'est pas la lassitude qui nous fait taire, c'est une sorte de sidération, et la sensation d'être des miraculés. Il y a trois jours, nous agonisions dans l'enfer d'Estrellas et, ce matin, nous glissons des tartines dans le grille-pain en reniflant l'odeur du café. Je m'aperçois que j'avais très faim. Mes papilles jubilent à chaque bouchée. Mémé Chiara me le disait parfois avant de perdre la tête : «*Mangia, figlia mia, è il Bambin Gesù in bocca!*»

– C'est bon ? je demande à Bran.

– C'est… terrestre, répond-il.

Je note en riant qu'il trempe son croissant dans son bol. Ils sont allés jusque-là dans leur cours de civilisation, à la base militaire.

7
Hey Jude…

«*Hey Jude… don't make it bad. Take a sad song and make it better…*», commença Paul McCartney.

Bruno Collodi n'eut aucun doute, son téléphone portable sonnait dans son bureau, là où il l'avait mis à recharger la veille. Il lorgna le radio-réveil : six heures trente-huit. Sa femme allongea le bras, le griffa à la cuisse et grommela quelque chose comme :

– ton portable… bureau…

Depuis la disparition de Gabrielle, un an plus tôt, le couple Collodi entretenait un rapport particulier avec le téléphone. Celui-ci s'était mis à représenter pour eux la menace la plus épouvantable en même temps que l'espoir le plus fou. Il pouvait être l'ange annonciateur de la bonne nouvelle, mais aussi l'ange noir du malheur. En tout cas, il n'avait plus sonné une seule fois sans déclencher chez eux cette pensée secrète et immédiate : «Et si c'était pour Gabrielle…»

Ça ne l'était jamais. C'était toujours pour autre chose, pour des histoires de rendez-vous, de travail, de repas, de voitures, enfin pour l'une de ces choses qui continuaient à intéresser les gens, et qui ne les intéressaient plus, eux.

En suivant, nu, le couloir qui conduisait à son bureau, Bruno Collodi eut le temps d'imaginer deux autres raisons possibles à cet appel matinal. Peut-être était-ce la maison de retraite qui l'alertait parce que quelque chose n'allait pas avec sa mère. Elle n'était pas bien, ces derniers temps. Son état pouvait s'être brusquement dégradé pendant la nuit.

Ou bien c'était Anne. Elle n'avait pas donné de nouvelles depuis une semaine, elle venait de s'en rendre compte et elle sautait sur le téléphone pour réparer son oubli. Ça lui aurait bien ressemblé. C'était un des seuls sujets de conflit avec elle. Ils exigeaient de savoir en permanence où elle se trouvait, avec qui et pour combien de temps. «Tu comprends, Anne, après ce qui s'est passé… Mets-toi à notre place…» Oui, elle comprenait, oui, elle se mettait à leur place, mais au début de l'automne elle avait explosé : «Lâchez-moi, enfin ! C'est pas parce que ma sœur a disparu que je dois vous faire signe tous les quarts d'heure ! J'ai ma vie !» Alors, ils avaient fait un effort et admis qu'elle puisse rester silencieuse quelques jours sans qu'ils aient besoin de s'affoler. Mais tout de même, une semaine... Et quelle idée de les sonner à cette heure, un dimanche ?

« *Hey Jude, don't be afraid...* » chantaient les Beatles quand il porta le téléphone à son oreille. Le numéro affiché était celui d'un fixe inconnu de lui.

– Oui, allô ? dit-il.

Il y eut une seconde de silence, puis il entendit deux syllabes prononcées faiblement et qui le liquéfièrent :

– Papa ?

Il aurait reconnu entre cent mille le timbre un peu voilé, un peu raclé de sa fille Gabrielle. Sa fille aînée. Celle qui les avait rendus père et mère vingt-cinq ans plus tôt, les submergeant d'un bonheur à jamais inégalé. Celle aussi qui les avait plongés dans la détresse.

Sa disparition avait provoqué dans leur vie une sorte d'effondrement, comme lorsqu'un terrain s'affaisse, entraînant avec lui maisons, voitures, êtres humains. Depuis, ils survivaient au fond de ce gouffre béant, à l'aide de cachets qui leur permettaient d'échapper à l'angoisse quelques heures par nuit. Mais il n'existait pas de médicaments contre ces questions qui les tourmentaient sans fin : « Où est-elle ? Où est son corps ? Est-elle encore en vie ? Est-ce qu'elle nous appelle au secours de quelque part ? » Et la pire de toutes : « Est-ce que quelqu'un lui fait du mal ? »

L'enquête, malgré tous les efforts, n'avait débouché que sur du vide. Aucune trace de Jens, ni à Bordeaux d'où il prétendait venir, ni ailleurs. Aucune trace nulle part de ses amis présents au mariage. Tous apparus et disparus comme des êtres de fiction, des personnes sans réalité, sans épaisseur. Aucun indice matériel. Aucune demande de rançon. Aucune direction vers laquelle se tourner. Rien que ce vide angoissant. Ce gouffre. Et la torture de l'absence.

— C'est Gabrielle, dit la voix.

Le choc lui fit perdre l'équilibre et il se retrouva assis, adossé à la bibliothèque.

— Où es-tu ?

— Je suis à Sury-le-Comtal.

— D'où appelles-tu ?

— D'une cabine. Tu peux venir me chercher ? Déjà il était debout.

— Quelle cabine, Gabrielle ?

Elle récita sa leçon avec application :

— Celle qui est après la station-service, vers le supermarché, à la sortie de Sury.

— Tu vas bien ? Tu es seule ?

Elle eut une hésitation.

— Oui, je suis seule. Viens, papa, j'ai froid.

— Gabrielle ! appela-t-il, mais elle avait déjà raccroché.

France Collodi, sa femme, surgit à côté de lui, en pyjama.

— Où est-elle ? hurla-t-elle, en pleurs, les traits tellement déformés qu'il la reconnut à peine.

— À Sury. Viens !

Il arracha une couverture à leur lit et ils descendirent l'escalier en se tenant à la rampe pour ne pas y plonger. Elle tomba dans le salon en heurtant la table basse. Il tomba aussi en l'aidant à se relever.

— Il faut se calmer, dit-elle, sinon on aura un accident de voiture.

Ils enfilèrent les premiers vêtements qui leur tombèrent sous la main, les premières chaussures. Il ne prit pas ses papiers. Ils laissèrent toutes les portes de la maison ouvertes.

— Rappelle la cabine ! lança-t-il en démarrant le moteur de la voiture.

Elle pressa la touche «Rappel» du portable, puis celle du haut-parleur. Ils entendirent sonner une fois, deux fois, trois fois, puis à nouveau la voix de leur fille :

— Allô. C'est toi, papa ?

— Non, c'est maman… on arrive, ma chérie… ne t'en fais pas… on arrive.

Elle le lui répéta pendant les quinze minutes du trajet : «On arrive…», se retenant de l'accabler de questions, mais ne pouvant retenir celle-ci, la voix gonflée de sanglots :

— Où étais-tu tout ce temps, ma fille ?

— J'étais dans une chambre.

— Quelle chambre ? Où ?

– Je ne sais pas.

– Est-ce qu'on t'a fait du mal ?

– Je ne sais pas. Oui.

Ils étouffèrent tous les deux la même plainte.

Quand ils arrivèrent à proximité de la station-service, ils virent Gabrielle sortir de la cabine téléphonique et marcher vers eux, les bras serrés autour de son torse. Il faisait doux mais elle semblait frigorifiée. Il gara la voiture n'importe comment sur le parking du supermarché. Ils descendirent ensemble et coururent vers elle. Il arriva le premier, l'enveloppa de la couverture et la prit dans ses bras, comme un grand bébé. Il la garda ainsi quelques secondes, puis la laissa à sa femme qui fit de même. Tout cela se déroula dans un silence étonnant, avec douceur.

– J'ai froid, dit Gabrielle.

Elle grelottait. Ils l'entraînèrent.

En les voyant marcher ainsi vers la voiture, un cycliste du dimanche ralentit et demanda :

– Ça va, messieurs dames ?

– Ça va, répondit Collodi. Tout va bien. Merci.

Le cycliste continua sa route, perplexe. Gabrielle s'installa à l'avant, à côté de son père. Sa mère s'assit derrière elle, le front enfoui dans les cheveux roux de sa fille, et ses deux mains sur ses épaules.

– Qui t'a amenée là ? demanda-t-elle.

– L'homme, répondit-elle. En voiture.

– Quel homme ?

– Je ne sais pas comment il s'appelle. J'ai mal aux bras. Je veux rentrer à la maison.

– Oui, Gabrielle, on y va. Encore cinq minutes.

– Il faut prévenir la gendarmerie, dit Collodi.

C'était idiot. Ils avaient collaboré pendant des mois avec les gendarmes chargés de l'enquête, partagé avec eux les espoirs et les déceptions, promis de les alerter à la moindre nouveauté, et maintenant ils avaient complètement oublié de le faire. Cet instant leur appartenait. À eux seuls.

– Attends, répondit-elle. D'abord Anne.

– Non. On appellera Anne de la maison. L'urgence, c'est la gendarmerie.

Elle composa le numéro presque à regret et annonça simplement :

– C'est France Collodi. Nous avons retrouvé notre fille.

Elle indiqua où et comment. Ils dirent qu'ils arrivaient.

Gabrielle, recroquevillée sur elle-même, semblait se désintéresser du paysage, ne pas le voir, mais après le pont de Saint-Just, elle releva le menton, jeta un coup d'œil vers la gauche et bredouilla quelques mots inaudibles.

– Qu'est-ce que tu dis ? demanda son père.

– *La Muscadine*…, répéta Gabrielle, les gâteaux…

Leurs gorges se nouèrent. De leurs deux filles, Gabrielle était la plus gourmande et, pendant toute son enfance, l'idée d'aller acheter un gâteau à *La Muscadine* l'avait ravie. C'était un plaisir simple qu'on pouvait lui faire pour la récompenser, ou la consoler. Pendant ses années de collège, elle y passait au moins une fois par semaine.

– C'est encore fermé, mon trésor, dit-il.

Il se rendit compte qu'il lui parlait comme autrefois, quand elle était petite fille. Les larmes lui brouillèrent la vue.

– C'est fermé, mon cœur, mais je te promets de t'y amener dès que possible, et tu prendras tous les gâteaux que tu veux, c'est promis.

Elle hocha la tête.

Ils arrivèrent chez eux quelques minutes avant les gendarmes, deux hommes qui avaient travaillé sur l'affaire et qui cachaient mal leur émotion. Ils indiquèrent que plusieurs de leurs collègues s'étaient rendus directement à Sury, et s'excusèrent de devoir déjà interroger Gabrielle. À toutes les questions qu'ils lui posèrent au sujet de la voiture, sa marque, sa couleur, la jeune femme, toujours enveloppée dans sa couverture et assise sur le canapé du salon, répondit qu'elle n'y connaissait rien, qu'elle ne savait pas. Blanche peut-être. Non, bleue. À propos de l'homme, elle dit qu'il était mince et élégant, qu'il avait des cheveux lisses et tirés en arrière, et qu'il les caressait toujours avec sa main. Puis elle se plaignit d'être fatiguée et d'avoir mal.

Pour les Collodi, le docteur Chazal était un peu plus qu'un médecin et un peu moins qu'un ami. Il avait leur âge, la petite cinquantaine, et il avait soigné les deux filles pendant toute leur enfance. À l'adolescence, elles en avaient changé, mais il était resté pour elles le gentil docteur qui ne fait pas mal et qui rassure. Il promit d'être là dans les dix minutes et arriva au bout de cinq, en direct de son lit, ça se voyait à son visage chiffonné et à sa tignasse en bataille. Lui aussi semblait remué par l'événement.

— Bonjour, Gabrielle, dit-il calmement, je suis très content de te revoir.

Tandis qu'il mesurait la tension artérielle de la jeune femme, Collodi alla dans son bureau, ferma la porte derrière lui et composa le numéro de portable de sa fille Anne. Il s'étonna qu'elle décroche dès les premières notes de son jingle, si tôt, un dimanche matin.

— Anne ? dit-il. C'est papa.

— Oui ? Qu'est-ce qui se passe ?

— J'ai une bonne nouvelle pour toi. Une très bonne nouvelle.

— Oui ?

Il s'était préparé mais il ne put empêcher sa voix de flancher en prononçant ces mots tout simples :

– Gabrielle… est à la maison.

Anne eut alors la réplique la plus bête qu'on puisse imaginer dans cette circonstance. Elle laissa passer quelques secondes et répondit :

– C'est une blague ?

8
*Le Saut
de l'ange*

L'enquête consécutive à la disparition de Gabrielle Collodi n'avait rien donné. Celle qui suivit son retour ne donna rien non plus. La fameuse voiture qui l'aurait déposée à Sury-le-Comtal au petit matin semblait être une voiture fantôme. Blanche ou bleue, personne ne l'avait vue. Le portrait-robot de son conducteur, établi d'après la description de Gabrielle, montrait un inquiétant personnage au visage maigre et au regard de psychopathe. Sa diffusion n'aboutit à rien, sinon à quelques appels fantaisistes.

Anne redouta pendant une bonne semaine que le garçon à la tête rasée qui les avait pris en auto-stop fasse le rapprochement entre ses passagers et l'affaire Collodi, et qu'il vienne témoigner. Mais il était du genre à ignorer l'actualité et il resta muet, sans doute occupé à boire des bières, rouler ses cigarettes et déménager des copains. C'était tant mieux.

*

La presse régionale fit ses grands titres du retour de celle qu'elle appelait tantôt «la disparue de la Loire», tantôt «Gabrielle» comme si tout le monde était supposé la connaître personnellement. La presse nationale l'évoqua aussi. Plusieurs radios et chaînes de télévision sollicitèrent le couple Collodi. Ils donnèrent, pour avoir la paix, une assez longue interview au journal régional *Le Progrès*. Ils y déclarèrent que leur fille Gabrielle était revenue après un an d'absence, qu'elle ne se rappelait presque rien de ce qui lui était arrivé, qu'elle avait été droguée et séquestrée dans une chambre, qu'elle n'avait pas subi de violences corporelles, qu'elle n'avait eu à faire qu'à une seule personne, cet homme du portrait-robot. Ils dirent encore qu'ils ne donneraient aucune autre interview et leur fille non plus. Puis ils se turent. Les médias se rabattirent sur les voisins qui ne pouvaient rien dire de plus, sauf à l'inventer.

*

Gabrielle Collodi passa une seule journée chez ses parents avant d'être admise d'urgence, sur les conseils du docteur Chazal, dans une clinique neuro-psychiatrique de Lyon. Le psychiatre nota chez la patiente un fort état d'angoisse qu'il attribua en partie au manque et en partie au traumatisme psychologique provoqué

392

par le retour. La prise de sang effectuée dès son arrivée révéla la présence dans son organisme de substances inconnues. Le laboratoire chargé de l'analyse mit plusieurs jours avant de délivrer un compte rendu de huit pages, jargonnant et alambiqué, mais qu'on aurait pu résumer en une seule phrase : nous n'avons jamais vu un machin pareil et nous n'avons pas la moindre idée de ce que c'est.

Dans ses moments de répit, Gabrielle réclamait ses parents, sa sœur et les quelques amis qui lui étaient chers. On avait alors l'impression qu'elle était redevenue la Gabrielle d'avant. Elle pouvait rire, bavarder, s'intéresser aux autres et à ce qui était arrivé pendant son absence. Dans ses moments de crise en revanche, elle chassait tout le monde de sa chambre, pleurait, tremblait et disait qu'elle n'y arriverait pas.

Un mois après son admission, elle trouva un semblant d'équilibre.

Un après-midi, Anne vint en train depuis Saint-Étienne pour lui rendre visite. Elles firent toutes deux une longue promenade dans le parc de l'hôpital où les marronniers resplendissaient de rouille et d'or.

— Et si on allait faire les magasins ? dit Gabrielle. Ça fait longtemps.

La proposition, à peine faite, se révéla irrésistible. Elles sautèrent dans un bus et descendirent place Bellecour. De là elles se dirigèrent droit vers les rues piétonnes. Elles furetèrent, rirent, achetèrent la même veste noire dans une boutique beaucoup trop chère pour elles et fêtèrent ça en mangeant une crème glacée à trois cent cinquante calories à la terrasse d'un café bondé. La foule colorée, les éclats de voix, le soleil d'automne leur donnaient une sorte d'ivresse, et la sensation qu'on leur rendait miraculeusement quelques parcelles d'une insouciance perdue.

Dans le bus, Gabrielle se tourna vers sa sœur.

— Anne ?

— Oui.

— Je voulais te remercier d'être venue me chercher.

— À l'hôpital ?

— Non, pas à l'hôpital. Là-bas. Merci. Je te le dis de tout mon cœur.

*

Ce qu'Anne nommait sa stratégie tenait en un mot : le silence. Elle n'aurait pour rien au monde voulu vivre certaines situations humiliantes. Elle s'imaginait mal, par exemple, debout au bord de la D8, en compagnie d'un officier de gendarmerie débonnaire.

— Vous dites, mademoiselle, qu'il y avait ici un croisement ?

— Oui.

– Et un panneau indiquant «Campagne 3,5».
– Oui.
– C'est ça, et une route qui s'en allait par là.
– Oui.
– Je vois. Dites-moi, comment était-elle, cette route ?

Ou bien assise en face du même, tapant sa déposition avec les deux index :
– «et… ces… gens… ne… respiraient… pas…» C'est bien ce que vous venez de me dire, mademoiselle, nous sommes d'accord ?
– Oui.
– Hmm hmm… Bien…

Elle se rendit deux fois à Montbrison dans les semaines qui suivirent le retour de sa sœur, une fois avec son père et une fois toute seule, par le car. Les deux fois, son cœur s'accéléra à l'approche du croisement, mais il n'y avait plus de croisement, ni de panneau, ni de route entre les herbes hautes, juste la campagne qui se donnait l'air d'être encore plus paisible qu'à l'ordinaire.

Oui, le passage était définitivement fermé, elle en avait maintenant la conviction. Si elle avait eu le moindre doute, elle aurait parlé, bien entendu, pour protéger les futures Gabrielle, pour prévenir de nouvelles tragédies. Mais à présent c'était inutile, et même bien plus, dangereux. On les aurait mises en psychiatrie, toutes les deux. Et que serait devenu Bran ? Elle se tut.

Lorsqu'il avait quitté la base militaire de Lorfalen pour aller retrouver Anne dans le désert blanc de Larena, Bran Ashelbi avait eu un pressentiment. Il avait regardé la chambre dans laquelle il venait de passer douze ans de sa vie, les murs blancs, le lit vide de Torkensen, son lit à lui, les deux tables, les deux chaises, la fenêtre et il s'était dit : «Je ne reviendrai plus jamais ici.» Alors, il était allé à son armoire métallique et y avait pris ses documents terrestres, ceux qu'on lui avait remis un an plus tôt pour sa mission et qu'il avait gardés pour la suivante.

Cette intuition lui épargna bien des tracasseries sur Terre. Il étala un soir tous ses papiers sur la table basse du studio et ils les admirèrent. On ne pouvait pas faire plus authentique, on était allé jusqu'à l'imitation d'une légère usure. Rien ne manquait : carte nationale d'identité, permis de conduire les véhicules de type A1, B1 et B, carte vitale, carte de mutuelle, carte d'étudiant à l'université Jean-Monnet de Saint-Étienne, carte bancaire, fiche d'état civil, acte de naissance…

Bran Pierre Ashelbi était né le 17 novembre 1989 à Saintes (Charente-Maritime) de Ian Ashelbi, né le 4 novembre 1958 à Édimbourg (Écosse), et de Marie-France Bellec, née le 23 mars 1953 à La Rochelle.

– Plus Terrien, on fait pas ! commenta Anne.

J'y croirais presque ! Ils ont juste oublié ta carte de fidélité à Casino. On la prend demain !

Bran trouvait cela moins drôle. Ces documents qu'il avait considérés comme provisoires pendant sa mission devenaient soudain les siens, pour toujours. Mais le plus troublant était cette mère de fiction qu'on lui avait inventée et qui en cachait une autre, la vraie, celle qui avait grandi et vécu quelque part ici, sur Terre, qu'on avait enlevée, qui lui avait donné le jour, là-bas, dans l'autre monde, avant de disparaître à jamais dans l'enfer d'Estrellas. Elle n'avait pas de nom, pas d'identité. Il se mit en tête de l'arracher à l'oubli.

Il passa des dizaines d'heures sur Internet à chercher, éplucher, recouper, croiser, comparer toutes les informations accessibles concernant les disparitions inexpliquées de jeunes femmes dans les années 1989, 1990 et 1991, d'abord dans la région Rhône-Alpes, puis dans toute la France, puis dans les pays voisins : Suisse, Belgique, Hollande, Allemagne, Espagne, Italie. Des photos défilèrent par centaines, des noms, des âges, des dates, les circonstances des disparitions et toujours pour conclure cette phrase : « n'a plus été vue depuis… » ou bien : « a été vue pour la dernière fois le… » Le plus difficile était d'imaginer sa mère sous l'apparence d'une jeune fille à peine plus âgée que lui.

Il s'arrêta sur plusieurs visages, parfois presque certain d'avoir trouvé, puis rempli de doutes à nouveau. Il s'accrocha à des sourires, à une expression rêveuse, à une joyeuse grimace. Tous gardèrent leur insondable mystère. «C'est toi, maman ? leur demandait-il. Est-ce que c'est toi qui me regardes sur cette photo ? Parle-moi ! Dis-le !»

Un soir, Anne le trouva bouleversé, comme hypnotisé par l'écran.

– Tu as trouvé ?

– Regarde…

Elle se pencha sur son épaule. La photographie montrait le portrait en pied d'une longue femme blonde vêtue d'un manteau d'hiver. Suivait le signalement :

Femme de type nordique, 25 ans, très grande
  (environ 1,86 m), corpulence mince,
cheveux blonds bouclés mi-longs, yeux bleus.
  Et l'annotation :
A été vue pour la dernière fois le 27 mai 1990
  vers 19 h 30 montant dans un taxi place
    de Jaude à Clermont-Ferrand (63)
N'a plus donné signe de vie à ses proches
      depuis ce jour.

– C'est la mère de Torkensen, murmura-t-il.

Il n'y avait aucun doute tant la ressemblance sautait aux yeux. L'architecture du visage, les pommettes, la mâchoire, la douceur du regard, tout y était…

Bran trouva dans cette découverte une forme d'apaisement, comme s'il s'était agi de sa mère à lui, et peu après, il arrêta définitivement les recherches la concernant.

*

Un seul journaliste nota la coïncidence qui faisait réapparaître Gabrielle Collodi la semaine où l'écrivain Étienne Virgil disparaissait. Ceci dans la même petite ville du département et dans les mêmes circonstances énigmatiques. Le lien lui semblait évident. On lui dit : « Oui vous avez raison, tout à fait raison, c'est surprenant », puis, à défaut d'éléments qui conforteraient cette hypothèse, on oublia.

Mi-décembre parut le roman d'Étienne Virgil *Le Saut de l'ange*.

Anne, qui avait l'habitude d'emprunter ses livres à la médiathèque, fit une exception et l'acheta en librairie le jour même de sa parution. Il comportait cent vingt pages seulement et coûtait quinze euros. Sur la jaquette blanc crème figuraient le titre, le nom de l'auteur et un dessin stylisé, comme à l'encre de Chine, qui représentait un plongeoir. La quatrième de couverture reprenait en italique un extrait du texte :

À la piscine municipale, nous faisions
le saut de l'ange, parce que c'était une figure
noble, majestueuse, parfaite, et surtout

parce que ça impressionnait les filles.
Enfin, ça aurait dû...

Et plus bas le mot de l'éditeur :

Étienne Virgil laisse pour un temps
le fantastique et se souvient de ses dix-sept ans.
C'est drôle, inattendu, bouleversant.

Tandis qu'elle remontait la rue de la République, le roman à la main, elle eut l'impression qu'il marchait à côté d'elle, un peu bougon, et qu'il grognait :
– Ils sont gentils, mais je le sais bien, moi, que c'est pas terrible.
Elle se revit accoudée à la fenêtre de l'hôtel Titan.
– Étienne ! Étienne ! Vous m'entendez ? N'ouvrez pas votre porte !
Elle revit le jaillissement du corps puis, comme au ralenti, le vol ample, silencieux, déployé, son horreur et sa grâce. Pour impressionner les filles... Tu penses ! Elle se rendit compte qu'elle pleurait. Elle hâta le pas.

Chez elle, au lieu de commencer sa lecture, elle rangea le livre avec les autres, sur une étagère, et alla dans sa chambre. Le portefeuille était dans un sac en plastique noir enfoui sous une pile de vêtements. Elle s'assit sur le lit, le palpa. Le cuir autrefois marron était maintenant d'une couleur incertaine, brillant d'usure et très doux au toucher. Un cadeau de Madeleine ? Elle l'ouvrit, pour la première fois. Elle n'avait aucune intention d'éplucher ce qu'il contenait. Cela ne la regardait pas. Elle voulait seulement, avant de s'en séparer, jeter un coup d'œil à quelque chose. Il ne lui en aurait pas voulu, non, elle était même sûre qu'il aurait voulu qu'elle le fasse.

C'était une photo de médiocre qualité, carrée, sans doute faite au Polaroïd. Les bords en étaient très usés. Derrière les deux personnages, on distinguait l'entrée rouge et pimpante de la station-service avec sa porte de verre et le logo d'un dragon hilare, et sur la gauche le côté du camping-car avec le bouchon du réservoir d'eau tout juste revissé sans doute. Virgil se trouvait un pas en retrait. Sa compagne le tenait par le bras et souriait largement au photographe. Elle portait des lunettes, elle était potelée, pas très jolie. D'allure énergique. À coup sûr, c'est elle qui avait osé demander à quelqu'un de faire cette photo. C'est elle aussi, se dit Anne, qui avait dû un jour prendre l'initiative et dire à Étienne les phrases qu'il ne savait pas dire : « Salut, comment tu t'appelles ? » Et si on se revoyait ? « Embrasse-moi. » Elle aussi qui, un beau jour, l'avait laissé face à sa solitude, face à trente ans de solitude.

Elle retourna la photo. Quelques mots d'une écriture élégante, au stylo noir : « Étienne et Madeleine. 2 juin 1977 ». Et en dessous, au crayon à papier, rajouté plus tard sans doute, et presque illisible : « Le temps du bonheur et de l'innocence. »

Saint-Just était tranquille en ce début d'après-midi et le pont sur la Loire désert. Anne s'accouda à la barrière métallique bleue et regarda l'eau qui scintillait douze mètres plus bas. L'idée de rendre le portefeuille d'Étienne Virgil à sa famille, à sa petite-fille Loïse en particulier, l'avait tentée. Il lui aurait suffi de le glisser dans leur boîte aux lettres, de nuit, après avoir effacé ses empreintes digitales. Mais elle y avait vite renoncé. Qu'auraient-ils pensé ? Que quelqu'un savait, alors qu'eux ne savaient pas. Ce mystère n'aurait fait qu'ajouter à leur souffrance.

Elle soupesa la boule que formait le sac en plastique noir lesté d'une pierre et solidement ficelé, regarda encore les vaguelettes éblouissantes danser dans la lumière. Une voiture passa dans son dos. Elle attendit d'être seule à nouveau et elle ouvrit les mains. Le sac traça dans l'air, l'espace d'une seconde, une droite parfaite, puis il frappa l'eau qui se referma aussitôt sur lui. C'était allé beaucoup trop vite. « Est-ce que j'ai bien fait ? » se demanda-t-elle. Elle s'en alla, le cœur gros.

La colocataire d'Anne n'aimait pas Bran Ashelbi. Un peu de jalousie sans doute. Elle quitta le studio à la fin du mois de décembre et laissa les deux amoureux seuls dans leur nid.

La singularité de Bran leur valut des moments d'embarras et d'autres de franche rigolade. Il pouvait savoir des choses dont un Terrien n'avait aucune idée, comme par exemple le nom de tous les papes depuis saint Pierre ou bien celui d'un insecte insignifiant, mais si on lui demandait sa pointure dans un magasin de chaussures, il pouvait perdre contenance et répondre au hasard :

— Je ne sais pas… douze ?

Un soir, Anne le trouva gondolé de rire devant un documentaire où l'on vantait la performance d'un plongeur qui venait de battre le record du monde d'apnée statique, soit onze minutes et trente-cinq secondes.

*

Au printemps, Anne reprit son journal, abandonné depuis ses quinze ans. Une nuit que Bran dormait, elle se leva, s'installa à la table de la cuisine, écrivit d'une traite pendant plus d'une heure et termina ainsi :

Je suis amoureuse de Bran. Lui et moi, on est compatibles, j'en suis sûre maintenant. Mais

aujourd'hui, je sais autre chose : je suis amou-
reuse de cette Terre sur laquelle j'ai mes pieds. Je
l'aime avec tous ses défauts, toutes ses tares. Je
l'aime à cause de ça. J'aime le trop froid et le trop
chaud, la pluie, la boue, les embouteillages, les
examens ratés, les cartes postales moches, les
mensonges, les larmes, les blessures et la mort.
J'aime ce qui manque et ce qui dépasse, j'aime
le trop et le pas assez, je veux me brûler aux orties
et aux casseroles, ça ne me dérange pas, je veux
bien égarer mes clés, avoir mal à la tête, être
trompée (pas par Bran), être bousculée. Mais je
prends aussi les bonnes choses. Je veux être cares-
sée, je veux manger des banana split, je veux
écouter de la bonne musique, recevoir des lettres,
voir naître des bébés, faire la sieste, aller à Venise…

je veux faire entrer l'air dans mes poumons,
je veux respirer.

Épilogue
Sept ans
plus tard

C'était au début de l'automne. La voiture roulait sur la D8 entre Saint-Étienne et Montbrison. À l'ouest, le soleil descendait déjà derrière les monts du Forez, les coiffant de rouge. Les trois passagers venaient de laisser à gauche le prieuré de Saint-Romain-le-Puy sur son pic. Ils étaient joyeux. L'enfant parce qu'il allait voir un beau spectacle, et ses parents parce que leur enfant était heureux. Bran Ashelbi, au volant, guettait dans son rétroviseur la bouille charmante de son fils. Il ne s'en lassait pas. Anne, à côté de lui, cherchait sur la radio un programme qui lui plairait.

— Pourquoi est-ce que tatie Gabrielle a pas de mari? demanda l'enfant.

— Je te l'ai déjà dit, répondit Anne. Elle prend son temps.

— Pourquoi elle prend son temps?

— Je ne sais pas. Pour bien choisir sans doute.

— C'est quoi le *pestacle* ?

— Tu verras. Ce sera une surprise.

— Ça sera beau ?

— Sûrement, oui.

Depuis quelques mois, Wahilal avait ouvert la boîte à questions et il ne cessait d'en poser que pour manger et dormir. À l'école, il apprenait à lire et c'était une découverte de plus. Une découverte passionnante.

— Bri… co… lage…, déchiffra-t-il lorsqu'ils passèrent à proximité d'un panneau publicitaire.

— Oui, c'est bien, le félicita Bran. Bricolage. Tu as très bien lu.

— Fer-land… Qu'est-ce que c'est ?

— C'est le nom d'un hameau.

— C'est quoi un hameau ?

— C'est un tout petit village. Juste deux ou trois maisons.

— Ah, je l'aime, celle-là ! s'exclama Anne et elle monta le son.

La voix aérienne sortie de la radio emplit tout l'habitacle de la voiture :

— *This love… I think I'm going to fall again…*

— Fête… du… cham… pi… cham… pi… gon…, déchiffra Wahilal.

— Du champi-*gnon*, mon cœur. Et maintenant, tais-toi un peu. Maman écoute sa musique.

L'enfant, obéissant, continua pour lui-même, à voix basse, attrapant au hasard les mots qui lui tombaient sous les yeux :

406

– Mont… bri… son… vous… roulez… stop…
op… tique…

Anne chantonnait, rêveuse. Bran qui roulait
lentement se laissa doubler par une voiture plus
pressée et fit un signe amical au conducteur qui
le lui rendit.

Ils ne se retournèrent pas quand Wahilal
ouvrit grands ses yeux et fixa un point précis sur
le côté de la route, à droite, au nord, là où commençait un pré.

S'ils s'étaient retournés, ils auraient vu les
lèvres de leur enfant s'entrouvrir, se refermer et
s'entrouvrir une deuxième fois. Cela faisait deux
syllabes.

Et s'ils avaient prêté l'oreille, ils l'auraient
entendu prononcer très distinctement, dans un
souffle :

– *Cam-pagné*…

Remerciements

Écrire un roman, c'est s'aventurer pour un temps dans des territoires inconnus, avec ce que cela suppose parfois de solitude et de doute. Je voudrais remercier les personnes qui sont venues aux nouvelles pendant ce voyage et qui m'ont réconforté, encouragé. Mes amis de Gallimard Jeunesse bien entendu, toujours sûrs et bienveillants. Mes tout proches : Rachel et Colin. Ma fille Emma qui, depuis l'Angleterre, a suivi cela de très près, presque page à page…

Je remercie le compositeur Philip Glass dont j'ai écouté les musiques envoûtantes pendant toute l'écriture du roman.

Je remercie Bruno et Chiara qui m'ont soufflé l'italien, Laure qui a prêté sa silhouette pour la couverture.

Je remercie Rachel Hausfater qui m'a laissé lui emprunter, le temps d'un chapitre, le titre de son superbe roman *Le Chemin de fumée* (Le Seuil, 2004).

JEAN-CLAUDE MOURLEVAT est né en 1952 à Ambert, en Auvergne. Il fait des études à Strasbourg, Toulouse, Bonn et Paris, et exerce pendant quelques années le métier de professeur d'allemand avant de devenir comédien et metteur en scène de théâtre. À partir de 1997, il se consacre à l'écriture. Tout d'abord des contes, puis son premier roman, *La Balafre*, publié en 1998. Depuis, les livres se succèdent avec bonheur, plébiscités par les lecteurs, la critique et les prix littéraires. Jean-Claude Mourlevat a deux enfants et réside avec sa famille près de Saint-Étienne.

Du même auteur

Chez Gallimard Jeunesse
Le Combat d'hiver
Le Chagrin du roi mort
Silhouette
La Troisième Vengeance de Robert Poutifard
Le garçon qui volait
La Ballade de Cornebique
Jefferson

Chez d'autres éditeurs
Mes amis devenus (Fleuve éditions)
Et je danse aussi, co-écrit avec Anne-Laure Bondoux (Fleuve éditions)
Sophie Scholl : Non à la lâcheté (Actes Sud Junior)
La Rivière à l'envers (t. 1 et t. 2, Pocket Jeunesse)
L'Enfant Océan (Pocket Jeunesse)
A comme voleur (Pocket Jeunesse)
La Balafre (Pocket Jeunesse)
Je voudrais rentrer à la maison (Arléa)

Retrouvez Jean-Claude Mourlevat sur son site Internet :
www.jcmourlevat.com

Dans la collection
Pôle fiction

Andrea Cremer
Nightshade
- 1. Lune de sang
- 2. L'enfer des loups
- 3. Le duel des alphas

Matthew Crow
Sans prévenir

Christelle Dabos
La Passe-Miroir
- 1. Les Fiancés de l'hiver
- 2. Les Disparus du Clairdelune

Stéphane Daniel
Gaspard in love

Grace Dent
LBD
- 1. Une affaire de filles
- 2. En route, les filles !
- 3. Toutes pour une

Victor Dixen
Le Cas Jack Spark
- Saison 1. Été mutant
- Saison 2. Automne traqué
- Saison 3. Hiver nucléaire
Animale
- 1. La Malédiction de Boucle d'or
- 2. La Prophétie de la Reine des neiges

Berlie Doherty
Cher inconnu

Paule du Bouchet
À la vie à la mort
Chante, Luna
Mon amie, Sophie Scholl
Je vous écrirai

Timothée de Fombelle
Le livre de Perle

Cornelia Funke
Reckless
- 1. Le Sortilège de pierre

Alison Goodman
Eon et le douzième dragon
- Eon et le douzième dragon
- Eona et le Collier des Dieux

Michael Grant
BZRK
- BZRK
- Révolution
- Apocalypse

John Green
    Qui es-tu Alaska ?
    La face cachée de Margo

John Green /David Levithan
    Will & Will

Lian Hearn
    Le Clan des Otori
    • 1. Le Silence du Rossignol
    • 2. Les Neiges de l'exil
    • 3. La Clarté de la lune
    • 4. Le Vol du héron
    • 5. Le Fil du destin

Maureen Johnson
    13 petites enveloppes bleues
    • 13 petites enveloppes bleues
    • La dernière petite enveloppe bleue
    Suite Scarlett
    • Suite Scarlett
    • Au secours, Scarlett !

Sophie Jordan
    Lueur de feu
    • Lueur de feu
    • Sœurs rivales

Gordon Korman
    Mon père est un parrain

Justine Larbalestier
    Menteuse

David Levithan
    A comme aujourd'hui

Erik L'Homme
    Des pas dans la neige

Sue Limb
    Jess Jordan
    • 15 ans, Welcome to England !
    • 15 ans, charmante mais cinglée
    • 16 ans ou presque, torture absolue
    • 16 ans franchement irrésistible

E. Lockhart
    Nous les menteurs

Federico Moccia
    Trois mètres au-dessus du ciel

Jean Molla
    Felicidad

Jean-Claude Mourlevat
    Le Combat d'hiver
    Le Chagrin du Roi mort
    Silhouette
    Terrienne

Jandy Nelson
Le ciel est partout
Le soleil est pour toi

Patrick Ness
Le Chaos en marche
· 1. La Voix du couteau
· 2. Le Cercle et la Flèche
· 3. La Guerre du Bruit
Nous autres simples mortels

William Nicholson
L'amour, mode d'emploi

Jennifer Niven
Tous nos jours parfaits

Han Nolan
La vie blues

Tyne O'Connell
Les confidences de Calypso
· 1. Romance royale
· 2. Trahison royale
· 3. Duel princier
· 4. Rupture princière

Isabelle Pandazopoulos
La Décision

Leonardo Patrignani
Multiversum
· Multiversum
· Memoria
· Utopia

Mary E. Pearson
Jenna Fox, pour toujours
· Jenna Fox, pour toujours
· L'héritage Jenna Fox

Lucie Pierrat-Pajot
Les Mystères de Larispem
· 1. Le sang jamais n'oublie

François Place
La douane volante

Louise Rennison
Le journal intime de Georgia Nicolson
· 1. Mon nez, mon chat, l'amour et moi
· 2. Le bonheur est au bout de l'élastique
· 3. Entre mes nungas-nungas mon cœur balance
· 4. À plus, Choupi-Trognon...
· 5. Syndrome allumage taille cosmos
· 6. Escale au Pays-du-Nougat-en-Folie
· 7. Retour à la case égouttoir de l'amour
· 8. Un gus vaut mieux que deux tu l'auras
· 9. Le coup passa si près que le félidé fit un écart
· 10. Bouquet final en forme d'hilaritude

ON LIT
PLUS
FORT.
C●M

**L'ACTUALITÉ DES ROMANS
GALLIMARD JEUNESSE**

Le papier de cet ouvrage est composé de fibres naturelles,
renouvelables, recyclables et fabriquées à partir de bois
provenant de forêts gérées durablement.

Maquette : Maryline Gatepaille
Photo de l'auteur © D.R.

ISBN : 978-2-07-065499-4
Loi n° 49-956 du 16 juillet 1949
sur les publications destinées à la jeunesse
Premier dépôt légal : septembre 2013
Dépôt légal : juin 2019
N° d'édition : 358420 – N° d'impresssion : 237343
Imprimé en France par Maury Imprimeur - 45330 Malesherbes